공무원·경찰·소방·군무원 시험대비

동영상강의 www.pmg.co.kr

박문각 공

김세현 영어

기본 이론서

#1 문법

김세현 교수

합격을 만드는 Best 영어 기본서

박문각

이 책의
머리말

공무원 시험을 준비하는 공시생들에게 영어는 가장 힘든 과목입니다.

공시생들의 대다수는 영어 때문에 불합격을 하게 되고 영어 때문에 괴로워하고 영어 때문에 시험을 그만 둘까?라는 생각을 가지게 됩니다. 그만큼 영어는 힘든 과목입니다. 하지만 이는 영어를 확실히 잡으면 영어 덕분에 합격을 하게 되고 영어 덕분에 행복해질 수 있고 영어 덕분에 시험에 자신감을 갖게 될 수도 있다는 것을 의미합니다. 여러분들은 어떤 선택을 하시겠습니까?

합격을 좌우하는 중요 과목인 영어에 대한 확실한 방향성을 제시하고 싶습니다.

김세현 영어는 가장 효율적이고 경제적인 방향을 제시하려 합니다. 여기에서 효율적이고 경제적이라 함은 단기간의 시간 투자로 합격할 수 있는 방향성과 거기에 맞는 학습 과정(curriculum)의 구성을 의미합니다. 공무원 시험에 합격 하기 위한 영어 공부는 영어를 학문적으로 연구하며 공부하는 것이 아니라 오직 합격만을 위해 존재해야 한다고 생각 합니다. 따라서 김세현 영어는 시험에 꼭 나올 것만을 다루고 문제를 풀 수 있는 방법론에 초점을 맞춘 교재입니다.

공무원 합격을 위한 영어 공부에 대한 해결책을 만들었습니다.

무엇보다도 중요한 것은 기본에 충실하셔야 합니다. 기본 어휘, 기본 문법, 그리고 기본 독해로 먼저 출발하고 그다음 심화 과정 그리고 고급 과정으로 진행한다면 여러분들은 반드시 합격하실 수 있습니다. 김세현 영어의 가장 큰 특징 이 바로 체계성입니다. 즉, 기본 이론을 익히고 그 이론에 따른 문제풀이를 단계별(기본 문제풀이 → 심화 문제풀이 → 기출 문제풀이)로 학습할 수 있게 구성함으로써 공무원 영어에 대한 가장 확실한 해결책을 마련했습니다.

김세현
영어

수험생 여러분께 경의를 표합니다.

끊임없는 치열한 경쟁 속에서 오직 하나의 목표를 위해 지금 이 책을 마주하고 있는 여러분의 궁극적 목표는 이번 공무원 시험에서의 합격일 것입니다. 그 합격을 위해 작은 마음을 보태고자 합니다. 모두 다 합격할 수는 없습니다. 단, 스스로를 잘 관리한다면 그리고 최선을 다한다면 그 합격의 영광은 여러분들에게 반드시 돌아올 것입니다. 힘내시고 김세현 영어와 함께합시다. 합격의 영광을 곧 맞이하게 될 여러분께 경의를 표합니다.

모든 분들께 감사드립니다.

이 교재가 나오기까지 많은 힘을 실어 주신 박용 회장님께 깊은 감사를 드립니다. 또한 우리 연구실 직원들에게도 고마움을 표합니다. 마지막으로 주말을 반납하면서 애써주신 박문각 출판팀의 노고에 깊은 감사 말씀을 전합니다.

2023년 6월
수험생 여러분의 건승을 기원하며 노량진 연구실에서

구성과
특징

문법

① 기본 개념 제시

너무 구석에 치우치거나 예외적인 문법 설명보다는 기본 개념에 충실한 각 문법 내용들을 쉽고 명쾌하게 이해할 수 있도록 구성하였다.

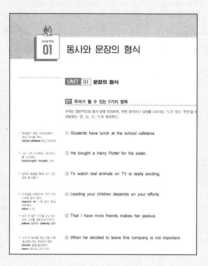

② Tip 활용

각 문법 개념 설명 중에서도 중요하지만 놓치기 쉬운 문법 포인트를 Tip을 이용해서 다시 한번 정리할 수 있게 하였다.

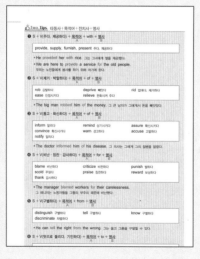

김세현
영어

3 확인·기본·심화문제

확인학습 문제, 기본학습 문제와 심화학습 문제를 구성하였다. 확인문제와 기본문제는 철저하게 기본에 충실하도록 출제했고, 기본을 토대로 한 단계 발전할 수 있는 심화문제는 따로 구성했기 때문에 단계별 학습에 충분이 도움이 될 수 있게 하였다. 또한 기출문제를 엄선하여 수록하였기때문에 최근 기출의 경향을 한눈에 파악할 수 있다. 따라서 각 파트별 내용을 기본 → 심화 → 기출의 단계로 다시 정리할 수 있게 하였다.

확인학습 문제

01 다음 우리말을 영어로 옮긴 것 중 적절하지 않은 것은?
① 그 위원회는 회원들 중 한 명을 부회장으로 선출했다.
→ The committee elected one of its members vice-
② 그는 이 문제가 그에게 책임이 없다고 생각해서는 안 된다
→ He must not think him irresponsible for this prob
③ 우리는 그 어린 소년들에게 음악소리를 줄여 줄 것을 요청
→ We asked the little boys to turn the music down
④ 쇼핑객들이 더 많은 물건을 사도록 부추기는 데 음악이 사
→ Music is used to encourage shoppers buying mo

02 다음 중 어법상 가장 적절한 것은?
① They kept all the desk drawers locked.
② Do you have the windows clean every month?
③ Don't leave the children roamed outside in the hot
④ She smelled strange and saw smoke risen from the

기본문제

01 다음 밑줄 친 부분 중 어법상 틀린 것은?

The anthropology professor who always compels us ① to do our paper on time notified us ② that China failed to welcome Ta refugees after the war, which caused many Taiwanese ③ i around the world. The reason is that Taiwanese ④ borrowed fro Asian countries much money but they didn't pay back.

02 다음 밑줄 친 부분 중 어법상 틀린 것은?

Franklin Roosevelt was President of the United States at a tim great changes ① occurred in the nation. American business was

심화문제

01 다음 밑줄 친 부분 중 어법상 적절하지 않은 것은?

The case of theft ① arose at the sweet shop in the last nigh officers ② reached with speed the shop. The owner immediately them that 200 dollars from the cash register ③ had been missed. some people claimed the distrust of the case was lying ④ thick

02 어법상 옳은 것은?
① Poor housewives were dwelled in South America.
② He says he would resign if he didn't get more money.
③ My driving licence is going to be expired next month.
④ The supporters roamed unnecessary around the ground.

정답 및 해설

01 해설 ③ 알린 것(informed)보다 없어진 것(had been missed)이 먼저
시제의 사용은 어법상 적절하지만 문맥상 적절하지 못하다. miss는 1형
로 사용되었으므로 수동의 형태는 어법상 적절하지 않다. 따라서
① arise는 1형식 자동사이므로 능동의 형태는 어법상 옳다.
② reach는 3형식 동사이므로 바로 뒤에 목적어(the shop)가 위치
참고로 3형식 동사 reach와 목적어 the shop사이에 전치사구 가
④ 2형식 동사 lie 다음 형용사보어 thick의 사용은 옳다.

해석 절도사건이 어제 밤 사탕가게에서 발생했다. 경찰들이 신속하게
그들에게 현금 등록기에서 200달러가 사라졌다고 알렸다. 하지만
불신이 쌓이고 있다고 주장했다.

02 해설 ② resign은 1형식 자동사이므로 능동의 형태는 어법상 적절하
① dwell은 1형식 자동사이므로 수동의 형태를 취할 수 없다. 때
③ expire는 1형식 자동사이므로 수동의 형태를 취할 수 없다. 때
로 고쳐 써야 한다.
④ roam은 1형식 동사이므로 뒤에 형용사를 사용할 수 없다. 때
는 부사 unnecessarily로 고쳐 써야 한다.

해석 ① 가난한 가정주부들은 남미에 거주했다.

CONTENTS

이 책의
목차

김세현
영어

"합격의 시간"

김세현

영어

PART
01

동사

동사와 문장의 형식

UNIT 01 문장의 형식

01 주어가 될 수 있는 5가지 항목

주어는 일반적으로 동사 앞에 위치하며, 어떤 동작이나 상태를 나타내는 '누구' 또는 '무엇'을 의미하며 우리말로는 '은, 는, 이, 가'로 해석한다.

① Students have lunch at the school cafeteria.

② He bought a *Harry Potter* for his sister.

③ To watch real animals on TV is really exciting.

④ Leading your children depends on your efforts.

⑤ That I have more friends makes her jealous.

⑥ When he decided to leave this company is not important.

① 학생들은 학교 구내식당에서
　점심 식사를 한다.
　school cafeteria 학교 구내식당

② 그는 그의 누이에게 「해리포터」
　를 사주었다.
　buy(-bought-bought) 사다

③ 실제의 동물을 TV로 보는 것은
　정말 흥미롭다.

④ 자녀들을 이끌어가는 것은 너의
　노력에 달려 있다.
　depend on ~에 달려 있다;
　의존하다
　effort 노력

⑤ 내가 더 많은 친구를 갖고 있는
　것이 그녀를 질투하게 만든다.
　jealous 질투하는
　*****jealousy** 질투

⑥ 그가 이 회사를 떠날 것을 언제
　결심했는지는 중요하지 않다.
　decide 결정(결심)하다
　leave 떠나다; 남겨 두다

👍 One Tip 주어가 될 수 있는 5가지 항목

문두(문장 처음 또는 접속사 다음)에 명사, 대명사, to부정사, 동명사, 명사절(의문사절)이 주어가 된다. 단, 전치사와 연결되는 명사는 주어가 될 수 없다.

02 동사를 하나로 묶어라!

동사는 단순하게 한 단어로만 만들어지는 것이 아니라 시제나 태에 따라서 또는 조동사와 결합해서 여러 개의 단어로 구성될 수 있다.

① Eating a balanced diet will help you stay healthy.

② Teenagers have used cellular phones in class.

③ My friend is quickly writing her report.

④ The novel was never written by easy English.

⑤ I cannot wait for you any more.

⑥ I have always been teaching English for the past two years.

① 균형 잡힌 식사를 하는 것이 당신을 건강하게 해 주는 데 도움이 될 것이다.
diet 식사; 식이요법

② 십 대들은 수업 시간에 휴대전화를 사용해 왔다.

③ 나의 친구는 빠르게 보고서를 쓰는 중이다.

④ 그 소설은 결코 쉬운 영어로 쓰여지지 않았다.
novel 소설; 새로운(= **new**)

⑤ 나는 더 이상 너를 기다릴 수 없다.
not ~ any more 더 이상 ~ 않다

⑥ 나는 지난 2년 동안 항상 영어를 가르치고 있다.
past 과거; 지나간, 지난

👍 **One Tip** 동사를 하나로 묶어라(verb group)!

[조동사+본동사], [have+p.p], [be+ -ing], [be+p.p], [구동사]는 하나의 동사로 간주한다.

확인학습 문제

다음 문장을 읽고 주어와 동사를 찾아서 표시하시오.

01 Teenagers have played a video game without any permission.
02 She has often been making her own clothes.
03 Traveling many countries may have cost a lot of money.
04 To watch a baseball game cannot be allowed in his life.
05 That I have more money than he makes me comfortable.
06 Whether it was an accident or intention will never be known.
07 What I'd like to explain to you relies on your will in itself.

---

01 <u>Teenagers</u> <u>have played</u> a video game phones in class without any permission.
        S   V

해석 십 대들은 허락 없이 비디오 게임을 해 왔다.
어휘 permission 허락 (permit 허락하다)

02 <u>She</u> <u>has often been making</u> her own clothes.
   S   V

해석 그녀는 종종 자신의 옷을 만들어 입어 왔다.
어휘 clothes 옷 *cloth 옷감, 천 *clothing 의류

03 <u>Traveling</u> many countries <u>may have cost</u> a lot of money.
    S   V

해석 많은 나라들을 여행하는 것은 많은 돈이 들 수 있다.
어휘 cost-cost-cost 비용이 들다 a lot of 많은

04 <u>To watch</u> a baseball game <u>cannot be allowed</u> in his life.
    S   V

해석 야구 경기를 보는 것은 그의 삶에서 정말 허락될 수 없었다.
어휘 allow 허락하다

05 <u>That I have much money than he</u> <u>makes</u> me comfortable.
            S   V

해석 내가 그보다 더 많은 돈을 갖고 있다는 것이 내게는 위안이 된다.
어휘 comfortable 편안한, 위로하는

06 <u>Whether it was an accident or intention</u> <u>will never be known</u>.
               S   V

해석 그것이 우연인지 의도했던 것인지는 결코 알려지지 않을 것이다.
어휘 accident 사고; 우연 intention 의도

07 <u>What I'd like to explain to you</u> <u>relies on</u> your will in itself.
           S   V

해석 내가 당신에게 설명하고 싶은 것은 본질적으로 당신의 의지에 달려 있다.
어휘 would like to ⓥ ~하고 싶다 explain 설명하다 rely on ~에 달려 있다; ~에 의지(의존)하다 will 의지
    in itself 본질적으로

UNIT 02 주어＋동사＋다음 구조

01 완전 자동사와 1형식 문장 구조

1형식 문장은 주어(S)와 동사(V)로만 의미가 통하는 문장 형식을 말하며 이러한 1형식 문장에 쓰이는 동사를 완전 자동사라 한다. 1형식 동사 뒤에는 수식어구[전치사구 또는 부사(구)]가 올 수 있다.

① They came here yesterday.

② The problem only exists in your head.

③ I should go to Italy on business.

1 주요 1형식 동사

(1) 나고 오는 동사

come 오다	return 돌아오다	arrive 도착하다
appear 나타나다	emerge 나오다, 나타나다	
happen 일어나다, 발생하다(＝occur, arise, take place)		

(2) 존재하며 사는 동사

be ~에 있다, 존재하다(＝exist)	live 살다	settle ~에 정착하다
dwell ~에 거주하다(＝reside)	lie ~에 있다, 눕다	rest 휴식하다
work 일하다	wake 깨다	sleep 잠자다
breathe 숨 쉬다	last 지속되다	continue 계속하다
laugh 웃다	yawn 하품하다	extend ~에 걸쳐 있다(＝range)
remain 남아 있다	function 기능하다	

(3) 올라갔다 내려갔다 동사

increase 증가하다	decrease 감소하다	soar 치솟다
skyrocket 치솟다	stand 서다	sit 앉다
surge 급증하다	proliferate 급증하다	dwindle 줄어들다
rise 오르다	fall 떨어지다	jump 뛰어오르다
develop 발전하다	evolve 진화하다	decline 감소하다(↔ grow)

① 어제 그들이 이곳에 왔다.

② 그 문제는 오직 당신의 생각일 뿐이다.
exist 존재하다, 있다

③ 난 업무상 이탈리아로 가야만 한다.
on business 업무상(때문에)

1형식 문법포인트

1. S＋1형식 동사＋부사
2. S＋1형식 동사＋전치사구
3. 1형식 동사는 수동 불가

(4) 가는 동사

go 가다	die 죽다	disappear 사라지다
vanish 사라지다	walk 걷다	roam 배회하다
wander 배회하다	run 뛰다	move 움직이다
depart 출발하다	leave ~를 향해 가다	cease 중단되다
end 끝나다	migrate 이주하다	fade 사라지다
expire 만료되다	retire 은퇴하다	resign 사직(사임)하다

확인학습 문제

다음 중 어법상 틀린 것은?

① Peter Smith went to Rome for a honeymoon yesterday.
② The price of oil has decreased rapidly nowadays.
③ The employer wandered aimlessly around the office.
④ Wisdom teeth are emerged after 18-year old of age.

해설 ④ emerge는 1형식 동사이므로 수동이 불가하다. 따라서 are emerged는 emerge로 고쳐 써야 한다.
　　① go는 1형식 동사이므로 수동이 불가하고 또한 바로 뒤에 전치사구가 위치할 수 있으므로 어법상 옳다.
　　② decrease는 1형식 동사이므로 수동이 불가하고 또한 바로 뒤에 부사가 위치할 수 있으므로 어법상 적절하다.
　　③ wander는 1형식 동사이므로 수동이 불가하고 또한 바로 뒤에 부사가 위치할 수 있으므로 어법상 적절하다.
해석 ① 피터 스미스는 어제 로마로 신혼여행을 갔다.
　　② 기름 가격이 요즘 빠르게 하락하고 있다.
　　③ 그 고용주는 정처 없이 사무실 주변을 배회했다.
　　④ 사랑니는 18살 이후에 나온다.
어휘 honeymoon 신혼여행　rapidly 빠르게　nowadays 요즘　employer 고용주 *employ 고용하다 *employee
피고용인　aimlessly 목적 없이, 정처 없이 *aim 목적 *aimless 목적 없는, 정처 없는　around 주위에, 둘레에; 대략, 약
wisdom tooth 사랑니

정답 ④

2 완전 자동사의 주어 동사 도치

완전 자동사로 이루어진 1형식 문장에서 시간·장소·위치의 전치사구나 부사(구)가 강조를 위해 문두로 나오게 되면 주어와 동사의 어순이 도치된다.

① After a storm comes a calm.

② Last night happened a strong earthquake.

③ On the hill in front of them stood a great castle.

④ There were people who obtain their water in some villages.

① 폭풍이 지나고 고요함이 찾아왔다(고생 끝에 낙이 온다).
storm 폭풍(우)
calm 고요함, 평온함

② 어젯밤 강진이 발생했다.
earthquake 지진

③ 그들 앞에 있는 언덕 위에 큰 성이 서 있었다.
hill 언덕
stand 서 있다, 위치하다
castle 성

④ 몇몇 마을에서 물을 구한 사람들이 있었다.
obtain 얻다, 구하다
village 마을

02 불완전 자동사와 2형식 문장 구조

2형식 문장은 주어와 동사만으로 의미 전달이 안 되며 주어를 보충해 주는 보어가 필요한데, 이러한 2형식 문장에 쓰이는 동사를 불완전 자동사라 한다. 이때 보어 자리에는 형용사나 명사가 온다.

① He was a legend in his field.

② Mr. Kim remained silent during the meeting.

③ My father turned pale at the news.

④ When we heard the noise, we felt nervous.

⑤ She really seemed normal at the moment.

① 그는 자기 분야에서 전설이었다.
legend 전설
field 분야, 현장

② 김 선생님은 회의 동안 침묵했다.
remain 유지하다
silent 조용한
meeting 회의

③ 그 소식에 아버지는 창백해지셨다.
pale 창백한, 핏기 없는
turn pale 안색이 창백해지다

④ 소음을 듣고서 우리는 불안했다.
noise 소음, 잡음
nervous 불안한, 긴장한

⑤ 그때 그녀는 정말 괜찮은 것 같았다.
seem ~인 것 같다
normal 정상적인
at the moment 그때, 그 순간에

👍 **One Tip** 2형식 동사 해석 요령

2형식 동사 뒤에 형용사가 보어 자리에 위치하면 2형식 동사는 '이다, 하다, 되다, 지다' 정도로 해석하면 된다.

1 주요 2형식 동사

(1) 2형식 상태 지속 동사 ('~이다, ~하다'의 의미)

> be, stay, remain, keep, hold, lie, stand, sit

(2) 2형식 상태 변화 동사 ('~되다, ~지다'의 의미)

> become, get, grow, turn, go, fall, run, come, continue

📝 2형식 문법포인트

1. S + 2형식 동사 + 형용사
2. 2형식 동사는 수동 불가

(3) 2형식 감각 동사

smell ~한 냄새가 나다	feel ~인 느낌이 들다
taste ~한 맛이 나다	sound ~처럼 들리다
look ~처럼 보이다	

(4) 2형식 판명(판단) 동사

prove, turn out ~로 판명되다	seem, appear ~인 것 같다

(5) VC 하나로 묶기

stay awake 깨어 있다	go bad (음식들이) 상하다
go mad 미치다	go wrong (일이) 잘못되다
come loose 느슨해지다	fall(run) short 부족해지다
fall sick 병들다	fall asleep 잠들다
run dry (강 등이) 마르다	continue weak 약해지다
lie thick 두텁게 쌓여 있다	grow distant (관계가) 멀어지다
grow loud 시끄러워지다	come true 실현되다
hold good 유효하다	turn pale 창백해지다

확인학습 문제

다음 중 어법상 가장 적절한 것은?

① I feel happily whenever I saw her.
② In summer, foods go badly with ease.
③ You turn pale and your voice sounds strange.
④ This rule holds well to all students in the school.

해설 ③ 2형식 동사 turn 다음 형용사 pale은 적절하고 2형식 감각동사 다음 형용사 strange도 적절하므로 어법상 옳다.
　　① 2형식 감각동사인 feel은 형용사보어를 필요로 한다. 따라서 부사 happily를 형용사 happy로 바꿔야 한다.
　　② 2형식 자동사인 go는 형용사보어를 필요로 한다. 따라서 부사 badly를 형용사 bad로 고쳐 써야 한다.
　　④ 2형식 자동사인 hold는 형용사보어를 필요로 한다. 부사 well을 형용사 good으로 바꿔야 한다.
해석 ① 나는 그녀를 볼 때마다 행복하다.
　　② 여름에는 음식이 쉽게 상한다.
　　③ 당신은 안색이 창백해 보이고 목소리가 이상하게 들린다.
　　④ 이 규칙은 이 학교 모든 학생들에게 유효하다.
어휘 whenever ~할 때마다　badly (부정적 개념) 심하게, 몹시　with ease 쉽게(= easily)　meeting 회의
　　pale 창백한 (turn pale 창백해지다)　strangely 이상하게　rule 규칙; 지배하다　well 잘; 우물

정답 ③

2 자리값에 의해 달라지는 동사의 의미

같은 동사라도 동사 다음에 위치하는 내용에 따라서 그 의미가 달라진다.

① He got to the airport with his son.

① 그는 아들과 함께 공항으로 갔다.

② He got angry when he heard the news.

② 그는 그 소식을 들었을 때 화가 났다.

③ He got an email from his boss.

③ 그는 그의 상사로부터 이메일을 받았다.

④ He got her a nice gift for her birthday.

④ 그는 그녀에게 생일날 멋진 선물을 주었다.

⑤ He got her to clean his room before going out.

⑤ 그는 그녀에게 나가기 전에 자기 방을 청소하도록 시켰다.

👍 One Tip 동사의 종류에 따라서 의미가 달라지는 주요 동사

동사	1형식 자동사	3형식 타동사	동사	1형식 자동사	3형식 타동사
count	중요하다	세다, 계산하다	pay	이익이 되다	지불하다
do	충분하다	하다	run	달리다	운영하다
decline	감소하다	거절하다	stand	서다	참다, 견디다
survive	생존하다	이겨내다, 견디다	miss	실종되다, 사라지다	그리워하다, 놓치다
leave	~에서 떠나다	~를 떠나다	settle	정착하다	해결하다

3 be to 용법

be동사 다음 to ⓥ가 나오면 '~하는 것이다'로 해석하는 게 원칙이다. 하지만 be동사 다음 to ⓥ가 '예정(~할 것이다)'이나 '가능(~할 수 있다)' 또는 '의무(~해야 한다)'의 의미로 사용될 수도 있다.

① 내 계획은 유럽으로 가는 것이다.
plan 계획, 일정

① My plan is to go to Europe.

② 그는 유럽으로 갈 예정이다.

② He is to go to Europe.

③ 모든 학생이 이번 달에 시험을 치를 예정이다(치러야 한다).
take the exam 시험을 치르다

③ Every student is to take the exam this month.

④ 당신은 내일까지 숙제를 제출해야 한다.
hand in 제출하다
until ~까지

④ You are to hand in your homework until tomorrow.

확인학습 문제

다음 우리말을 영어로 옮긴 것 중 가장 적절한 것은?

① 그 변호사를 고용하는 것은 아마도 비용이 많이 들 것 같다.
　→ To employ the attorney will probably pay too much.

② 그녀의 남편은 2개의 공장과 3개의 멋진 식당을 뛰어다닌다.
　→ Her husband runs two factories and three nice restaurants.

③ 모든 피고용인들은 제시간에 그 프로젝트를 끝내야만 한다.
　→ All the employees are to finish the project on time.

④ 그의 계획은 탁월한 것 같고 효과적인 것 같았다.
　→ His plan seemed brilliance and proved effective.

해설 ③ be to ⓥ는 'ⓥ해야 한다'의 뜻으로 사용될 수 있으므로 적절한 영작이다.
　① pay가 1형식 동사로 사용될 때에는 '이익이 되다'의 뜻이므로 적절한 영작이 될 수 없다.
　② run이 3형식 동사로 사용될 때에는 '운영하다'의 뜻이므로 적절한 영작이 될 수 없다.
　④ 2형식 동사 prove 다음 형용사 effective는 적절하지만 2형식 동사 seem 다음 명사(brilliance)는 적절하지 않다.
어휘 **attorney** 변호사　**employee** 피고용인, 직원　**on time** 정각에, 제시간에　**brilliance** 탁월함; 명석함
　effective 효과적인

정답 ③

03 완전 타동사와 3형식 문장 구조

타동사는 동사 뒤에 대상(목적어)이 있어야 하는 동사를 말하며 이러한 3형식 문장에 쓰이는 동사를 완전 타동사라 한다. 완전 타동사 다음에 목적어가 이어지는 구조가 3형식 문형이 된다.

① I saved money for a new bike.

② He loved her with a whole heart.

③ He decided to climb the Himalayas two years ago.

④ She postponed sending her secretary to New York.

⑤ We determined what is important or trivial in life.

⑥ He couldn't know if she was laughing or crying.

🖕One Tip 자동사와 타동사

자동사 : 동사의 동작이나 상태가 주어 자신에게만 영향을 준다.
• The oil price increased very fast. 유가가 아주 빠르게 올랐다.

타동사 : 동사의 동작이나 상태가 주어가 아닌 대상(목적어)에 영향을 준다.
• The inflation increased the oil price. 인플레이션이 유가를 올렸다.

🖕Two Tips 재귀대명사

동사의 목적어는 동사의 대상이며, 동사의 주체인 주어와 동일하지 않다(I love you). 그러나 경우에 따라서는 동사의 주체인 주어와 동사의 대상인 목적어가 일치하는 경우가 있다. 이런 경우 영어는 목적어 자리에 특별한 목적어를 사용하는데 이를 재귀대명사(목적격/소유격+self)라 한다.

• He killed himself with a pistol the day before yesterday. 엊그제 그는 총으로 자살했다.
cf He killed him with a pistol the day before yesterday.
엊그제 그는 그 사람을 총으로 살해했다. (그와 그 사람은 다른 사람)

어휘 kill ~을 죽이다, 살해하다 pistol 권총 the day before yesterday 그저께, 엊그제

3형식 문법포인트

1. 재귀대명사
2. 구동사의 쓰임
3. 자동사로 착각하기 쉬운 타동사

① 나는 새 자전거를 사려고 돈을 저금했다.
save ~을 저축하다, 아껴 두다

② 그는 온 맘을 다해 그녀를 사랑했었다.
with a whole heart 온 마음을 다해

③ 그는 2년 전 히말라야를 등반하기로 결심했다.
decide ~을 결심하다
climb 등반하다, 오르다

④ 그녀는 뉴욕으로 비서를 보내는 것을 연기했다.
postpone ~을 연기하다
secretary 비서

⑤ 우리는 삶에 있어 무엇이 중요하고 하찮은 것인지 결정했다.
determine ~을 결정(결심)하다
trivial 사소한, 하찮은

⑥ 그는 그녀가 웃는지 우는지 알 수가 없었다.
laugh 웃다
if 만약 ~라면; ~인지 아닌지; 비록 ~일지라도

1 구동사(Phrasal Verb)

자동사에 전치사를 붙여서 타동사로 사용되는 경우가 있는데 이를 구동사라 한다. 구동사는 숙어처럼 외워야 한다.

① 그는 항상 일간지를 구독한다.
subscribe to ~을 구독하다

② 그 의사는 환자를 수술했다.
operate on ~을 수술하다

③ 그는 5년 전에 고등학교를 졸업했다.
graduate from ~을 졸업하다

① He always subscribes to the daily newspaper.

② The doctor operated on the patient.

③ He graduated from the high school 5 years ago.

One Tip 그냥 숙어처럼 외워야 할 구동사

❶ 전치사 for와 결합하는 동사

account for ~을 설명하다	look for ~를 찾다, 구하다
care for ~를 돌보다	apply for ~을 신청하다
wait for ~를 기다리다	compete for ~을 위해 싸우다

❷ 전치사 with와 결합하는 동사

interfere with ~을 방해하다	comply with ~에 순응하다
cope with ~에 대처하다	contend with ~와 싸우다
deal with ~을 다루다	cooperate with ~와 협력하다
experiment with ~을 실험하다	go with ~와 어울리다
proceed with ~을 진행하다	hang out with ~와 놀다
contrast with ~와 대조를 이루다	

❸ 전치사 on과 결합하는 동사

operate on ~를 수술하다	fall back on ~에 의존하다
embark on ~을 시작하다	count on ~에 의존하다
attend on ~를 시중들다	focus on ~에 집중하다
rely on ~에 달려 있다/~에 의존하다	concentrate on ~에 집중하다
depend on ~에 달려 있다/~에 의존하다	insist on ~을 고집하다

❹ 전치사 from과 결합하는 동사

differ from ~과 다르다	result from ~에서 기인하다
stem from ~에서 비롯(유래)되다/~에서 얻다	graduate from ~를 졸업하다
derive from ~에서 비롯(유래)되다/~에서 얻다	refrain from ~을 삼가다/억제하다

❺ 전치사 in(to)와 결합하는 동사

participate in ~에 참여하다	result in ~을 초래하다
engage in ~에 참여[종사]하다	enter into ~을 시작하다

❻ 전치사 of와 결합하는 동사

consist of ~으로 구성되다	approve of ~을 인정하다
dispose of ~을 제거하다	speak of ~에 대해 말하다
beware of ~을 주의하다	

❼ 전치사 to와 결합하는 동사

attend to ~에 관심을 기울이다	subscribe to ~을 구독하다
get to ~에 도착하다	belong to ~에 속하다
object to ~에 반대하다	listen to ~을 듣다
lead to ~을 초래하다	refer to ~을 언급(참고)하다
react to ~에 반응하다	amount to ~에 달하다
respond to ~에 반응(응답)하다	resort to ~에 의존하다

❽ 기타 전치사와 결합하는 동사

laugh at ~을 비웃다	go through 겪다, 경험하다
look at ~을 보다	look down on ~을 깔보다
get through ~을 끝내다, ~을 통과하다	get over 극복하다, 회복하다

❾ 다른 전치사와 결합하면 의미가 달라지는 동사

agree	agree with + 사람	~에게 동의하다
	agree to + 사물	~에 동의하다
	agree on + 사물	~에 합의하다

- I couldn't agree with you more. 난 전적으로 너에게 동의한다.
- Finally they agreed to my opinion. 그들은 마침내 내 의견에 동의했다.
- We agreed on the arrangement. 우리는 그 협약에 합의했다.

succeed	succeed in	~에 성공하다
	succeed to	~을 계승하다

- He succeeded in the exam. 그는 시험에 성공했다.
- The man succeeded to his father's business. 그 남자는 아버지의 사업을 계승했다.

result	result from + 원인	~로부터 기인하다
	result in + 결과	~을 초래하다(야기시키다)

- Disease often results from poverty. 질병은 종종 빈곤으로부터 기인한다.
- Her small mistakes result in the big incident. 그녀의 작은 실수는 큰 사고를 초래한다.

👆 Two Tips 타동사+목적어+전치사+명사

❶ S + V(주다, 제공하다) + <u>목적어</u> + with + <u>명사</u>
                       A   B

provide, supply, furnish, present 주다, 제공하다

- He provided her with rice. 그는 그녀에게 쌀을 제공했다.
- We are here to provide a service for the old people.
  우리는 노인들에게 봉사를 하기 위해 여기에 왔다.

❷ S + V(제거·박탈하다) + <u>목적어</u> + of + <u>명사</u>
                      A   B

rob 강탈하다	deprive 빼앗다	rid 없애다, 제거하다
ease 진정시키다	relieve 완화시켜 주다	

- The big man robbed him of the money. 그 큰 남자가 그에게서 돈을 빼앗았다.

❸ S + V(통고·확신하다) + <u>목적어</u> + of + <u>명사</u>
                      A   B

inform 알리다	remind 상기시키다	assure 확신시키다
convince 확신시키다	warn 경고하다	accuse 고발하다
notify 알리다		

- The doctor informed him of his disease. 그 의사는 그에게 그의 질병을 알렸다.

❹ S + V(비난·칭찬·감사하다) + <u>목적어</u> + for + <u>명사</u>
                            A   B

blame 비난하다	criticize 비판하다	punish 벌하다
scold 꾸짖다	praise 칭찬하다	reward 보상하다
thank 감사하다		

- The manager blamed workers for their carelessness.
  그 매니저는 노동자들을 그들의 부주의 때문에 비난했다.

❺ S + V(구별하다) + <u>목적어</u> + from + <u>명사</u>
                A   B

distinguish 구별하다	tell 구별하다	know 구별하다
discriminate 차별하다		

- He can tell the right from the wrong. 그는 옳고 그름을 구별할 수 있다.

❻ S + V(탓으로 돌리다, 기인하다) + <u>목적어</u> + to + <u>명사</u>
                              A   B

attribute, ascribe ~탓으로 돌리다	owe 덕택(덕분)이다

- He attributed his error to his mom. 그는 자신의 잘못을 엄마 탓으로 돌렸다.

❼ S + V(막다, 못하게 하다) + <u>목적어</u> + from + <u>명사(ⓥ-ing)</u>
                              A   B

stop, keep, prevent, hinder, deter, discourage, prohibit 막다, 못하게 하다

- The boss deterred the employee from smoking.
  그 사장은 그 직원이 담배 피우는 것을 못하게 했다.

2 자동사로 착각하기 쉬운 타동사

어떤 동사들은 우리말로 해석할 때 마치 자동사처럼 해석이 되는데 이 때문에 타동사로 착각하기 쉬워진다. 그래서 공시영어에서는 이 부분을 시험 문제로 자주 출제하고 있다. 예를 들어 marry라는 동사는 우리말로 '~와 결혼하다'로 해석된다. 그래서 마치 marry 뒤에는 전치사 with가 와도 전혀 어색하지 않을 것 같지만 marry는 타동사이므로 전치사 없이 결혼하는 대상인 목적어가 이어져야 한다.

① I never mentioned how beautiful she is.

① 나는 결코 그녀가 얼마나 아름다운지에 대해 언급하지 않았다.
mention ~에 대해 언급하다

② We need to discuss when we should go to Korea.

② 우리는 언제 우리가 한국에 가야만 하는지에 대해 논의할 필요가 있다.
discuss ~에 대해 토론하다

③ I survived the summer without an air conditioner.

③ 나는 에어컨 없이 여름을 버텨냈다.
survive ~을 견디다, 버티다
air conditioner 에어컨

④ I resemble my mother but my sister resembles her father.

④ 나는 어머니를 닮았지만 여동생은 아버지를 닮았다.
resemble ~를 닮다

👍 One Tip 자동사로 착각하기 쉬운 타동사

enter (into) ~에 들어가다	attend (in/on) ~에 참석하다
reach (at/in/to) ~에 도착하다	approach (to) ~에 접근하다
marry (with) ~와 결혼하다	access (to) ~에 접근하다
discuss (about) ~에 대해 토론하다	mention (about) ~에 대해 언급하다
answer (to) ~에 답하다	follow (behind) ~의 뒤를 따르다
obey (to) ~에 복종하다	inhabit (in) ~에 살다, 거주하다
resemble (with) ~을 닮다	greet (to) ~에게 인사하다
accompany (with) ~와 동행하다	influence (on) ~에 영향을 주다
await (for) ~를 기다리다	affect (on) ~에 영향을 끼치다
equal (to) ~과 같다	join (with) ~와 함께하다
comprise (to) ~로 구성되다	oppose (to) ~에 반대하다
promote (to) ~로 승진하다	

확인학습 문제

01 다음 중 어법상 가장 적절한 것은?

① The government has trouble in disposing nuclear waste.

② She fell back her usual excuse of having no time.

③ I thought my professor could not account for this phenomenon.

④ I wish my mother would stop interfering my own decisions.

02 다음 우리말을 영어로 옮긴 것 중 가장 적절한 것은?

① 심지어 교도소에 있으면서도 그는 계속 범죄 활동에 참여했다.

  → Even in prison, he continued to engage criminal activities.

② 그 회장은 기자들에게 그 사실을 이야기하는 것을 거부했다.

  → The president refused to speak the fact to the journalists.

③ 그들은 친구들과 어울릴 때 결코 우리와 함께 동행하지는 않는다.

  → They never accompany us when they are hanging out with friends.

④ 그 시스템은 고용주들이 피고용인들의 요구에 유연하게 반응할 수 있게 해 준다.

  → The system enables employers to respond flexibly the needs of their employees.

03 다음 중 어법상 적절하지 않은 것은?

① Mothers scold their children for playing too many games.

② A number of features discriminate this species from others.

③ The new secretary will relieve us some of the paperwork.

④ The hospital has to provide the best medical service for patients.

04 다음 우리말을 영어로 옮긴 것 중 가장 적절한 것은?

① 이 지역 안에 살고 있는 몇 가지 희귀식물들이 멸종 위기에 있다.

  → Some of the rare plants that inhabit in the area are in danger of extinction.

② 미술 재료는 페인트, 붓, 캔버스 등으로 구성되어 있다.

  → Art materials comprise in paint, brushes, canvas, and so on.

③ 그 연예인은 자신의 가족에 대한 질문에 대답하기를 거부했다.

  → The entertainer denied answering to the questions against his family.

④ 그 노인은 쉬고 싶어서 의자에 앉았다.

  → The old man wants to relax, so he seated himself on the chair.

01 해설 ③ account for는 '~을 설명하다'의 의미를 갖는 구동사이므로 어법상 적절하다.
① dispose는 구동사로 전치사 of와 함께 사용해야 하므로 어법상 적절하지 않다.
② fall back은 전치사 on과 함께 '~에 의존하다'의 뜻으로 사용되므로 fall back은 전치사 on과 함께 사용해야 한다.
④ interfere는 구동사로 전치사 with나 in과 함께 사용해야 하므로 어법상 적절하지 않다.

해석 ① 그 정부는 핵폐기물 처리에 어려움을 겪고 있다.
② 그녀는 시간이 없다는 그녀의 일상적인 변명에 의존했다.
③ 나는 교수님이 그 현상을 설명할 수 없다고 생각했다.
④ 나는 엄마가 내 자신의 결정을 방해하는 것을 멈추기를 소망한다.

어휘 have trouble (in) ~ing ~하는 데 어려움을 겪다 dispose of ~을 처분(처리)하다 nuclear waste 핵폐기물 fall back on ~에 의존(의지)하다 excuse 용서하다; 변명, 핑계 interfere with(in) ~을 방해하다, ~에 개입하다 own 소유하다; (소유격 앞에서 소유격 강조) ~자신의 decision 결정, 결심

02 해설 ③ accompany는 타동사로서 전치사 없이 바로 목적어가 와야 하므로 어법상 적절하다.
① engage는 구동사로서 전치사 in과 함께 사용해야 한다. 따라서 어법상 적절하지 않다.
② speak는 구동사로서 전치사 of와 함께 사용해야 한다. 따라서 어법상 적절하지 않다.
④ respond는 구동사로서 전치사 to와 함께 사용해야 한다. 따라서 어법상 적절하지 않다.

어휘 prison 교도소, 감옥 continue 계속하다 engage in ~에 참여하다 criminal 범죄의; 범죄자 activity 활동 refuse 거절(거부)하다 journalist 기자 accompany ~와 동행하다 hang out with ~와 어울리다(놀다) enable 할 수 있게 하다 respond to ~에 반응하다(= react to) flexibly 유연하게

03 해설 ③ relieve A of B 구문을 묻고 있다. A(us) 다음 전치사 of가 없다. 따라서 어법상 적절하지 않다.
① scold A for B 구문을 묻고 있다. 어법상 옳다.
② discriminate A from B 구문을 묻고 있다. 어법상 적절하다.
④ provide 사물 for 사람 구문을 묻고 있다. 어법상 옳다.

해석 ① 엄마들은 아이들이 게임을 너무 많이 하는 것 때문에 꾸짖는다.
② 많은 특징들이 이 종과 다른 종들을 구별해 준다.
③ 그 새 비서가 우리의 문서 업무 중 일부를 덜어 줄 것이다.
④ 그 병원은 최고의 의료 서비스를 환자에게 제공해야 한다.

어휘 scold A for B A를 B 때문에 꾸짖다 a number of 많은 feature 특징, 특색 discriminate A from B A를 B와 구별(차별)하다 species 종 secretary 비서 relieve A of B A에게 B를 덜어주다(완화시켜주다) paperwork 문서 업무 provide A for B A를 B에게 제공하다

04 해설 ④ seat은 타동사로 바로 뒤에 목적어가 있어야 한다. 제시문에서는 그 노인이 자리에 앉은 것으로 주어와 목적어가 일치하므로 he seated himself(재귀대명사)는 어법상 적절하다.
① inhabit은 타동사로 바로 뒤에 목적어가 있어야 한다. 따라서 inhabit in은 어법상 적절하지 않다.
② comprise는 타동사로 바로 뒤에 목적어가 있어야 한다. 따라서 comprise in은 어법상 적절하지 않다.
③ answer는 타동사로 바로 뒤에 목적어가 있어야 한다. 따라서 answer to는 어법상 적절하지 않다.

어휘 inhabit ~에 살다(거주하다) extinction 멸종 comprise ~로 구성되다 and so on 기타 등등 entertainer 연예인 deny 거부하다 against ~에 대항하여; ~쪽으로 seat 앉히다 *sit 앉다

정답 **1** ③ **2** ③ **3** ③ **4** ④

04 수여동사와 4형식 문장 구조

4형식 수여동사는 '주다'의 의미를 지니고 있고 '누구에게(간접 목적어 → 주로 사람)'와 '무엇을(직접 목적어 → 주로 사물)'이라는 두 개의 목적어를 필요로 한다. 또한 4형식 문장에서는 두 목적어의 위치를 바꿀 수 있으며, 이때 직접 목적어가 앞에 나오면 간접 목적어 앞에는 전치사가 필요하다.

① 나는 그에게 맛있는 프랑스식 치즈를 만들어 주었다.
make A B A에게 B를 만들어 주다

② 그녀는 나에게 재미있는 소설책을 사 주었다.
buy A B A에게 B를 사 주다

③ 그 검사는 증인에게 몇몇 질문을 했다.
ask A B A에게 B를 묻다
prosecutor 검사
witness 증인

④ 그 프로젝트는 여전히 그에게 많은 문제를 야기하고 있다.
cause A B A에게 B를 야기하다

① I made him delicious French cheese.

② She bought me an interesting story book.

③ The prosecutor asked the witness a few questions.

④ The project is still causing him many problems.

☞ 4형식 문법포인트

1. 3형식 전환 시 전치사 선택
2. 4형식 착각동사
3. 직접 목적어 자리에 that절 사용

👍 **One Tip** 3형식 문형으로의 전환 시 전치사 선택

❶ give류 동사 : S+V+I.O+D.O → S+V+D.O+to+I.O

give 주다	show 보여 주다	allow 허락해 주다	grant 수여하다
sell 팔다	offer 제공하다	hand 건네주다	pass 건네주다
owe 빚지다	pay 지불하다	promise 약속하다	send 보내다
bring 가지고 오다	teach 가르쳐 주다	lend 빌려주다	tell 말해 주다

• She gave me a pen. → She gave a pen to me. 그녀는 나에게 펜을 주었다.

❷ buy류 동사 : S+V+I.O+D.O → S+V+D.O+for+I.O

buy 사 주다	order 주문·부탁해 주다	make 만들어 주다	prepare 준비해 주다
find 찾아 주다	build 지어 주다	fix 고쳐 주다	cut 잘라 주다

• I bought him a book. → I bought a book for him. 나는 그에게 책을 사 주었다.

❸ ask 동사 : S+V+I.O+D.O → S+V+D.O+of+I.O

ask 묻다

• I asked her a question. → I asked a question of her. 나는 그녀에게 질문을 하였다.

1 4형식 동사로 착각하기 쉬운 3형식 동사

어떤 동사들은 우리말로는 '~에게 …을 하다' 식으로 4형식 동사처럼 해석할 수 있지만 영어에서는 반드시 3형식 구조를 취해야 하는 동사(완전 타동사)들이 있다. 공시에서 자주 출제되는 유형이므로 잘 정리할 수 있어야 한다.

① He suggested me a good dictionary. (×)
　→ He suggested a good dictionary to me. (○)

② Johnson explained me the situation. (×)
　→ Johnson explained to me the situation. (○)

① 그는 나에게 좋은 사전을 추천해 주었다.

② Johnson이 나에게 그 상황을 설명해 주었다.

👍 One **Tip** 4형식 동사로 착각하기 쉬운 3형식 동사

announce 알리다	explain 설명하다	suggest 제안하다	confess 고백하다
describe 묘사하다	introduce 소개하다	borrow 빌리다	say 말하다
propose 제안하다	mention 언급하다	notify 알리다	

• You can borrow ten books from him at any time. (○)
　→ You can borrow him ten books at any time. (×)
당신은 언제든지 그에게 열 권의 책을 빌릴 수 있다.

2 직접 목적어 자리에 that절을 사용할 수 있는 동사

어떤 동사들은 직접 목적어 자리에 that절을 사용할 수 있는데 그 동사들은 다음과 같다.

inform	~에게 …을 알리다
notify	~에게 …을 알리다
convince	~에게 …을 확신시켜 주다
remind	~에게 …을 상기시키다
assure	~에게 …을 장담(확신)시키다

+ 목적어 + of + 명사 (3형식)
  간접 목적어 + that절 (4형식)

| tell | ~에게 …을 말해 주다 |
| promise | ~에게 …을 약속하다 |

+ 간접 목적어 + 직접 목적어 (4형식)
  간접 목적어 + that절 (4형식)

① 그 지지자들은 경찰에게 시위 날짜를 알렸다.

① The supporters informed the police of the date for the demonstration.

② 나는 그녀에게 회의가 연기됐다고 알렸다.

② I notified her that the meeting had been delayed.

③ 그 광고는 우리에게 판매 상품에 대한 정보를 말해 주었다.

③ The advertisement told us the information of the product for sale.

④ 그는 그녀에게 그가 길에서 끔찍한 장면을 보았다고 말했다.

④ He told her that he saw the terrible scene in the street.

확인학습 문제

01 다음 중 어법상 가장 적절한 것은?
   ① My father built a model ship out of wood to me.
   ② She cut a piece of bread to her son in the morning.
   ③ I showed a feeling of importance and dignity for him.
   ④ Since 1999, my uncle has been teaching English to students.

02 다음 우리말을 영어로 옮긴 것 중 가장 적절한 것은?
   ① 보름달 아래에서 그녀에게 사랑을 고백해 보는 것은 어떨까요?
      → Why don't you confess her your love under a full moon?
   ② 나는 투명성이 동시에 증가되는 것을 당신에게 제안한다.
      → I propose you an increase in transparency at the same time.
   ③ 그녀는 새로운 프로그램을 설치하기 위해서 부모님께 돈을 빌렸다.
      → She borrowed her parents money to install the new program.
   ④ 당신은 내가 일부러 그랬다고 생각하지만 확실히 하건데 그렇지 않다.
      → You think I did it deliberately, but I assure you that I did not.

01 해설 ④ teach는 4형식 동사로 3형식으로 전환할 때 전치사 to가 필요하다. 따라서 어법상 적절하다.
　　　　① build는 4형식 동사로 3형식으로 전환할 때 전치사 for가 필요하다. 따라서 전치사 to를 for로 바꿔야 한다.
　　　　② cut은 4형식 동사로 3형식으로 전환할 때 전치사 for가 필요하다. 따라서 to를 for로 바꿔야 한다.
　　　　③ show는 4형식 동사로 3형식으로 전환할 때 전치사 to가 필요하다. 따라서 for를 to로 바꿔야 한다.
　　해석 ① 우리 아빠는 나에게 모형 배를 나무로 만들어 주셨다.
　　　　② 아침에 그녀는 빵 한 조각을 잘라 아들에게 주었다.
　　　　③ 나는 그에게 중요한 기분과 근엄한 기분을 나타냈다.
　　　　④ 1999년 이래로, 나의 삼촌은 학생들에게 영어를 가르쳐 오고 있다.
　　어휘 model 모형 out of ~로부터(from); ~을 재료로 하여 piece 조각 dignity 근엄함

02 해설 ④ assure는 3형식 동사이지만 4형식 구조(assure＋목적어＋that＋S＋V~)로도 사용될 수 있으므로 어법상 적절하다.
　　　　① confess는 3형식 동사이므로 4형식 구조를 취할 수 없다. 따라서 her 앞에 전치사 to가 있어야 한다.
　　　　② propose는 3형식 동사이므로 4형식 구조를 취할 수 없다. 따라서 you 앞에 전치사 to가 있어야 한다.
　　　　③ borrow는 3형식 동사이므로 4형식 구조를 취할 수 없다. 따라서 her parents 앞에 전치사 from이 있어야
　　　　한다.
　　어휘 why don't you ~ ~하는 게 어때? (무언가를 제안할 때 사용되는 표현) confess 고백하다 full moon 보름달
　　　　transparency 투명(성) at the same time 동시에 borrow 빌리다 install 설치하다 deliberately 일부러, 고의
　　　　로 assure 확신(장담)시키다

　　　　　　　　　　　　　　　　　　　　　　　　　　　　　　정답 1 ④　　2 ④

05 불완전 타동사와 5형식 문장 구조(S＋V＋O＋O.C)

타동사 뒤에 목적어를 보충해 주는 목적격 보어가 있는 문장을 5형식 문장 구조라 하며, 이러한 목적격
보어가 필요한 타동사를 불완전 타동사라 한다. 그리고 5형식 문장 구조에서 목적격 보어 자리에는 명사,
형용사, to부정사, 원형부정사(to가 없는 부정사) 그리고 분사(현재분사, 과거분사) 등이 쓰일 수 있다.

① People elected him president.

② The girl made her father happy.

③ I want you to find me a job.

④ This always made me get angry.

⑤ He watched her stealing something.

⑥ Please keep the land undeveloped.

① 사람들은 그를 대통령으로 선출
　했다.
　elect 선출하다

② 그 소녀는 그녀의 아빠를 행복
　하게 만들었다.

③ 나는 당신이 나에게 일자리를
　찾아 주기를 원한다.

④ 이것이 항상 나를 화나게 했다.

⑤ 그는 그녀가 무언가를 훔치는
　것을 보았다.

⑥ 그 땅을 개발되지 못하게 해
　주세요.
　develop 발전(개발)시키다, 발
　달(개발)하다

5형식 문법포인트

1. S+V+O+명사
2. S+V+O+형용사
3. S+V+O+to ⓥ
4. S+V+O+ⓥ
5. S+V+O+ⓥ-ing / ⓥed

① 그들은 그 정치가를 거짓말쟁이라 자주 불렀다.
　politician 정치가
　liar 거짓말쟁이

② 대통령은 그를 국방부 장관으로 임명했다.
　Mr. President 대통령
　appoint 임명하다
　Secretary 장관
　Secretary of Defense 국방부 장관
　defense 방어

③ 그 그룹은 멤버들 중 한 명을 대변인으로 선출했다.
　elect 선출하다
　spokesperson 대변인
　(= **spokesman**)

④ 미국인들은 판사를 법정에서 '**Your Honor**(존경하는 재판장님)'라고 부른다.
　address 부르다; 다루다
　judge 판사; 판단하다
　honor 명예
　court 법정, 법원

1 S+V+O+O.C(O.C = 명사)

5형식 동사 중에는 목적격 보어 자리에 명사가 오는 경우가 있다. 이때 목적격 보어 자리에 신분이나 지위를 나타내는 명사로 무관사 명사가 올 수 있다.

① They often called the politician a liar.

② Mr. President appointed him Secretary of Defense.

③ The group elected one of its members spokesperson.

④ American people address the judge 'Your Honor' in the court.

👍**One Tip** 목적격 보어 자리에 명사가 오는 경우

call(부르다), name(이름 짓다), elect(선출하다), appoint(임명하다), consider(여기다, 간주하다), make(만들다) ⎤ + O + O.C(= 명사)

👍**Two Tips** 4형식과 5형식의 구별

- She made me a dress. (4형식)
　(간접 목적어 me ≠ 직접 목적어 a dress)

- She made me a doctor. (5형식)
　(목적어 me = 목적격 보어 a doctor)

2 S+V+O+O.C(O.C = 형용사)

5형식 동사 중에는 목적격 보어 자리에 형용사가 오는 경우가 있다. 이때 주의해야 할 것은 목적격 보어 자리에 부사는 사용할 수 없다는 것이다.

① I found him honest.

② Too much stress made him sick.

③ You must not leave the little boy alone.

④ You must not consider her responsible for this accident.

① 나는 그가 정직하다는 것을 알게 되었다.

② 너무도 큰 스트레스가 그를 아프게 했다.

③ 당신은 그 어린 소년을 혼자 놔두면 안 된다.

④ 당신은 이 사고의 책임이 그녀에게 있다고 생각해서는 안 된다.
responsible 책임이 있는, 책임지는

👍 **One Tip** 목적격 보어 자리에 형용사가 오는 5형식 동사

make 만들다, ~하게 하다	**find** 발견하다, 알다	**keep** 유지하다, 지키다
leave 남겨 두다	**consider** 여기다, 간주하다	

3 S+V+O+O.C(O.C = to ⓥ)

5형식 동사 중에는 목적격 보어 자리에 to ⓥ가 오는 경우가 있다. 이때 주의해야 할 것은 to ⓥ 자리에 동사원형이나 ⓥ-ing는 사용할 수 없다는 것이다.

① 경찰관이 그 여성에게 운전을 천천히 하라고 지시했다.
police officer 경찰관
drive 운전하다

① The police officer told the woman to drive slowly.

② 나는 당신이 가능한 빨리 나에게 직업을 찾아 주기를 기대한다.
expect 기대하다
job 직업, 일
as soon as possible 가능한 빨리

② I expect you to find me a job as soon as possible.

③ 의사는 나에게 병원을 떠나도록 했다(퇴원 조치를 시켰다).
leave the hospital 퇴원하다

③ The doctor allowed me to leave the hospital.

④ 그녀의 아버지는 당시에 내가 그녀와 결혼하는 것을 막았다.
forbid(-forbade-forbidden) 금지하다
at that moment 그 당시에, 그때, 그 순간에

④ Her father forbade me to marry her at that moment.

⑤ 모두가 내 차를 밀어 주어 마침내 시동이 걸렸다.
start 시동 걸다

⑤ Everyone pushed my car and finally got it to start.

⑥ 그 코치는 선수들에게 경기장에서 적극적이기를 요구했다.
player (운동)선수
active 활동적인, 적극적인
field 경기장

⑥ The coach asked the players to be active in the field.

⑦ 선생님은 Bill이 해외로 유학 가기를 격려했다.
encourage 격려하다
abroad 해외로
study abroad 해외로 유학하다

⑦ The teacher encouraged Bill to study abroad.

⑧ 미국인들은 13이란 숫자를 불길한 숫자로 여긴다.

⑧ Americans think number 13 to be unlucky.

👍 **One Tip** S+V+O+ to ⓥ

명령·지시 동사	tell, instruct(지시하다), order(명령하다), command(명령하다)
소망·기대 동사	want, like, expect(기대하다), long for(갈망하다)
허락·금지 동사	allow, permit(허락하다), forbid(금하다)
강요(~하게 하다) 동사	force, get, cause, compel, impel, drive, lead, oblige(의무적으로 ⋯ 하게 하다)
요구[요청] 동사	ask, beg, require(요구하다)
설득·격려 동사	persuade, induce(설득하다), advise(충고하다), encourage, inspire(격려하다), enable(할 수 있게 하다)
인지 동사	perceive(감지하다), consider(여기다, 간주하다), think, believe

4 S+V+O+O.C(O.C = 원형부정사/ⓥ-ing)

지각동사나 사역동사(~하게 하다, 시키다)는 목적어 다음 목적격 보어 자리에 to부정사(to ⓥ)를 사용할 수 없고, to부정사 대신 동사원형이나(원형부정사나) 분사(현재분사, 과거분사)를 사용해야 한다.

① He made his son wake up early In the morning.

① 그는 그의 아들을 아침 일찍 일어나게 했다.

② The businessman noticed her enter the house in a hurry.

② 그 사업가는 그녀가 급하게 집으로 들어가는 것을 알아차렸다.

③ I heard someone unlocking the door at night.

③ 나는 늦은 밤 누군가가 문을 여는 소리를 들었다.

④ I saw a girl crossing the street.
   참고 I saw a girl cross the street.

④ 나는 한 여성이 길을 건너고 있는 걸 보았다(길 건너는 순간).
   참고 나는 한 여성이 길을 건너가는 것을 보았다(길 건너는 내내).

⑤ The book will help you (to) understand English grammar.

⑤ 그 책은 당신이 영문법을 이해할 수 있도록 도울 것입니다.
   grammar 문법

👍 **One Tip** S+V+O+원형부정사/ⓥ-ing

❶ <u>사역동사</u> + O + 원형부정사(to 없는 부정사)
   ↳ have, make, let

❷ <u>지각동사</u> + O + 원형부정사(to 없는 부정사) / ⓥ-ing
   ↳ see, hear, feel, watch, notice, observe

❸ <u>기타 동사</u> + O + ⓥ-ing
   ↳ keep, find, leave, imagine, catch

❹ help + O + ┌ to ⓥ (BrE)
              └ ⓥ (AmE)

5 S+V+O+O.C(O.C = ⓥed)

어떤 동사들은 목적격 보어 자리에 과거분사(ⓥed)를 사용해야 하는 경우가 있는데, 이때는 목적어와 목적격 보어(ⓥed)의 관계가 수동(뒤에 목적어가 없는)이 된다.

① 그는 그 가게에서 시계를 고쳤다.
repair 고치다, 수리하다

① He made the watch repaired in the shop.

② 나는 그 문제가 동시에 해결되 길 바란다.
at the same time 동시에

② I want the problem solved at the same time.

③ **James**는 자신의 집이 5피트 정도 물에 잠긴 것을 보았다.
flooded 물에 잠긴

③ James saw his house flooded about five feet high.

④ 그가 전문 용어를 사용해서 관객들은 혼란스러웠다.
technical 전문적인, 기술적인
term 용어; 기간

④ His use of technical terms left his audience confused.

👍 **One Tip** 능동 · 수동의 관계

목적격 보어 자리에 to ⓥ(to부정사)나 ⓥ-ing(현재분사) 그리고 ⓥ(원형부정사)는 능동(뒤에 목적어 가 있어야 한다)의 관계이고, ⓥed(과거분사)는 수동(뒤에 목적어가 없어야 한다)의 관계가 된다.

- The police caught the robber [stealing / stolen] a car.
  그 경찰관은 차를 훔치는 도둑을 체포했다.

- I made the work [finish / finished] by tomorrow.
  나는 내일까지 그 일을 마치도록 시켰다.

- Some of the guests left their meal [untouching / untouched].
  손님 중 몇몇은 음식에 손도 대지 않았다.

정답 **stealing / finished / untouched**

확인학습 문제

01 다음 우리말을 영어로 옮긴 것 중 적절하지 않은 것은?

① 그 위원회는 회원들 중 한 명을 부회장으로 선출했다.
→ The committee elected one of its members vice-chairman

② 그는 이 문제가 그에게 책임이 없다고 생각해서는 안 된다.
→ He must not think him irresponsible for this problem.

③ 우리는 그 어린 소년들에게 음악소리를 줄여 줄 것을 요청했다.
→ We asked the little boys to turn the music down.

④ 쇼핑객들이 더 많은 물건을 사도록 부추기는 데 음악이 사용된다.
→ Music is used to encourage shoppers buying more items.

02 다음 중 어법상 가장 적절한 것은?

① They kept all the desk drawers locked.

② Do you have the windows clean every month?

③ Don't leave the children roamed outside in the hot sun.

④ She smelled strange and saw smoke risen from the oven.

---

01 해설 ④ encourage는 5형식 동사로서 목적격 보어 자리에 to ⓥ를 사용해야 한다. 따라서 buying을 to buy로 바꿔야 한다.
① elect는 5형식 동사로서 목적격 보어 자리에 명사를 사용할 수 있고 이때 그 명사가 신분이나 지위를 나타내는 경우에는 관사를 사용하지 않아도 된다. 따라서 어법상 적절하다.
② 이 문장에서 think는 5형식 인지동사로 목적어(him) 다음 목적격 보어 자리에 형용사 보어(irresponsible)가 위치하므로 어법상 적절하다.
③ ask는 5형식 동사로 목적격 보어 자리에 to ⓥ를 사용해야 한다. 따라서 어법상 적절하다.
어휘 committee 위원회 vice-chairman 부의장(회장) irresponsible 책임이 없는, 무책임한(↔ responsible 책임지는) turn down 거절하다; (소리 등을) 낮추다, 줄이다

02 해설 ① keep은 5형식 동사로 목적격 보어 자리에 현재분사나 과거분사 둘 다 사용할 수 있는데, 목적격 보어 다음에 의미상 목적어가 없으므로 locked는 어법상 적절하다.
② 사역동사 have는 목적격 보어 자리에 원형부정사나 과거분사가 필요하다. clean은 언뜻 보면 어법상 적절해 보이지만 clean 뒤에 목적어 없으므로 clean은 cleaned로 고쳐 써야 한다.
③ leave는 5형식 동사로 목적격 보어 자리에 ⓥ-ing나 형용사가 필요하다. roam은 자동사이므로 수동의 형태로 취할 수 없다. 따라서 roam을 능동의 형태 roaming으로 바꿔야 한다.
④ 2형식 감각동사 smell 다음의 형용사 보어 strange는 적절하지만 rise는 자동사이므로 수동의 형태는 불가하다. 따라서 risen을 rising으로 바꿔야 한다.
해석 ① 그들은 모든 책상 서랍을 잠가 두었다.
② 당신은 매달 창문을 닦게 합니까?
③ 뜨거운 태양 아래 아이들이 밖에서 배회하게 해서는 안 된다.
④ 그녀는 이상한 냄새를 맡았고 오븐에서 연기가 나는 것을 보았다.
어휘 drawer 서랍 every month 매달 roam 배회하다 strange 이상한, 낯선 smoke 흡연(하다); 연기
rise 오르다

정답 1 ④ 2 ①

기본 문제

01 다음 밑줄 친 부분 중 어법상 틀린 것은?

> The anthropology professor who always compels us ① to do our research paper on time notified us ② that China failed to welcome Taiwanese refugees after the war, which caused many Taiwanese ③ immigrate around the world. The reason is that Taiwanese ④ borrowed from other Asian countries much money but they didn't pay back.

02 다음 밑줄 친 부분 중 어법상 틀린 것은?

> Franklin Roosevelt was President of the United States at a time when great changes ① occurred in the nation. American business was growing ② rapidly. At the same time, people didn't want to inhabit the detestable working condition. While he worked in Congress, he suggested laws that ③ was lain a high protective tariff or tax. He also proposed all Congress members be kept thoroughly ④ responsible for them.

정답 및 해설

01 해설 ③ 'cause＋O＋to ⓥ' 구문을 묻고 있다. 따라서 동사원형 immigrate를 to immigrate로 고쳐 써야 한다.
① 'compel＋O＋to ⓥ' 구문을 묻고 있다. 따라서 to do는 어법상 적절하다.
② notify가 4형식 구조로 사용될 때에는 notify＋O＋(that)＋S＋V가 된다. 따라서 접속사 that은 어법상 적절하다.
④ borrow는 3형식 동사이므로 전치사구(from ~ countries) 다음 목적어(much money)를 사용하는 것은 어법상 옳다.

해석 늘 논문을 제때 써야 한다고 강요하는 인류학 교수님께서 중국이 전쟁 이후 대만 사람들이 세계 도처에 이주하게 된 것이 대만 난민들을 받아들이지 않았기 때문이라고 말씀하셨다. 그 이유는 대만인들이 아시아 국가들로부터 많은 돈을 빌렸지만 갚지 않았기 때문이다.

01
anthropology 인류학
compel 강요하다
on time 정각에, 제 시간에
notify 알리다
Taiwanese 대만사람(의)
refugee 난민, 망명자
immigrate 이주해 오다
*emigrate 이민가다
borrow 빌리다

02 해설 ③ lie는 1형식 동사이므로 수동의 형태를 취할 수 없다. 따라서 was lain은 문맥상 laid로 고쳐 써야 한다.
① occur는 1형식 동사이므로 능동의 형태는 어법상 적절하고 과거사실에 대한 설명이므로 과거시제 역시 어법상 옳다.
② 1형식 동사 grow 다음 부사 rapidly의 사용은 어법상 적절하다.
④ 5형식 동사 keep 다음 형용사보어의 사용은 어법상 적절하다. 참고로 부사 thoroughly는 형용사 responsible을 수식하고 있다.

해석 Franklin Roosevelt는 국가에서 큰 변화가 일어났던 시기에 미국의 대통령이 되었다. 미국 사업은 빠르게 성장했다. 동시에 사람들은 노동자들의 혐오스러운 작업 조건이 개선될 것을 요구하기 시작했다. 국회 개회동안 그는 높은 관세 또는 세금을 보호하는 법률을 제안했다. 그는 또한 모든 국회의원들이 그 법안에 철저히 책임질 것을 제안했다.

02
occur 일어나다, 발생하다
rapidly 빠르게, 신속하게
at the same time 동시에
inhabit 살다, 거주하다
detestable 혐오스러운
Congress 의회, 국회
protective 보호하는
tariff 관세
thoroughly 철저하게, 철저히

03 다음 중 어법상 옳은 것은?

① We need to approach to the situation in various ways.

② Jane was very embarrassed when people speak her past.

③ No two brothers can resemble each other more than they do.

④ Today's meeting will concentrate the new advertising campaign.

04 우리말을 영어로 잘못 옮긴 것은?

① 제가 누군가를 시켜 그 일을 처리해 드리겠습니다.

　　→ I'll have someone take care of it.

② 당신이 그곳에 주유하러 가는 것을 알고 있었습니다.

　　→ I've noticed you going there for fuel.

③ 관용어를 이해하는 것은 언어를 배우는 데 도움이 될 수 있다.

　　→ To understand idioms can help you to learn the language.

④ 나는 그녀의 아버지가 한 말을 그녀에게 명심시키겠다.

　　→ I'll make her keeping in mind what her father said.

정답 및 해설

03 해설 ③ 자동사로 착각하기 쉬운 **resemble**은 '~와 닮다'의 뜻을 가진 타동사이므로 이 문장은 어법상 옳다. 또한 비교급 **than** 이후 문장에서 **do**는 앞의 일반동사 **resemble**을 대신하는 대동사이므로 이 역시 어법상 적절하다.

① 자동사로 착각하기 쉬운 **approach**는 '~에 접근하다'의 뜻을 가진 타동사이므로 전치사 **to**와 함께 사용할 수 없다. 따라서 전치사 **to**를 없애야 한다.

② **speak**는 자동사이므로 뒤에 명사(목적어)가 바로 뒤에 이어질 수는 없다. 따라서 문맥상 **her past** 앞에 전치사 **of**나 **about**이 있어야 한다.

④ **concentrate**는 '~에 집중하다'의 뜻을 가진 구동사이며, 반드시 전치사 **on**과 함께 사용한다. 따라서 **concentrate** 뒤에 전치사 **on**이 필요하다.

해석 ① 우리는 다양한 방식으로 이 상황에 접근할 필요가 있다.
② Jane은 사람들이 그녀의 과거에 대해 말할 때 매우 당황했다.
③ 그들이 서로 닮은 것보다 더 닮을 수 있는 형제는 없다.
④ 오늘 회의는 새로운 광고 캠페인에 집중할 것이다.

03
approach ~에 접근하다
situation 상황, 상태
embarrassed 당황스러운
past 과거
resemble ~와 닮다
each other 서로 서로
concentrate on ~에 집중하다
advertising 광고
campaign 선거운동; 캠페인

04 해설 ④ 사역동사 **make**는 목적격 보어 자리에 원형부정사 또는 과거분사(p.p)가 필요하다. 따라서 문맥상 현재분사 **keeping**을 원형부정사 **keep**으로 고쳐 써야 한다.

① 사역동사 **have**는 목적격 보어 자리에 원형부정사 또는 과거분사(p.p)가 필요하다. 이 문장에서 원형부정사 **take**는 어법상 옳다.

② 지각동사 **notice**는 목적격 보어 자리에 원형부정사 또는 현재분사(ⓥ-ing) 또는 과거분사(p.p)가 필요하다. **go**는 자동사이므로 **going**의 사용은 어법상 적절하다.

③ **help**는 목적격 보어 자리에 원형부정사 또는 **to**부정사 둘 다 사용 가능하다. 따라서 **to learn**의 사용은 어법상 옳다.

04
take care of 돌보다, 처리하다
fuel 연료
idiom 관용어, 숙어
language 언어, 말
keep in mind 명심하다

정답 **03** ③ **04** ④

05 우리말을 영어로 잘못 옮긴 것을 고르시오.

① 그의 소설들은 읽기가 어렵다.

→ His novels are hard to read.

② 학생들을 설득하려고 해 봐야 소용없다.

→ It is no use trying to persuade the students.

③ 나의 집은 5년마다 페인트칠된다.

→ My house is painted every five years.

④ 내가 출근할 때 한 가족이 위층에 이사 오는 것을 보았다.

→ As I went out for work, I saw a family moved in upstairs.

06 우리말을 영어로 잘못 옮긴 것은?

① 혹시 내게 전화하고 싶은 경우에 이게 내 번호야.

→ This is my number just in case you would like to call me.

② 나는 유럽 여행을 준비하느라 바쁘다.

→ I am busy preparing for a trip to Europe.

③ 그녀는 남편과 결혼한 지 20년 이상 되었다.

→ She has married to her husband for more than two decades.

④ 나는 내 아들이 읽을 책을 한 권 사야 한다.

→ I should buy a book for my son to read.

07 밑줄 친 부분 중 어법상 가장 옳지 않은 것은?

By 1955 Nikita Khrushchev ① had been emerged as Stalin's successor in the USSR, and he ② embarked on a policy of "peaceful coexistence" ③ whereby East and West ④ were to continue their competition, but in a less confrontational manner.

정답 및 해설

05 해설 ④ 지각동사 saw의 목적격 보어 자리에 과거분사의 사용은 어법상 적절하지만 move는 1형식 자동사이므로 수동(과거분사)의 형태를 취할 수 없다. 따라서 moved는 move나 moving으로 고쳐 써야 한다.
① 주어동사의 수 일치는 어법상 적절하고 난이형용사 hard의 주어가 사물이므로 이 역시 어법상 옳다. 'S + be동사 + 형용사보어 + to부정사' 구문에서 to부정사의 의미상 목적어가 문법상의 주어와 일치할 때에는 to부정사의 의미상 목적어는 생략이 되므로 이 또한 적절한 영작이다.
② 동명사의 관용적 용법 'it is no use ~ing(~ 해도 소용없다)' 구문의 사용은 어법상 옳다.
③ 주어동사의 수 일치와 태 일치 모두 어법상 적절하고 'every + 2이상의 기수 + 복수명사'의 사용 역시 어법상 옳다.

05
persuade 설득하다
upstairs 위층

06 해설 ③ marry는 3형식 타동사로서 전치사 없이 바로 뒤에 목적어를 취해야 하므로 전치사 to의 사용은 어법상 어색하다. 따라서 has married는 has been married로 고쳐 써야 한다.
① 접속사 in case 다음 S + V 구문을 묻고 있다. 따라서 in case you would like는 어법상 적절하다.
② 'be busy ⓥ-ing' 구문을 묻고 있다. 따라서 preparing은 어법상 옳고 또한 '~을 준비하다'라는 구동사 prepare for 역시 어법상 적절하다.
④ to read의 의미상 주어가 my son이고 to부정사의 의미상의 주어는 그 격을 목적격으로 사용해야 하므로 my son 앞에 전치사 for의 사용은 어법상 옳고 또한 to read가 수식하는 명사가 a book이므로 to read 다음 의미상 목적어 a book의 생략 역시 어법상 적절하다.

06
in case S + V ~의 경우에 (대비하여)
decade 10년

07 해설 ① emerge는 1형식 자동사이므로 수동의 형태를 취할 수 없다. 따라서 had been emerged는 had emerged로 고쳐 써야 한다.
② 구동사 embark on을 묻고 있고 과거사실에 대한 진술이므로 과거시제 embarked는 어법상 적절하다.
③ whereby는 관계부사의 역할을 하는 부사로서 앞에 선행사 peaceful coexistence가 있고 whereby 다음 문장구조가 완전(주어 East and West가 있고 동사 were to continue 뒤에 목적어가 있다)하므로 어법상 적절하다.
④ 주어가 East and West로 복수이므로 복수동사 were는 어법상 적절하고 were 다음 to continue는 be to 용법으로서 '예정'을 나타내며 뒤에 목적어 their competition이 있으므로 능동의 형태 역시 어법상 적절하다.

해석 1955년까지 Nikita Khrushchev는 소련에서 스탈린의 후계자로 등장했고 그는 동서양이 그들의 경쟁을 계속 하되 덜 대립적인 방식으로 하게 하는 '평화 공존'의 정책에 착수했다.

07
emerge 나오다, 나타나다
successor 후계자, 계승자
embark on ~을 시작하다, 착수하다
policy 정책
coexistence 공존
whereby ~에 의한
competition 경쟁
confrontational 대립적인, 대항하는
manner 방식

정답 05 ④ 06 ③ 07 ①

08 밑줄 친 부분 중 어법상 가장 옳지 않은 것은?　　　　　2018. 서울시 9급

> *Blue Planet II*, a nature documentary ① <u>produced</u> by the BBC, left viewers ② <u>heartbroken</u> after showing the extent ③ <u>to which</u> plastic ④ <u>affects on</u> the ocean.

09 다음 밑줄 친 부분 중 어법 상 적절하지 않은 것은?　　　　　2018. 서울시 9급

> I ① <u>convinced</u> that making pumpkin cake ② <u>from</u> scratch would be ③ <u>even</u> easier than ④ <u>making</u> cake from a box.

10 다음 문장 중 어법상 가장 옳지 않은 것은?　　　　　2017. 지방직 9급

① John promised Mary that he would clean his room.
② John told Mary that he would leave early.
③ John believed Mary that she would feel happy.
④ John reminded Mary that she should get there early.

정답 및 해설

어휘

08 해설 ④ affect는 타동사로서 전치사 없이 바로 목적어가 필요하므로 전치사 on을 없애야 한다.

① 자릿값에 의해 준동사 자리가 맞고 목적어가 없으므로 과거분사 produced는 어법상 적절하다.

② 5형식 동사 left 뒤에 목적격 보어 자리에 있는 과거분사 heartbroken(뒤에 목적어가 없다)은 어법상 옳다.

③ 선행사 extent 앞에 전치사 to와 함께 사용된 which는 부사 역할을 하므로 어법상 적절하다.

해석 BBC에 의해 제작된 자연 다큐멘터리 <Blue Planet II>는 플라스틱이 바다에 영향을 미치는 정도를 방영한 뒤 시청자들을 마음 아프게 했다.

08
heartbroken 마음 아프게 하는, 비통해 하는
extent 정도, 범위
affect ~에 영향을 주다

09 해설 ① convince A that S+V 구조를 묻고 있다. convince 다음 바로 that절(직접목적어)이 나올 때에는 수동의 형태로 사용되어야 하므로 convinced는 was convinced로 고쳐 써야 한다.

② 전치사 from 다음 명사구조는 어법상 적절하다.

③ 비교급 easier를 강조해 주는 부사 even은 어법상 옳다.

④ 비교급 병렬구조를 묻고 있다. than 앞의 making과 병렬을 이루므로 making은 어법상 적절하다.

해석 아무 준비 없이 호박 케이크를 만드는 것이 박스로 케이크를 만드는 것보다 훨씬 쉬울 거라고 나는 확신했다.

09
convince 확신시키다
from scratch 아무 준비 없이

10 해설 ③ believe는 3형식 동사로 4형식 구조를 취할 수 없기 때문에 John believed that Mary would feel happy로 고쳐 써야 한다. 따라서 ③이 정답이 된다. ①, ②, ④에 promise, tell, remind는 모두 4형식 동사로 that절을 직접목적어로 사용할 수 있다.

해석 ① John은 Mary에게 그가 방을 청소할 것이라고 약속했다.

② John은 Mary에게 그가 일찍 떠날 것이라고 말했다.

③ John은 Mary가 행복할 것이라고 믿었다.

④ John은 Mary에게 그녀가 그 곳에 일찍 도착해야 할 것을 상기시켰다.

10
remind 상기시키다

정답 **08** ④ **09** ① **10** ③

심화문제

01 다음 밑줄 친 부분 중 어법상 적절하지 않은 것은?

> The case of theft ① <u>arose</u> at the sweet shop in the last night. Police officers ② <u>reached</u> with speed the shop. The owner immediately informed them that 200 dollars from the cash register ③ <u>had been missed</u>. However, some people claimed the distrust of the case was lying ④ <u>thick</u>.

02 어법상 옳은 것은?

① Poor housewives were dwelled in South America.
② He says he would resign if he didn't get more money.
③ My driving licence is going to be expired next month.
④ The supporters roamed unnecessary around the ground.

03 우리말을 영어로 옮긴 것 중 틀린 것은?

① 그 모든 것이 생소하게 들리지만 그것은 사실이다.
  → The whole thing sounds strange but it is true.
② 그녀는 그가 목소리를 높이는 것조차도 들어본 적이 없다.
  → She has never heard him even rise his voice.
③ 그 지역에 있는 마을들 대부분의 우물들이 말라 버렸다.
  → The wells in most villages in the region have run dry.
④ 이사회는 그 건설 공사를 중단할 것을 명했다.
  → The board ordered work on the building should cease quickly.

정답 및 해설

01 **해설** ③ 알린 것(informed)보다 없어진 것(had been missed)이 먼저 일어난 일이므로 과거완료
시제의 사용은 어법상 적절하지만 문맥상 본문에서 miss는 1형식 동사(사라지다, 실종되다)
로 사용되었으므로 수동의 형태는 어법상 적절하지 않다. 따라서 been을 없애야 한다.
① arise는 1형식 자동사이므로 능동의 형태는 어법상 옳다.
② reach는 3형식 동사이므로 바로 뒤에 목적어(the shop)가 위치하는 것은 어법상 적절하다.
참고로 3형식 동사 reach와 목적어 the shop사이에 전치사구 with speed가 삽입되었다.
④ 2형식 동사 lie 다음 형용사보어 thick의 사용은 옳다.

해석 절도사건이 어제 밤 사탕가게에서 발생했다. 경찰들이 신속하게 도착했고 가게 주인은 즉시
그들에게 현금 등록기에서 200달러가 사라졌다고 알렸다. 하지만 몇몇 사람들은 그 사건의
불신이 쌓이고 있다고 주장했다.

01
theft 절도
sweet shop (주로 사탕이나 초콜
릿을 파는) 사탕가게
arise—arose—arisen 일어나다, 발
생하다
reach ~에 이르다, 다다르다, 도
착하다
immediately 즉시
distrust 불신
lie thick 두텁게 쌓이다, 두터워
지다

02 **해설** ② resign은 1형식 자동사이므로 능동의 형태는 어법상 적절하다.
① dwell은 1형식 자동사이므로 수동의 형태를 취할 수 없다. 따라서 were를 없애야 한다.
③ expire는 1형식 자동사이므로 수동의 형태를 취할 수 없다. 따라서 be expired를 expire
로 고쳐 써야 한다.
④ roam은 1형식 자동사이므로 뒤에 형용사를 사용할 수 없다. 따라서 형용사 unnecessary
는 부사 unnecessarily로 고쳐 써야 한다.

해석 ① 가난한 가정주부들은 남미에 거주했다.
② 그는 돈을 더 받지 않으면 사임하겠다고 말한다.
③ 나의 운전면허증이 다음 달에 만료될 것이다.
④ 지지자들이 운동장 주변을 불필요하게 서성거렸다.

02
housewife 가정주부
resign 사임하다
expire 만료되다
roam 배회하다
unnecessary 불필요한

03 **해설** ② 지각동사 heard 다음 목적격 보어 자리에 원형부정사의 사용은 어법상 옳지만 rise는 자동
사이므로 뒤에 목적어(my salary)를 취할 수 없다. 따라서 문맥상 우리말의 '~을 올리다'의
영어표현은 raise를 사용해야 하므로 rise는 raise로 고쳐 써야 한다.
① 단수주어 thing이 있으므로 단수동사 sounds의 사용은 어법상 적절하고 sound는 2형식
감각동사이므로 형용사보어 strange의 사용 역시 어법상 옳다.
③ 복수주어 wells가 있으므로 복수동사 have의 사용은 어법상 적절하고 2형식 동사 run다
음 형용사보어 dry의 사용 역시 어법상 옳다.
④ 주요명제동사 order 다음 (that) 절에 조동사 should의 사용은 어법상 적절하고 cease는
'중단되다'의 의미를 지닌 1형식 동사이므로 뒤에 부사의 사용 역시 어법상 옳다.

03
whole 전체의
strange 이상한, 낯선
well 우물
region 지역
board 이사회
cease 중단되다

04 다음 밑줄 친 부분 중 어법상 적절하지 않은 것은?

> Inventor Elias Howe attributed the discovery of the sewing machine ① <u>for</u> a dream that presented him ② <u>with</u> the possibility. He notified with satisfaction his friends ③ <u>of</u> his dream. His acquaintances wanted to curb him ④ <u>from</u> doing ruthless challenge, but he was full of his enthusiasm.

05 우리말을 영어로 가장 잘 옮긴 것은?

① 그는 자신에 대한 고소에 대답하기를 거부했다.
　→ He refused to answer to the charges against him.
② 나는 늘 내 일에 간섭하는 사람들을 견딜 수가 없다.
　→ I can't stand people interfering my task all the time.
③ 그녀는 뉴욕을 떠나 라스베이거스에 정오에 도착했다.
　→ She left for New york and reached Las vegas at noon.
④ 일본에 대한 그녀의 증오는 정치인들에 대한 혐오와 같다.
　→ Her hatred of Japan equals her loathing for politicians.

06 어법상 옳은 것은?

① Housewives came to resort to certain brands of goods.
② The scientist lay his experimental animal on the table.
③ Free radicals move uncontrollable through the blood vessel.
④ The NGO opposed to constructing the plants near forests.

정답 및 해설

04 해설 ① 'attribute A to B' 구문을 묻고 있다. 따라서 전치사 for는 to로 고쳐 써야 한다.
② 'present A with B' 구문을 묻고 있다. 따라서 전치사 with의 사용은 어법상 적절하다.
③ 'notify A of B' 구문을 묻고 있다. 따라서 전치사 of의 사용은 어법상 적절하다.
④ 'curb A from B' 구문을 묻고 있다. 따라서 전치사 from의 사용은 어법상 적절하다.

해석 발명가 Elias Howe는 재봉틀기계의 발견을 그에게 가능성을 제공한 꿈의 탓으로 돌렸다. 그는 만족스럽게 그의 친구들에게 그의 꿈을 알렸다. 그의 지인들은 그가 무모한 도전을 하지 않기를 원했다. 하지만 그는 열정으로 가득 차 있었다.

05 해설 ④ 주어가 단수명사(hatred)이므로 단수동사(equals)의 사용은 어법상 적절하고 또한 equal은 3형식 타동사이므로 바로 뒤에 목적어 loathing의 사용 역시 어법상 옳다.
① refuse는 to부정사를 목적어로 취하는 동사지만 answer는 3형식 타동사이므로 전치사 to를 없애야 한다.
② stand 바로 뒤에 목적어(people)가 있으므로 '참다, 견디다'의 의미를 지닌 stand의 사용은 어법상 적절하지만 interfere는 구동사이므로 interfering 뒤에 전치사 in이 필요하다.
③ leave for A는 'A를 향해 가다'의 뜻이므로 주어진 우리말의 적절한 영작이 될 수 없다. 따라서 전치사 for를 없애야 한다.

06 해설 ① resort to는 '~에 의존하다'의 뜻을 지닌 구동사로서 그 사용은 어법상 적절하다. 참고로 come to ⓥ는 'ⓥ하게끔 되다'의 의미를 갖는다.
② lie(− lay − lain) 는 자동사로서 뒤에 목적어(animal)를 사용할 수 없다. 따라서 본문의 lay는 타동사 lay (− laid − laid) 로 사용되었다. lay를 현재시제로 사용하려면 주어가 3인칭 단수이므로 lay에 s를 붙여야 한다.
③ move는 1형식 동사이므로 뒤에 형용사를 사용할 수 없다. 따라서 uncontrollable은 부사 uncontrollably로 고쳐 써야 한다.
④ oppose는 타동사로서 바로 뒤에 목적어가 위치해야 하므로 전치사 to를 없애야 한다.

해석 ① 가정주부들은 특정 브랜드의 상품들에 의존하게끔 되었다.
② 그 과학자는 탁자 위에 실험용 동물을 놓았다.
③ 활성화 산소는 통제할 수 없을 정도로 혈관을 통해 전달된다.
④ 그 비영리단체는 숲 근처에 공장을 건설하는 것에 반대했다.

어휘

04
inventor 발명가
attribute A to B A를 B탓으로 돌리다
present A with B A에게 B를 제공하다
notify A of B A에게 B를 알리다
satisfaction 만족
acquaintance 지인
curb A from B A가 B하는 것을 막다, 못하게 하다
ruthless 무모한
enthusiasm 열정

05
refuse 거절(거부)하다
interfere in 간섭하다, 개입하다
reach ~에 이르다, 도착하다
hatred 증오
equal ~와 같다
loathing 혐오
politician 정치가

06
housewife 가정주부
certain 특정한
experimental 실험용의, 실험의
free radical 활성화탄소
move ① 움직이다 ② 이사하다 ③ 전달되다
blood vessel 혈관
oppose 반대하다
construct 건설하다, 짓다
plant ① 식물 ② 공장

정답 04 ① 05 ④ 06 ①

07 다음 밑줄 친 부분 중 어법상 가장 적절한 것은?

> The warrior of the plains has too often been ① naming the archetype of the "Red Man." Yet the North American Indians was found as ② diversely as the Europeans themselves by early European settlers. Also, settlers had observed two hundred distinct North American language ③ classify. In fact, the indigenous societies of North America were inspired ④ to present a wide spectrum of variation.

08 다음 중 우리말을 영어로 올바르게 옮긴 것은?

① 누군가 그에게 대회 우승자들을 우편으로 알렸다.
   → Someone notified him competition winners by post.

② 그 부통령은 손님들이 도착했을 때 그들에게 따뜻하게 인사했다.
   → The vice-president greeted to all the guests warmly as they arrived.

③ 나는 2년 전 그 연인이 서로 결혼했다고 통보 받았다.
   → I informed that the couple married each other two years ago.

④ 그들은 아직 공식적으로 우리에게 그들의 약혼을 발표하지 않았다.
   → They haven't formally announced to us their engagement yet.

07 해설 ④ inspire는 5형식 동사로 목적격 보어 자리에 to부정사를 사용해야 하므로, inspire가 수동 태로 사용되었어도 목적격 보어 자리에 **to present**의 사용은 어법상 적절하다.

① name은 목적격 보어를 명사로 취할 수 있는 5형식 동사이고 뒤에 **archetype**는 목적어가 아니라 목적격 보어이므로 **naming**은 **named**로 고쳐 써야 한다.

② find는 5형식 동사이므로 수동의 형태로 사용되어도 뒤에 목적격 보어 자리에 형용사가 위치해야 한다. 따라서 **diversely**는 **diverse**로 고쳐 써야 한다.

③ 지각동사 observe 다음 목적격 보어 자리에 **classify**는 뒤에 목적어가 없으므로 수동의 형태인 **classified**로 고쳐 써야 한다.

해석 평원의 전사는 너무 자주 '북아메리카 인디언'의 전형으로 이름 붙여졌다. 그러나 초창기 유럽 이주민들은 북아메리카 인디언들이 유럽인 자신들처럼 다양하다는 것을 알게 되었다. 또한 유럽인들은 2백 개의 뚜렷이 구별되는 북아메리카 원주민들의 언어가 분류된 것을 관찰하게 되었다. 사실, 북아메리카 원주민 사회는 폭넓은 다양한 변화를 보여주도록 영감을 받았다.

08 해설 ④ 3형식 동사 announce 다음 전치사구(to us)가 있고 바로 이어 목적어 engagement가 있으므로 이 문장은 어법상 적절하다.

① notify는 4형식 동사로 착각하기 쉬운 3형식 동사이므로 competition winners 앞에 전치사 of가 필요하다.

② greet는 3형식 타동사로 전치사 to가 필요 없다. 따라서 어법상 적절하지 않다.

③ 3형식 동사 inform은 직접 목적어를 뒤따르는 전치사 of를 반드시 사용해야 한다. 하지만 inform A of B의 구조에서 B 자리에 명사절 that절이 올 경우 of를 생략하고 4형식 구조로 사용할 수 있다. 단, inform 바로 다음에 that절을 사용할 수 없기 때문에 이 문장은 'I was informed that the couple married each other two years ago.'로 고쳐 써야 한다.

어휘

07
warrior 전사, 용사
plain 평원
archetype 원형, 전형
Red Man 북아메리카 인디언
diversely 다양하게
observe 관찰하다, 보다; 지키다, 준수하다
distinct 뚜렷이 구별되는, 다른
indigenous 토착의
a wide spectrum of 다양한, 광범위한
variation 변화

08
competition 대회, 경쟁
winner 우승자
by post 우편으로
vice-president 부통령
greet ~에게 인사하다
couple 연인, 커플
marry ~와 결혼하다
formally 공식적으로
engagement 약혼

정답 07 ④ 08 ④

09 다음 중 어법상 올바른 것은?

① You mentioned all the people you had met in the cafeteria.

② Your brother will accompany with you on a trip to Jeju Island.

③ Through our 47 branches anyone can access to their account anytime.

④ This program will help poor students to attend on classes with no money.

10 다음 중 어법상 올바른 것은?

① A sudden earthquake had her house destroy.

② What makes all the students to respect your teacher?

③ He suddenly felt someone touching him on the shoulder.

④ I think praise leads parents and children cooperate each other.

정답 및 해설

09 해설 ① 자동사로 착각하기 쉬운 mention은 '~대해 언급하다'의 뜻을 가진 타동사이므로 이 문장은 어법상 옳다.

② 자동사로 착각하기 쉬운 accompany는 '~와 동행하다'의 뜻을 가진 타동사이므로 전치사 with를 없애야 한다.

③ 자동사로 착각하기 쉬운 access는 '~로 접근하다, ~을 이용하다'의 뜻을 가진 타동사이므로 전치사 to를 없애야 한다.

④ 자동사로 착각하기 쉬운 attend는 '~에 참석하다'의 뜻을 가진 타동사이므로 전치사 on을 없애야 한다. 참고로, 이 문장의 attend on은 '~를 시중들다'의 뜻을 가진 구동사이지만 문맥상 의미가 통하지 않으므로 적절하지 않다.

해석 ① 당신은 구내식당에서 당신이 만난 모든 사람에 대해 언급했다.

② 당신의 남동생은 제주도로 가는 여행에 당신과 동행할 것이다.

③ 47개의 우리의 분점을 통해서 언제든지 누구나 계좌를 이용할 수 있다.

④ 이 프로그램은 무료로 가난한 학생들이 수업에 참석할 수 있도록 돕게 될 것이다.

어휘

09
cafeteria 구내식당
island 섬
through ~을 통해서
branch 가지; 분점
account 계좌, 구좌
with no money 무료로(= for free)

10 해설 ③ 지각동사 feel은 목적격 보어 자리에 원형부정사 또는 현재분사(ⓥ-ing) 또는 과거분사(p.p)가 필요하다. 뒤에 목적어 him이 있으므로 현재분사 touching은 어법상 옳다.

① 사역동사 have는 목적격 보어 자리에 원형부정사 또는 과거분사(p.p)가 필요하다. 원형부정사 destroy는 문법적으로 형태는 옳다. 하지만 destroy의 의미상 목적어가 뒤에 없으므로 과거분사 destroyed로 고쳐 써야 한다.

② 사역동사 make는 목적격 보어 자리에 원형부정사 또는 과거분사(p.p)가 필요하다. 따라서 to respect는 원형부정사 respect로 고쳐 써야 한다.

④ 5형식 동사 lead는 목적격 보어 자리에 to ⓥ가 필요하다. 따라서 원형부정사 cooperate는 to cooperate로 고쳐 써야 한다.

해석 ① 갑작스런 지진으로 그녀의 집이 파괴되었다.

② 무엇이 모든 학생들로 하여금 너의 선생님을 존경하게 만드는가?

③ 그는 갑자기 누군가 그의 어깨를 만지는 것을 느꼈다.

④ 내 생각에 칭찬은 부모와 자녀들이 서로 협력하도록 유도한다.

10
sudden 갑작스런
earthquake 지진
destroy ~을 파괴하다, 부수다
respect 존경하다, 존중하다
suddenly 갑자기
shoulder 어깨
lead ~을 이끌다, 유도하다
cooperate 협조하다, 협력하다

정답 **09** ① **10** ③

동사의 수 일치

UNIT 01 동사의 수 일치

01 주어와 동사를 찾는다.

동사의 수 일치는 주어의 형태에 따라 정해진다. 즉 주어가 단수(N)이면 동사는 단수동사(Vs/es)를, 주어가 복수(Ns/es)이면 복수동사(V)를 사용한다. 주어가 to부정사, 동명사 그리고 명사절일 때에는 동사는 단수로 받는다.

① One of the most important things is concentration.

② To be kind is not always good to her and her brother.

③ Watching these movies reminds me of my childhood.

④ What learned about the problems was beneficial to me.

🖙 **동사의 수 일치 문법포인트**

1. 주어 찾기
2. N→Vs/es / Ns/es→V
3. 도치 구문
4. 수 일치 주의사항

① 가장 중요한 것들 중 하나는 집중이다.
concentration 집중

② 친절한 것이 항상 그녀나 그녀의 오빠에게 좋지만은 않다.
kind 친절한

③ 이런 영화들을 보는 것은 나의 어린 시절을 떠올리게 한다.
remind A of B A로 하여금 B를 떠올리게 하다(상기시키다)
childhood 어린 시절

④ 그 문제점들에 대해서 배웠던 것이 내게는 유익했다.
beneficial 유익한, 이로운

👍 **One Tip** 단수동사, 복수동사

단·복수 ＼ 동사	be동사		have	do	일반동사	조동사	과거동사
주어가 단수	is	was	has	does	ⓥs/es	조동사	과거동사
주어가 복수	are	were	have	do	동사원형	조동사	과거동사

확인학습 문제

다음 문장을 읽고 [   ] 안에 어법상 적절한 것을 고르시오.

01 The average life of a street tree surrounded by concrete and asphalt [is / are] seven to fifteen years.

02 To solve many problems [is / are] no big deal in this situation.

03 Leading your children in the right directions [depends / depend] on your efforts.

04 What the president had pledged to do in his election campaigns [turns / turn] out to go after them in earnest.

05 Citizens opposed to building the house [was / were] demonstrating.

06 When he decided to leave this company [is / are] none of your business.

07 Whether I should enroll in business school or find a job [is / are] not easy to decide.

---

01 **해설** The average life가 문장의 주어이다. 따라서 단수동사인 is가 정답이다.
   해석 콘크리트나 아스팔트에 둘러싸여진 가로수의 평균 수명은 7년에서 15년 정도이다.
   어휘 average 평균   street(= roadside) tree 가로수   concrete 콘크리트; 확실한

02 **해설** to부정사(To solve)가 문장의 주어이다. 따라서 단수동사 is가 정답이다.
   해석 많은 문제를 해결하는 것이 이 상황에서는 별일이 아니다.
   어휘 deal 거래 (no big deal 별일 아니다)

03 **해설** 동명사(Leading) 주어는 단수 취급한다. 따라서 depends가 정답이다.
   해석 너의 자녀들을 올바른 길로 인도하는 것은 너의 노력에 달려 있다.
   어휘 lead 이끌다, 인도하다   depend on ~에 달려 있다; ~에 의존하다   effort 노력

04 **해설** 명사절 주어(What ~ campaigns)는 단수로 취급한다. 따라서 turns가 정답이다.
   해석 대통령이 그의 선거 운동에서 맹세했던 것은 진심으로 그 서약들을 추구하는 것으로 판명되었다.
   어휘 pledge 맹세하다, 서약하다   election 선거   campaign 선거 운동; 캠페인   turn out to ⓥ ~라고 판명되다
       go after 추구하다   in earnest 진심으로

05 **해설** Citizens가 문장의 주어이다. 따라서 복수동사인 were가 정답이다.
   해석 그 집을 짓는 데 반대하는 시민들이 시위 중이었다.
   어휘 opposed to ~에 반대하는   demonstrate 시위하다, 데모하다

06 **해설** 의문사절(When ~ company)은 명사절로 단수 취급한다. 따라서 is가 정답이다.
   해석 언제 그가 이 회사를 떠나는 것을 결정했는지는 당신이 상관할 바가 아니다.
   어휘 leave ~을 떠나다; 남겨 두다

07 **해설** 의문사절(Whether ~ a job)은 명사절로 단수 취급한다. 따라서 is가 정답이다.
   해석 내가 경영 대학원에 입학할지 직업을 구할지 결정하기가 쉽지 않다.
   어휘 enroll 입학하다, 등록하다   business school 경영 대학원   decide 결정하다

02 주어와 동사의 도치

1 시간·장소·위치를 나타내는 전치사구나 부사구+V+S

- 그들 앞에 있는 언덕 위에는 멋진 집이 (서) 있었다.

- A nice house stood <u>on the hill in front of them</u>.
  - → On the hill in front of them stood a nice house.

2 부정어구+V+S

- 나는 그가 제시간에 집에 올 것이라고 거의 꿈도 꾸지 않았다.

- I had <u>little</u> dreamed that he would come home on time.
  - → Little had I dreamed that he would come home on time.

≫ 부정어구

> never, little, seldom, hardly, scarcely, rarely, barely,
> not until, not only, no longer, no sooner

3 So+V+S

① A : 나 학생이야.
　 B : 나도.
② A : 나 수영할 수 있어.
　 B : 나도.
③ A : 나 사과 좋아해.
　 B : 나도.

① A: I am a student.　② A: I can swim.　③ A: I like an apple.
　 B: So am I.　　　　 B: So can I.　　　　 B: So do I.

4 neither/nor+V+S

- 나는 전에 뉴욕에 가 본 적이 없고 Jane도 가 본 적이 없다.

- I hadn't been to New York before and <u>neither had Jane</u>.

5 There/Here+V+S

- 많은 학생들이 거기에서/여기에서 수업 중에 있다.
  참고 그가 저기에/여기에 있다.

- Many students are in the class <u>there/here</u>.
  - → There/Here are many students in the class.
  - 참고 He is there/here.
  - → There/Here is he. (×)
  - → There/Here he is. (○)

6 Only+딸린 어구(시간, 장소)+V+S

- 그는 그때서야 상황의 심각성을 알게 되었다.
  come to ⓥ ⓥ하게 되다
  seriousness 심각성

- He came to know the seriousness <u>only then</u>.
  - → Only then did he come to know the seriousness.

7 형용사 보어+V+S / So+형용사(부사)+V+S

- 그녀는 너무 예뻐서 모든 사람이 오랫동안 그녀를 보았다.

- She looked <u>so beautiful</u> that everyone watched her for a long time.
  - → So beautiful did she look that everyone watched her for a long time.

🔔 One Tip 도치 구문 만드는 방법

❶ S+1형식 동사 / be동사 → 1형식 동사 / be동사+S
- The children are on the stage. → On the stage are the children.

  아이들이 무대 위에 있다.

❷ S+조동사(have / be)+본동사(p.p / ⓥ-ing) → 조동사(have / be)+S+본동사(p.p / ⓥ-ing)
- He will not only be late, but he'll drink. → Not only will he be late, but he'll drink.

  그는 늦을 뿐만 아니라 술도 마실 것이다.
- I have never seen her before. → Never have I seen her before.

  나는 전에 그녀를 결코 본 적이 없다.

❸ S+일반동사 → do+S+동사원형
- He realized the truth only yesterday.

  → Only yesterday did he realize the truth. 그는 어제서야 그 사실을 알았다.

🎯 확인학습 문제

다음 문장을 읽고 [   ] 안에서 어법상 적절한 것을 고르시오.

01 Around the corner on the street [a new face came / came a new face].

02 Only when I was young [did I know / I knew / knew I] the secret.

03 I did not recognize her name and [nor / neither] [John did / did John].

04 Rarely [the fact embarrassed / did the fact embarrass] me when I heard of the news.

05 Among the members in UN [exist negative views / negative views exist].

06 So dangerous [the weather conditions were / were the weather conditions] that all airport shut down.

---

01 해설 문두에 장소의 전치사구로 시작하고 뒤에 오는 동사(came)가 1형식 동사이므로 주어와 동사를 도치시켜야 한다. 따라서 정답은 came a new face가 된다.

해석 그 거리의 모퉁이에서 새로운 얼굴이 나타났다.

02 해설 only 다음 시간 부사절이 있으므로 뒤에 오는 주어와 동사를 도치시켜야 하고 동사 know가 일반동사이므로 do가 필요하다. 따라서 정답은 did I know가 된다.

해석 단지 어렸을 때 나는 그 비밀을 알았었다.

03 해설 and 다음 nor는 함께 사용할 수 없으므로 neither가 정답이 되고 neither 뒤에 오는 주어와 동사가 도치되어야 하므로 did John이 정답이 된다.

해석 나는 그녀의 이름을 알지 못했고 John도 또한 알지 못했다.

어휘 recognize 인식하다, 알아차리다

04 해설 부정어 rarely가 문두에 있으므로 뒤에 오는 주어와 동사를 도치시켜야 한다. 따라서 did the fact embarrass가 정답이 된다.

해석 내가 그 소식을 들었을 때 나는 좀처럼 당황하지 않았었다.

어휘 embarrass 당황하게 하다

05 해설 문두에 장소의 전치사구로 시작하고 뒤에 오는 동사(exist)가 1형식 동사이므로 주어와 동사를 도치시켜야 한다. 따라서 정답은 exist negative views가 된다.

어휘 anomg ~가운데   exist 존재하다

06 해설 문두에 형용사 보어 (So) dangerous가 있으므로 뒤에 오는 주어와 동사를 도치시켜야 한다. 따라서 were the weather conditions가 정답이 된다.

해석 기상 상황이 너무 위험해서 모든 공항들은 폐쇄됐다.

어휘 shut down 폐쇄하다, 닫다

UNIT 02 수 일치 주의사항

01 수 일치 주의사항 (I)

1 a number of＋복수명사＋복수동사

• A number of children are dying of hunger.

2 the number of＋복수명사＋단수동사

• The number of hungry children is increasing.

3 many a＋단수명사＋단수동사

• Many a student is learning English very hard.
　　参고 Many students are learning English very hard.

4 every[each, either, neither]＋단수명사＋단수동사

• Every[Each, Either, Neither] subway and bus is crowded every morning.

5 all → 사물＋단수동사 / all → 사람＋복수동사

① All that I want to do is to wait for you.

② All that I want to meet are to make me upgrade.

🔥 **One Tip** 부정형용사

each, either, neither은 부정대명사로서 주어 역할을 할 수 있다. 이때 동사는 단수동사로 받아야 한다. 단, every는 부정대명사로 사용할 수 없기 때문에 단독으로 주어 역할은 할 수 없고 항상 단수 명사가 이어지는 부정형용사로만 사용해야 한다.

• Every in the school is smart. (×)

• Every student in the school is smart. (○)
　학교에 있는 모든 학생은 똑똑하다.

---

*많은 아이들이 굶주림으로 죽어가고 있다.
　hunger 기근, 굶주림

*굶주린 아이들의 수는 증가하고 있다.
　increase 증가하다

*많은 학생들이 매우 열심히 영어를 배우고 있다.

*각각의 지하철과 버스는 매일 아침 붐빈다.

① 내가 하고 싶은 모든 것은 당신을 기다리는 것이다.

② 내가 만나고 싶은 모든 사람들이 나를 향상시켜 줄 것이다.

👍 Two Tips 상관접속사 주어와 동사의 수 일치

not only A but (also) B = B as well as A	A뿐만 아니라 B도 역시	B에 일치
either A or B	A, B 둘 중 하나	B에 일치
neither A nor B	A, B 둘 다 아니다	B에 일치
not A but B	A가 아니라 B다	B에 일치
both A and B	A, B 둘 다	항상 복수

- Not only he but also I **am** confused of it.
  그 사람뿐만 아니라 나도 또한 그것에 대해 혼란스럽다.
  참고 I as well as he am confused of it.

- Neither the man nor we <u>know</u> the fact. 그 사람도 우리도 그 사실을 모른다.

- Both you and I <u>are</u> not good at English. 당신과 나 둘 다 영어를 잘 못한다.

🎵 확인학습 문제

다음 문장을 읽고 [　] 안에서 어법상 적절한 것을 고르시오.

01 All that knew her [miss / misses] Jenny too much.

02 Many a soldier [was / were] killed at the battle field.

03 Neither she nor I [has / have] any plan for the weekend.

04 As you know not only you but also she [is / are] pretty.

05 Every word of his speech [reflects / reflect] his earnestness.

06 The number of children attending school [has / have] more than doubled during the last half century.

---

01 해설 All이 사람을 지칭하므로 복수동사가 필요하다. 따라서 miss가 정답이 된다.
　 해석 Jenny를 알았던 모든 사람들이 그녀를 아주 많이 그리워한다.
　 어휘 miss ① 그리워하다 ② 실종되다

02 해설 many a+단수명사는 뜻은 복수이지만 단수 취급한다. 따라서 was가 정답이 된다.
　 해석 많은 군인들이 전쟁터에서 죽었다.
　 어휘 battle field 전장, 전쟁터

03 해설 Neither A nor B는 B에 수를 일치시킨다. I가 주어이므로 have가 정답이 된다.
　 해석 그녀도 나도 어떤 주말 계획도 세우지 않았다.

04 해설 상관접속사 not only A but also B 구문은 B에 수를 일치시켜야 한다. 따라서 is가 정답이다.
　 해석 당신도 알다시피 당신뿐만 아니라 그녀도 예쁘다.

05 해설 Every+단수명사는 단수 취급해야 한다. 따라서 reflects가 정답이다.
　 해석 그의 연설에 쓰인 모든 단어는 그의 정직함을 반영한다.
　 어휘 speech 연설　reflect 반영하다, 반사하다　earnestness 정직함

06 해설 the number of+복수명사는 단수 취급한다. 따라서 has가 정답이 된다.
　 해석 학교에 다니는 아이들의 수는 지난 반세기 동안 두 배가 넘게 늘었다.
　 어휘 attend 참석하다　double 두 배로 늘다　half (절)반의

02 수 일치 주의사항 (II)

1 부분 주어＋of＋명사는 of 다음에 나오는 명사에 의해서 동사의 수 일치가 결정된다.

① 그 자동차 사고에서 승객 중 절반이 다쳤다.
passenger (탑)승객
injure 상처를 입히다

① Half of the passengers were injured in the car accident.

② 그녀의 책들 중 나머지는 요리, 만화 그리고 유머 서적들이다.
comic 만화의, 우스꽝스런

② The rest of her books are cooking, comic and humor books.

👍 **One Tip** 부분 주어

most, some, a lot, half, any, part, rest, majority, minority, 분수(%)

2 불가분의 관계나 동일인은 단수 취급한다.

① 꾸준함과 착실함이 경기에서 승리한다(일을 서두르면 망친다).
steady 꾸준한, 한결같은

① Slow and steady wins the race.

② 시인이자 사업가는 그의 재능과 능력으로 유명하다.
참고 그 시인과 그 사업가는 재능과 능력으로 유명하다.
talent 재능
skill 능력; 기술

② The poet and businessman is famous for his great talent and skill.
참고 The poet and the businessman are famous for their great talent and skill.

👍 **One Tip** 불가분의 관계

bread and butter 버터 바른 빵	a needle and thread 바늘과 실
a watch and chain 시계줄	slow and steady 꾸준함, 일관됨
trial and error 시행착오	curry and rice 카레라이스
time and tide 세월	early to bed and early to rise 일찍 자고 일찍 일어남

3 주어가 시간 · 거리 · 가격 · 무게 · 학과명일 때에는 단수 취급한다.

① Ten miles is a good distance for her to walk in a day.

② Physics is a difficult subject but ethics is easy one for me.

① 10마일은 그녀가 하루 동안 걷기에 상당한 거리이다.
good 상당한, 꽤

② 물리학은 어려운 과목이지만 윤리학은 나에게 쉽다.
physics 물리학
subject 과목
ethics 윤리학

👆 **One Tip** 학과명

mathematics 수학	politics 정치학	physics 물리학
ethics 윤리학	gymnastics 체육	phonetics 음성학
economics 경제학	statistics 통계학	

참고 statistics가 통계수치나 통계의 의미로 사용될 때에는 복수 취급해야 한다.

🎯 **확인학습 문제**

다음 문장을 읽고 [   ] 안에서 어법상 적절한 것을 고르시오.

01 The number of foreigners interested in the Korean language [has / have] dramatically increased over the past few years.

02 A lot of beer [has / have] gone down since then.

03 A poet and a novelist [is / are] holding the seminar.

04 Three quarters of teens [applies / apply] to the rock band.

05 Early to bed and early to rise [makes / make] a healthy body.

06 A million dollars [is / are] a lot of money to keep under your mattress.

---

01 해설 **the number of**+복수명사는 단수 취급한다. 따라서 **has**가 정답이다.
   해석 지난 몇 년 동안 한국어에 관심을 갖는 외국인의 수가 급격하게 증가하였다.

02 해설 **a lot**은 부분 주어이므로 **of** 다음 명사에 의해서 동사의 수가 결정된다. **beer**는 단수이므로 **has**가 정답이다.
   해석 그 이후로 많은 맥주가 사라졌다.

03 해설 접속사 **and**가 둘 이상의 명사를 연결하고 있으므로 복수로 수를 일치시켜야 한다. 따라서 **are**가 정답이다.
   해석 시인과 소설가가 토론회를 열고 있다.
   어휘 **hold** 개최하다; 붙잡다   **seminar** 토론회, 세미나

04 해설 부분 주어+of+명사는 **of** 다음 명사에 의해서 동사의 수 일치가 결정된다. 따라서 **teens**가 복수이므로 **apply**가 정답이다.
   해석 십 대 중 4분의 3(75%)은 락밴드에 지원한다.
   어휘 **quarter** 4분의 1(=25%)   **apply to** ~에 지원하다

05 해설 불과분의 관계는 단수 취급해야 한다. 따라서 **makes**가 정답이다.
   해석 일찍 자고 일찍 일어나는 것은 건강한 신체를 만든다.

06 해설 가격이 주어이므로 단수로 수를 일치시켜야 한다. 따라서 **is**가 정답이 된다.
   해석 백만 달러는 침대 매트리스 아래 보관하기에 많은 돈이다.
   어휘 **million** 백만(의)   **keep** 보관하다, 간직하다

기본문제

01 밑줄 친 부분 중 어법상 적절하지 않은 것은?

> Districts where sleep time has decreased dramatically over the past century, such as the US, France, German, the UK, Japan, and South Korea and several in Western Europe ① piles up and therefore suffering the greatest increase in rates of physical diseases and mental disorders ② is not coincidence. That the health of human beings ③ continues weak ④ is true.

02 다음 밑줄 친 부분 중 어법상 적절하지 않은 것은?

> Even if burgers as well as ice-cream ① tastes good and you look ② comfortable from them, trying to replace them with alternatives such as cucumbers and carrots ③ seems necessary. However, our will always ④ runs short to attempt it.

정답 및 해설

01 해설 ① 주어가 Districts(복수명사)이므로 단수동사 piles의 사용은 어법상 적절하지 않다. 따라서 piles는 pile로 고쳐 써야 한다.
② 주어가 suffering(동명사)이므로 단수동사 is의 사용은 어법상 적절하다.
③ 주어가 health(단수명사)이므로 단수동사 continuse의 사용은 어법상 적절하고 2형식 동사 continue 다음 형용사 weak의 사용 역시 어법상 옳다.
④ 주어가 That the health of human beings continues weak(명사절)이므로 단수동사 is의 사용은 어법상 적절하다.

해석 미국, 프랑스, 독일, 영국, 일본, 한국, 그리고 몇몇 서유럽 국가들과 같은, 지난 세기에 걸쳐 수면 시간이 가장 급격하게 감소한 지역들이 늘어나고 있고 그로 인해 신체 질환과 정신 질환 비율에서 가장 많은 증가를 경험하는 것은 우연의 일치가 아니다. 인류의 건강이 약해지는 것은 사실이다.

어휘

01
district 지역, 영역
dwindle 감소하다
dramatic 극적인
suffer ① 겪다, 경험하다 ② 고통받다
rate 비율
disorder 장애, 질환
*mental disorder** 정신 질환
incidence 우연의 일치
continue weak 약해지다

02 해설 ① B as well as A는 B에 수 일치를 시켜야 하므로 tastes는 taste로 고쳐 써야 한다.
② 2형식 감각동사 look 다음에는 형용사가 위치해야 하므로 comfortable의 사용은 어법상 적절하다.
③ 주어가 동명사(trying)이므로 단수동사 seems의 사용은 어법상 옳다.
④ 주어가 단수명사(will)이므로 단수동사 runs의 사용은 어법상 적절하고 2형식 동사 run 다음 형용사 보어 short의 사용 역시 어법상 옳다.

해석 비록 아이스크림뿐 아니라 햄버거는 맛이 좋고 당신이 그것들로부터 위로를 받을 수 있어 보이지만 그것들을 오이나 당근 같은 것으로 대체하는 것은 필요하다. 하지만, 우리의 의지는 그것을 시도하는데 늘 부족하다.

02
even if 비록 ~ 일지라도
comfortable 편안한
replace A with B A를 B로 대체하다
alternative 대안, 대체
cucumber 오이
carrot 당근
will 의지
run short 부족하다
attempt 시도하다

03 어법상 옳지 않은 것은?

① All of them in the institution are studying philosophy.

② In history, one of the longest wars was the Hundred Year's War.

③ So poor was the situation of the plant that many a person were shocked.

④ Every material that is attracted by magnets is defined by "magnetic".

04 어법상 옳은 것은?

① A third of the smart phones in this office was stolen yesterday.

② Both advantage and disadvantage influence to his evaluation.

③ Since then, the number of solo traveler has gradually decreased.

④ Neither of them wants to spend the rest of their lives abroad.

정답 및 해설

어휘

03

해설 ③ so + 형용사가 문두에 위치하면 주어 동사가 도치되어야 하고 주어가 situation(단수)이므로 단수동사 was는 어법상 적절하지만 many a 단수명사는 단수동사로 수 일치 시켜야 하므로 were는 was로 고쳐 써야 한다.
① 주어 All이 사람을 지칭하므로 복수 동사 are는 어법상 적절하다.
② 주어가 one(단수명사)이므로 단수동사 was의 사용은 어법상 옳다.
④ 'Every + 단수명사 + 단수동사' 구조를 묻고 있다. 따라서 단수동사 is의 사용은 어법상 적절하다.

해석 ① 그 기관에 있는 그들 모두는 철학을 공부하고 있다.
② 역사상 가장 긴 전쟁 중에 하나는 <백년 전쟁>이었다.
③ 그 공장의 상황이 너무 열악해서 많은 사람들이 충격에 빠졌다.
④ 자석에 의해 끌리는 모든 물질은 '자성이 있는'으로 정의 내려진다.

03
institution 기관, 단체
philosophy 철학
plant ① 식물 ② 공장
material 물질
attract 매혹하다, 끌어당기다
magnet 자석
*magnetic 자성이 있는
definition 정의

04

해설 ④ neither가 주어로 사용 될 때에는 단수동사로 받아야 하므로 wants의 사용은 어법상 적절하다.
① 주어가 부분주어(a third)이고 of 다음 명사가 복수명사(smart phones)이므로 동사도 복수동사가 필요하다. 따라서 was를 were로 고쳐야 한다.
② 상관접속사 both A and B는 복수동사로 수 일치를 시켜야 하므로 복수동사 influence의 사용은 어법상 적절하지만 influence는 3형식 동사이므로 influence 다음 전치사 to는 불필요하다. 따라서 to를 없애야 한다.
③ the number of는 단수주어이므로 단수동사 has의 사용은 어법상 적절하지만 the number of 다음에는 복수명사가 위치해야 하므로 단수명사 traveler는 복수명사 travelers로 고쳐 써야 한다.

해석 ① 이 매장의 휴대폰 중 1/3이 어제 도난당했다.
② 단점뿐만 아니라 장점들 역시 그의 평가에 영향을 준다.
③ 그때 이래로 혼자 여행하는 여행객들의 숫자는 점차로 감소하고 있다.
④ 그들 중 어느 누구도 외국에서 그들 삶의 나머지를 보내고 싶어 하지 않는다.

04
steal(−stole−stolen) 훔치다
evaluation 평가
gradually 점차로, 점진적으로
abroad 해외에(서), 해외로

정답 03 ③ 04 ④

05 다음 중 어법상 적절하지 않은 것은?

① What we have now is not necessary for this recipe.

② Of the seven members is the school's principal and delegate.

③ Each believes that he wants you to put your nose into his matter.

④ Into the severe storms and heavy rains are flying to the sky *Ironman* who is our hero.

06 밑줄 친 부분 중 어법상 옳지 않은 것은?

2022. 국가직 9급

To find a good starting point, one must return to the year 1800 during ① which the first modern electric battery was developed. Italian Alessandro Volta found that a combination of silver, copper, and zinc ② were ideal for producing an electrical current. The enhanced design, ③ called a Voltaic pile, was made by stacking some discs made from these metals between discs made of cardboard soaked in sea water. There was ④ such talk about Volta's work that he was requested to conduct a demonstration before the Emperor Napoleon himself.

정답 및 해설

05 　**해설** ④ 장소의 전치사구(Into the severe storms and heavy rains)가 문두에 위치해서 주어동사가 도치된 구조로 주어가 단수명사(Ironman)이므로 복수동사 are는 단수동사 is로 고쳐 써야 한다.
① 주어가 명사절(What we have now)이므로 단수동사 is의 사용은 어법상 적절하다.
② 장소의 전치사구(Of the seven members)가 문두에 위치해서 주어동사가 도치된 구조로 주어가 단수(동일인)이므로 단수동사 is의 사용은 어법상 옳다.
③ 주어가 each이므로 단수동사 believes의 사용은 어법상 적절하다.

해석 ① 우리가 지금 가지고 있는 것은 이 요리법에는 불필요하다.
② 7명의 회원 가운데 그 학교의 교장선생님이자 대표가 있다.
③ 각각은 그가 당신이 그의 문제에 간섭하고 싶어 한다고 믿는다.
④ 폭우속에서 우리의 영웅 「아이언맨」이 하늘을 날고 있다.

05
necessary 필요한
principal 교장선생님
delegate 대표자
put one's nose into ~에 간섭하다.

06 　**해설** ② 주어가 단수명사(combination)이므로 복수동사 were는 단수동사 was로 고쳐 써야 한다.
① 앞에 사물명사 the year 1800이 있고 전치사 during which 다음 문장구조가 완전하므로 관계대명사 which의 사용은 어법상 적절하다.
③ 자릿값에 의해 준동사 자리이고 뒤에 목적어가 없으므로 수동의 형태 called는 어법상 옳다. 참고로 a Voltaic pile은 called의 목적격 보어로 사용되었다.
④ such ~ that 구문의 사용은 어법상 적절하고 또한 such 다음 명사(talk)의 사용 역시 어법상 적절하다.

해석 좋은 출발점을 찾기 위해 우리는 최초의 현대식 전기 배터리가 개발된 1800년으로 돌아가야 한다. 이탈리아의 Alessandro Volta는 은, 구리 그리고 아연의 결합이 전류를 만들어내는 데 이상적이라는 것을 알아냈다. 볼타파일이라 불리어지는 그 강화된 디자인은 바닷물에 적셔진 골판지로 만든 디스크 사이에 이러한 금속으로 만들어진 몇몇 디스크를 쌓아올려 만들어졌다. 볼타의 작업에 대한 이야기가 있어서 그는 Napoleon황제 앞에서 직접 시연을 수행하라는 요청을 받았다.

06
copper 구리, 동
zinc 아연
ideal 이상적인
electrical current 전류
***current** 흐름
enhance 강화시키다
stack 쌓아 올리다, 쌓다
cardboard 골판지
soak 적시다, 담그다
conduct 수행하다
demonstration 시연

07 밑줄 친 부분 중 어법상 옳지 않은 것은?

2020. 지방직 9급

Elizabeth Taylor had an eye for beautiful jewels and over the years amassed some amazing pieces, once ① <u>declaring</u> "a girl can always have more diamonds." In 2011, her finest jewels were sold by Christie's at an evening auction ② <u>that</u> brought in $115.9 million. Among her most prized possessions sold during the evening sale ③ <u>were</u> a 1961 bejeweled time piece by Bulgari. Designed as a serpent to coil around the wrist, with its head and tail ④ <u>covered</u> with diamonds and having two hypnotic emerald eyes, a discreet mechanism opens its fierce jaws to reveal a tiny quartz watch.

08 어법상 가장 옳지 않은 것은?

2018. 서울시 7급

① Culture shock is the mental shock of adjusting to a new country and a new culture which may be dramatically different from your own.

② A recent study finds that listening to music before and after surgery helps patients cope with related stress.

③ By brushing at least twice a day and flossing daily, you will help minimize the plaque buildup.

④ The existence of consistent rules are important if a teacher wants to run a classroom efficiently.

정답 및 해설

07 해설 ③ 장소의 전치사 **Among**이 문두에 위치해서 주어동사가 도치된 구조로 주어가 단수(time piece)이므로 동사는 단수동사가 필요하다. 따라서 **were**는 **was**로 고쳐 써야 한다.
① 자릿값에 의해 준동사 자리(접속사 **once** 다음 주어＋be동사가 생략된 구조)이고 뒤에 목적어(직접인용문)가 있으므로 능동의 형태 **declaring**은 어법상 적절하다.
② 선행사 **auction**이 있고 뒤에 문장구조가 불완전(주어가 없다)하므로 관계대명사 **that**의 사용은 어법상 옳다.
④ 자릿값에 의해 준동사 자리이고 뒤에 목적어가 없으므로 수동의 형태 **covered**는 어법상 적절하다.

해석 Elizabeth Taylor는 아름다운 보석에 대한 안목이 있었고 수년 동안 몇몇 놀라운 보석들을 수집했다. 그리고 그녀는 한때 여성은 늘 더 많은 다이아몬드를 가질 수 있다고 선언했다. 2011년에 그녀의 가장 좋은 보석들이 Christie의 경매장에서 팔렸는데 그 가격이 일억천오백 구십만불이었다. 그 날 저녁 경매에서 팔린 그녀의 가장 값비싼 소유물들 중에는 1961년 Bulgri의 보석이 박힌 시계가 있었다. 손목을 뱀이 휘감는 모양으로 디자인된 그 시계는 머리와 꼬리가 다이아몬드로 덮여있고 최면을 거는 듯한 두 개의 에메랄드 눈을 갖고 있는데 이 작은 쿼츠시계(수정발진식시계)를 드러내기 위해 정교한 기계장치가 사나운 입을 벌린다.

08 해설 ④ 주어가 단수명사(existence)이므로 단수동사가 필요하다. 따라서 복수동사 **are**를 단수동사 **is**로 고쳐 써야 한다.
① **adjust**는 자동사로서 전치사 **to**와 사용해서 '~에 적응하다'의 의미를 갖고 관계대명사 **which**의 사용 역시 어법상 적절하다.
② 동명사 주어(listening)는 단수 취급해야 하므로 **helps**는 어법상 적절하고 help＋O＋원형부정사(cope with) 역시 어법상 옳다.
③ **and**를 기준으로 병렬구조(brushing / flossing)는 어법상 적절하고 help＋원형부정사(minimize) 구조 역시 어법상 옳다.

해석 ① 문화 충격은 자기 자신의 문화와 상당히 다를 수 있는 새로운 국가의 새로운 문화에 적응하는 데 대한 정신적 충격이다.
② 최근 연구는 수술 전후에 음악을 듣는 것이 관련된 스트레스에 대처하는 것에 도움이 되고 있음을 보여준다.
③ 하루에 적어도 두 번 이를 닦고 매일 치실질을 하면 플라그가 쌓이는 것을 최소화시켜 줄 것이다.
④ 교사가 학급을 효율적으로 운영하기를 원한다면, 일관된 규칙들의 존재가 중요하다.

어휘

07
jewel 보석
amass 모으다, 수집하다
declare 선언하다, 말하다
fine 좋은, 멋진
auction 경매
prized 소중한
possession 소유(물)
bejeweled 보석이 박힌
time piece 시계
serpent 뱀
coil 휘감다
wrist 손목
hypnotic 최면을 거는
discreet 신중한, 정교한
mechanism 기계장치
fierce 사나운
jaw 턱
reveal 드러내다
tiny 아주 작은
quartz watch 쿼츠 시계(수정발진식시계)

08
adjust to ~에 적응하다
dramatically 상당히, 매우, 극적으로
surgery 수술
cope with ~에 대처하다
related 관련된
floss 치실질 하다
minimize 최소화하다
buildup 축적
existence 존재
consistent 일관된
run 운영하다, 경영하다
efficiently 효율적으로

정답 07 ③ 08 ④

09 다음 밑줄 친 부분 중 어법상 가장 옳지 않은 것은?

2017. 서울시 9급

The idea that justice ① in allocating access to a university has something to do with ② the goods that ③ universities properly pursue ④ explain why selling admission is unjust.

10 다음 밑줄 친 부분 중 어법상 어색한 것은?

2017. 사복직 9급

Allium vegetables — edible bulbs ① including onions, garlic, and leeks — appear in nearly every cuisine around the globe. ② They are fundamental in classic cooking bases, such as French mirepoix (diced onions, celery, and carrots), Latin American sofrito (onions, garlic, and tomatoes), and Cajun holy trinity (onions, bell peppers and celery). ③ While we sometimes take these standbys for granted, the flavor of allium vegetables can not be replicated. And neither their health benefits ④ can, which include protection from heart diseases and cancer.

정답 및 해설

09 **해설** ④ explain의 목적어 역할을 하는 의문사 why절(명사절)은 어법상 적절하지만 동사 explain의 주어는 idea(단수)이므로 복수동사 explain은 단수동사 explains로 고쳐 써야 한다.

① 전치사+동명사 뒤에 동명사allocating의 의미상 목적어 access가 있기 때문에 어법상 옳다.

② '선 또는 가치'라는 뜻의 명사 good은 복수형이 가능한 명사이므로 goods의 사용은 어법상 적절하다.

③ 복수주어 universities의 동사가 pursue(복수동사)이므로 수 일치는 어법상 옳고 동사를 수식하는 부사 properly의 사용 역시 어법상 적절하다.

해석 대학에 대한 접근[입학]을 할당하는 데 있어서의 정당성은 대학이 적절히 추구해야하는 가치와 관련이 있다는 생각이 대학 입학(증)을 판매하는 것이 왜 공정하지 못한지를 설명해준다.

어휘

09
justice 정의, 정당성
allocate 할당하다
access 접근
have something to do with ~와 관계가 있다
properly 적절하게
pursue ① 추구하다 ② 뒤쫓다, 추적하다
admission ① 입학 ② 인정
unjust 정당하지 않은

10 **해설** ④ 주어 자리에 neither가 있으므로 뒤에 주어 동사는 도치되어야 한다. 따라서 조동사 can은 주어 their health benefits 앞에 위치해야 한다.

① 현재분사 including은 뒤에 목적어가 있으므로 능동의 형태는 어법상 적절하다.

② 지시대명사 They(복수)는 앞에 있는 Allium vegetables(복수)를 대신하므로 어법상 적절하다.

③ 접속사 While 다음 주어+동사 구조(절)는 어법상 적절하다.

해석 양파나 마늘 그리고 리크를 포함해서 먹을 수 있는 구조인 파속식물 야채들은 전 세계 거의 모든 요리에 등장한다. 그것들(파속실물 야채)은 프랑스의 mirepoix(깍뚝썰기된 양파, 샐러리 그리고 당근)나 라틴아메리카의 sofrito(양파, 마늘 그리고 당근) 그리고 케이준의 holy trinity(양파, 피망, 샐러리) 등과 같은 전통요리에서 필수적이다. 우리는 가끔 이런 예비품들을 당연하게 여기지만 파속식물 야채들은 복제될 수 없다. 그리고 심장질환이나 암으로부터의 보호를 포함하는 그것들의 건강상의 이로움 역시 복제될 수 없다.

10
allium 파속식물(파·양파·마늘 등)
bulb ① 전구 ② 구근(알뿌리)
leek 리크(큰 부추 같이 생긴 채소)
fundamental 근본적인, 필수적인
dice ① 주사위 ② 깍뚝썰기를 하다
standby 예비품
take A for granted A를 당연시 여기다
replicate 복제하다

정답 09 ④ 10 ④

심화문제

01 다음 밑줄 친 부분 중 어법상 적절하지 않은 것은?

> Of the younger people in some countries, the custom of reading newspapers and magazines ① has been on the decline and three quarters of the dollars previously spent on newspaper advertising ② have absolutely migrated to the Internet. Of course, most of this decrease in newspaper reading ③ has been due to the fact that we are doing more of our newspaper reading online. Even so, only when I worked in my company ④ was a number of employees reading the papers.

02 다음 중 어법상 틀린 것은?

> Many economists are blaming that ① either the sale on the market ② nor the profit ③ is expected ④ to increase in the near future.

03 다음 중 우리말을 영어로 잘못 옮긴 것은?

① 선행의 기쁨을 아는 사람들은 행복하다.
→ Happy is those who know the pleasure of doing good.

② 내가 백만장자가 될 것이라고는 전혀 꿈꾸지 않았다.
→ Little did I dream that I was a millionaire.

③ 그녀는 너무 우스꽝스러워 보여서 모두가 웃음을 터트렸다.
→ So ridiculous did she look that everyone burst out laughing.

④ 나는 그가 시험을 통과했다고 들었을 때 전혀 당황하지 않았다.
→ Never was I embarrassed when I heard him pass the exam.

정답 및 해설

01 **해설** ④ 문두에 only + 시간개념(when I worked ~)이 있으므로 뒤에 주어동사는 도치되었고 주어가 a number of이므로 복수동사로 받아야 한다. 따라서 **was**는 **were**로 고쳐 써야 한다.
① 주어가 custom(단수)이므로 단수동사 **has**는 어법상 적절하다.
② 주어가 부분주어(three quarters) 이므로 of 다음 명사 dollars(복수)와 수 일치를 시켜야 하므로 복수동사 have의 사용은 어법상 옳다.
③ 주어가 부분 주어(most)이므로 of 다음 명사 decrease(단수)와 수 일치 시켜야 하므로 단수동사 **has**는 어법상 적절하다.

해석 몇몇 나라에서 젊은 사람들 가운데 신문과 잡지를 읽는 관습이 감소해 왔고 이전에 신문 광고에 쓰였던 돈의 3/4이 인터넷으로 전적으로 이동하고 있다. 물론 이러한 신문 읽기 감소의 대부분은 우리가 온라인상에서 신문을 더 많이 읽는다는 사실 때문이다. 그럼에도 불구하고 내가 회사에 있을 때 많은 피고용인들은 신을 읽고 있었다.

01
of ~가운데
custom 관습
decline 감소
previously 이전에
absolutely 전적으로, 분명히
migrate 이주하다
due to ~때문에
even so 그럼에도 불구하고
employee 피고용인

02 **해설** 상관접속사 either는 or와, neither는 nor와 결합되어야 한다. 이 문장은 전반적인 내용 (blaming 비난하다)이 부정적인 내용이므로 either를 neither로 바꾸어야 한다. 따라서 ①이 정답이 된다.
③ the profit와 수를 일치시켜야 하므로 단수동사 is는 적절하다.
④ be expected to ⓥ는 어법상 적절하다.

해석 많은 경제학자들은 가까운 미래에 시장 판매나 이익 모두 증가할 것으로 기대되지 않는다고 비난하고 있다.

04
blame 비난하다
profit 이익

03 **해설** ① 형용사 보어가 문두에 위치하므로 주어와 동사는 도치되어야 한다. 주어가 those(복수)이므로 동사 is를 are로 바꿔야 한다.
② 부정어구 Little이 문두에 위치하므로 주어와 동사는 도치되어야 한다. dream이 일반동사이므로 도치할 때 조동사 did를 사용하는 것은 어법상 적절하다.
③ 형용사 보어가 문두에 위치하므로 주어와 동사는 도치되어야 한다. look이 일반동사이므로 도치할 때 조동사 did를 사용하는 것은 어법상 적절하다.
④ 부정어구 Never가 문두에 위치하므로 주어와 동사는 도치되어야 한다. be동사가 있으므로 was I 도치는 어법상 적절하다.

03
pleasure 기쁨, 즐거움
do good 선행을 베풀다
millionaire 백만장자
ridiculous 우스꽝스러운
burst out 터뜨리다
embarrassed 당황스러운

정답 01 ④ 02 ① 03 ①

04 다음 밑줄 친 부분 중 어법상 적절하지 않은 것은?

Half of the guidelines for the safe disposal of industrial waste ① <u>are</u> being compelled to do something more carefully. However, neither a drop nor maintenance in demand for factory goods ② <u>is</u> seen as a sign of trouble in the manufacturing. As a result, there ③ <u>are</u> a number of members at the conference room. However, all that lie there ④ <u>seems</u> not to care.

05 다음 중 어법상 적절한 것은?

① Not only were the *Seoul Post* our local paper, it was also the source of our income.

② All of the attendants continue to rise and so do the number of travelers.

③ Uncommon is psychological research of women who become mothers later than usual.

④ A quarter of delegates staying there uses 10 times more electricity than a local resident.

정답 및 해설

04 **해설** ④ 주어 All이 회의실에 있는 사람들을 지칭하므로 단수동사 **seems**는 복수동사 **seem**으로 고쳐 써야 한다.

① 주어가 부분주어 **Half**이고 of 다음 명사가 **guidelines**(복수)이므로 복수동사 **are**는 어법상 적절하다.

② 주어 자리에 상관접속사 **neither A nor B**가 있고 동사의 수 일치는 B(maintenance → 단수명사)에 일치시켜야 하므로 단수동사 **is**는 적절하다.

③ 주어가 **a number of**이므로 복수동사 **are**의 사용은 어법상 적절하다.

해석 산업폐기물의 안전한 처리에 대한 지침들 중 절반이 더욱더 세심하게 무언가를 할 것을 강요하고 있다. 하지만 공산품 수요의 감소 또는 유지가 제조업이 어려움을 겪게 될 징조를 보이지는 않는다. 그 결과 많은 회원들이 회의장에 있었다. 하지만, 그곳에 있는 모든 이들은 신경 쓰지 않는 것 같다.

04
guideline 지침
safe ① 안전한 ② 금고
disposal 처리, 처분
industrial waste 산업폐기물
compel 강요하다
demand 수요
goods 상품
factory goods 공산품
manufacturing 제조업
lie ① 있다, 존재하다 ② 눕다 ③ 거짓말하다
conference room 회의실

05 **해설** ③ 형용사 보어 **Uncommon**을 강조하기 위해 문두로 도치시킨 구조이다. 주어가 단수 **research**이므로 단수동사 **is**는 적절하다.

① **Not only**가 문두에 위치하면 주어와 동사는 도치되어야 한다. 주어가 단수 **local paper**이므로 동사 **were**는 **was**로 바꿔야 한다.

② **All**이 사람을 지칭하므로 복수동사 **continue**는 어법상 적절하지만 'so + V + S' 구조에서 주어가 **the number of**이므로 **do**는 **does**로 바꿔야 한다.

④ 부분주어 **1/4 + of** 다음 명사는 복수 **delegates**이므로 동사는 복수동사가 필요하다. 따라서 **uses**를 **use**로 바꿔야 한다.

해석 ① 「Seoul Post」는 우리의 지역 신문뿐만 아니라 우리 수입의 원천이었다.
② 승무원의 숫자가 증가하고 여행객 숫자 또한 증가한다.
③ 보통보다 더 늦게 엄마가 된 여성들에 대한 연구는 드물다.
④ 거기에 머무는 대표자들의 1/4은 지역 주민보다 10배 더 많이 전기를 사용한다.

05
source 원천
income 수입
attendant 조수, 승무원
psychological 심리학의, 심리적인
delegate 대표자
electricity 전기
local 지역의
resident 거주자

김세현 영어

06 어법상 옳은 것은?

① Two weeks is too long for me to wait for my best friend.

② We had the thrill on seeing the record break by the athlete.

③ The number of workers that go on strike has soared since 2010.

④ There is a lot of special articles which are related with the science.

07 다음 중 어법상 틀린 것은?

① Never has the rubbish been deprived as fully as it was.

② A series of episodes has left permanent imprints on their minds.

③ Among these distressed tribes, there was a newly developed type of scale.

④ So quiet was the room that I could hear the leaves to fall down to the ground.

정답 및 해설

어휘

06 해설 ① 특정 숫자와 함께 시간/거리/가격/무게 등이 주어 자리에 올 때 동사는 단수동사를 사용해야 하므로 단수 동사 **is**의 사용은 어법상 적절하고 또한 구동사 **wait for**의 사용 역시 어법상 옳다.

② '지각동사 + O + 과거분사' 구문을 묻고 있다. 지각동사 **seeing** 다음 목적격 보어 자리에 원형부정사는 어법상 적절하지만 **break** 다음 목적어가 없으므로 **break**는 **broken**으로 고쳐 써야 한다.

③ 주어 동사 수 일치(**The number of** → 단수동사 **has**)와 시제(**since**+과거표시부사구 ~ 현재완료시제) 모두 어법상 적절하지만 주격 관계대명사 **that** 다음 동사는 관계대명사의 선행사(**workers**)와 수 일치시켜야 하므로 단수동사 **goes**는 복수동사 **go**로 고쳐 써야 한다.

④ **There**가 문두에 위치하므로 주어동사가 도치된 구조로 주어 자리에 부분주어 **a lot**이 있으므로 of 다음 명사에 의해 동사를 수 일치시켜야 하는데 of 다음 명사가 복수명사(**articles**)이므로 복수동사 **are**의 사용은 어법상 적절하지만 주격 관계대명사 **which**의 선행사는 문맥상 **articles**이므로 단수동사 **is**는 복수동사 **are**로 고쳐 써야 한다.

해석 ① 나의 베프를 기다리는데 2주라는 시간은 내게 너무 길다.
② 우리는 그 선수에 의해 기록이 깨지는 것을 보았을 때 전율을 느꼈다.
③ 파업하는 노동자의 수가 2010년 이래로 치솟고 있다.
④ 과학과 관련된 특별한 기사는 많이 있다.

06
thrill 전율, 스릴
athlete 운동선수
on (upon) ~ing ~하자마자
article (신문, 잡지의) 기사
go on strike 파업하다
soar 치솟다

07 해설 ④ 'So + 형용사'가 문두에 위치해 주어와 동사의 도치는 어법상 적절하지만 **hear**는 지각동사이므로 목적격 보어 자리에 원형부정사가 필요하다. 따라서 **to fall**은 **falling**이나 **fall**로 고쳐 써야 한다.

① 부정어 **never**가 문두에 위치해서 주어와 동사가 도치된 구조로 주어가 단수주어 **rubbish**이므로 단수동사 **has**의 사용은 어법상 적절하다.

② 주어가 **A series**(단수주어)이므로 단수동사 **has**의 사용은 어법상 옳다.

③ **there**가 앞에 있으므로 주어동사가 도치된 구조로 주어가 단수명사(**type**)이므로 단수동사 **was**의 사용은 어법상 적절하다. 참고로 문두에 장소/위치의 전치사구가 콤마(,)와 함께 사용되면 뒤에 주어동사는 도치시키지 않는다.

해석 ① 쓰레기는 과거만큼 결코 충분히 제거되지 않았다.
② 일련의 사건들은 마음속에 영구적인 흔적들로 남았다.
③ 이런 고통을 당한 무리들 중에 새롭게 발전된 형태의 비늘이 있었다.
④ 방이 너무 조용해서 밖에서 나는 나뭇잎이 땅에 떨어지는 소리도 들을 수 있었다.

07
rubbish 쓰레기
deprive 제거하다, 박탈하다
***deprive A of B** A에게서 B를 제거(박탈)하다
permanent 영원한
imprint 인상, 자국, 날인
distressed 고통 받는
tribe 부족, 무리
scale ① 규모 ② 저울 ③ 비늘

08 우리말을 영어로 옳게 옮긴 것은?

① 누나가 어젯밤 너무 많은 숙제를 해야 해서 몹시 피곤했다.
→ Very exhausted was my sister who had to do too much homework last night.

② 내가 해외에서 했던 일은 그 나라의 주요 인물들은 제거하는 것이었다.
→ What I did in other countries were to remove key figures in their country.

③ 그때 내게 필요했던 모든 것은 반바지와 좋은 운동화를 갖는 것이었다.
→ All I needed to do those days were to keep shorts and good running shoes.

④ Machiavelli가 위대한 작품들을 쓸 수 있었을지 의심하는 것은 당연했다.
→ Whether Machiavelli had written his great books were reasonable to doubt.

09 다음 밑줄 친 부분 중 어법상 옳지 않은 것은?

> To realize that behind the seemingly effortless movement ① is long periods of practice ② is hard. Some of the people who create a ballet never ③ appear on stage. All that are responsible for the music ④ have known the dancer's movement.

10 다음 중 우리말을 영어로 가장 잘 옮긴 것은?

① 검은 드레스를 입고 있는 여자가 연단 위에 서있다.
→ On the podium a woman stands in a black dress.

② 너는 내가 그에게 그의 새 오토바이를 빌릴 수 있다고 생각하니?
→ Do you think I'm able to borrow him his new motorcycle?

③ 그 노인들은 너무 부유해 보여서 가난한 사람들을 도왔음에 틀림없다.
→ So affluent the elderly looked that they must have helped the poor.

④ 독일에서 만들어지는 맥주의 3/5이 전 세계로 수출되고 있다.
→ Three fifths of beer that is made by Germany is exported around the world.

정답 및 해설

어휘

08 해설 ① 형용사 보어가 문두에 위치해서 주어와 동사가 도치된 구조로 주어가 단수주어(sister)이므로 단수동사 **was**의 사용은 어법상 적절하다.
② 명사절을 유도하는 관계대명사 **What**절이 주어 자리에 있으므로 동사는 단수동사가 필요하다. 따라서 **were**는 **was**로 고쳐 써야 한다.
③ 주어 **All**이 사물을 지칭하므로 단수동사가 필요하다. 따라서 **were**는 **was**로 고쳐 써야 한다.
④ **Whether**절이 주어 자리에 있으므로 단수동사가 필요하다. 따라서 **were**는 **was**로 고쳐 써야 한다.

08
exhausted 피곤한, 지친
remove 제거하다, 없애다
figure 인물
those days 그때, 그 당시에
reasonable 이치에 맞는, 당연한
doubt 의심(하다)

09 해설 ① behind the seemingly effortless movement가 장소를 나타내는 전치사구이므로 주어와 동사가 도치되는데, is의 주어 자리에 복수명사 long periods가 있으므로 is는 are로 고쳐 써야 한다.
② 주어가 to부정사(To realize)이므로 단수동사 is의 사용은 어법상 적절하다.
③ 부분주어 some of 다음 복수명사 people이 있으므로 동사의 수 일치는 어법상 적절하고 또한 appear는 1형식 동사이므로 뒤에 전치사구 on stage의 사용 역시 어법상 옳다.
④ All이 문맥상 사람을 지칭하므로 복수동사 have의 사용은 어법상 적절하다.

해석 겉보기에 수월한 동작 뒤에는 오랜 기간의 연습 기간이 있다는 것은 깨닫기 쉽지 않을 것 같다. 발레를 제작하는 이들 중 몇 명은 무대 위로 절대 모습을 드러내지 않는다. 음악에 책임을 지는 모두는 댄서들의 움직임을 안다.

09
realize 깨닫다, 알다
seemingly 겉보기에
effortless 힘들지 않은, 수월한
period 기간
create 만들다, 제작하다
ballet 발레(극)
appear 나타나다, 드러내다
responsible 책임지는

10 해설 ④ 부분 주어 Three fifths(3/5)가 있으므로 of 다음 명사 beer(단수 명사)와 수 일치를 시켜야 하므로 단수동사 is는 어법상 적절하다.
① 장소를 나타내는 전치사구가 문두에 위치하므로 주어와 동사는 도치되어야 한다. 따라서 a woman stands는 stands a woman으로 고쳐 써야 한다.
② borrow는 4형식 동사로 착각하기 쉬운 3형식 동사이므로 4형식 구조를 취할 수 없다. 따라서 문맥상 him 앞에 전치사 from이 필요하다.
③ so + 형용사가 문두에 위치하면 주어 동사가 도치되어야 하므로 the elderly looked는 did the elderly look으로 고쳐 써야 한다.

10
podium 연단
borrow 빌리다
motorcycle 오토바이
affluent 부유한
export 수출하다

동사의 시제

① 나는 초콜릿을 좋아하지 않지만 남편은 좋아한다.

② 내 아버지는 매일 아침 6시에 조깅을 한다.

③ 물은 섭씨 0도에서 얼고 섭씨 100도에서 끓는다.

UNIT 01 기본시제

01 현재시제(V 또는 Vs/es)

지금 현재의 사실, 상태, 습관, 불변의 진리(과학적 사실, 일반적 통념)는 현재시제를 사용한다. 현재시제는 옛날에도 그랬고 지금도 그렇고, 앞으로도 쭉 그러할 것이라는 전제하에(permanent) 사용하는 시제이다.

① I don't like chocolate but my husband likes it.

② My father goes jogging at six every morning.

③ Water freezes at 0℃ and boils at 100℃.

👍 One Tip 현재시제가 미래를 대신하는 경우

❶ ㉘간이나 ㉕건의 ㉕사절에서는 ㉓재시제를 ㉔래시제 대신 사용한다. ➡ 시조부는 현미

• I will call you when I get there. 내가 거기에 도착하면 전화할게.
  참고 I will ask if he will get there. 난 그가 거기에 도착할지 물어볼 것이다.

• I'll not go out if it rains tomorrow. 내일 비가 온다면, 나는 밖에 나가지 않을 것이다.

❷ 현재시제가 미래를 대신하는 경우 왕래 발착 시종 동사가 미래표시부사(구)와 결합되면 역시 현재시 제가 미래를 대신할 수 있다.

• My uncle comes here tomorrow night. 내 삼촌이 내일 밤 여기에 올 것이다.
  참고 My uncle will come here tomorrow night. 내 삼촌이 내일 밤 여기에 올 것이다.

02 과거시제(Ved)

과거의 동작이나 상태 또는 역사적 사실은 과거시제를 사용한다. 또한 과거시제는 현재와는 완전히 단절된 시제이다.

① I lost my wallet on my way home yesterday.

② She met him last week and they fell in love.

③ The movie started about ten minutes ago.

④ Columbus who was a pioneer discovered America in 1492.

① 나는 어제 집에 가는 도중에 지갑을 잃어버렸다.

② 그녀는 지난주에 그를 만났고 그들은 사랑에 빠졌다.

③ 영화가 10분 전에 시작했다.

④ 개척자였던 Columbus는 미 대륙을 1492년에 발견했다.
pioneer 개척자

👍 One Tip 과거 표시 부사구

ago, then(= at that time, those days), last(year/night), just now, once, in the past, yesterday, in+과거 연도

👍 Two Tips 불규칙 동사표

❶ A-A-A형

현재형	과거형	과거분사형	의미
burst	burst	burst	터지다
cast	cast	cast	던지다
cost	cost	cost	비용이 들다
cut	cut	cut	자르다
hit	hit	hit	때리다, 치다
hurt	hurt	hurt	상처를 입히다
let	let	let	시키다
put	put	put	~을 두다, 놓다
set	set	set	~을 두다, 놓다; 설치하다
shed	shed	shed	없애다; 떨어뜨리다
shut	shut	shut	닫다
spread	spread	spread	펼치다; 퍼지다
thrust	thrust	thrust	밀치다, 쑤셔 넣다
upset	upset	upset	뒤엎다
read	read	read	읽다

❷ A−B−A형

현재형	과거형	과거분사형	의미
become	became	become	되다
come	came	come	오다
run	ran	run	달리다

❸ A−B−B형

현재형	과거형	과거분사형	의미
bend	bent	bent	구부리다
bring	brought	brought	가져오다
buy	bought	bought	사다
catch	caught	caught	잡다
creep	crept	crept	(엉금엉금) 기다
deal	dealt	dealt	거래하다
dig	dug	dug	파다
dwell	dwelt	dwelt	거주하다
feed	fed	fed	먹다; 먹이다
feel	felt	felt	느끼다
fight	fought	fought	싸우다
hear	heard	heard	듣다
hold	held	held	잡다, 붙들다
keep	kept	kept	유지하다, 지키다
lead	led	led	이끌다
leave	left	left	떠나다, 남겨 두다
lend	lent	lent	빌려주다
lose	lost	lost	잃어버리다
mean	meant	meant	의미하다
meet	met	met	만나다
pay	paid	paid	지불하다
say	said	said	말하다
seek	sought	sought	추구하다, 찾다
sell	sold	sold	팔다
shine	shone	shone	빛나다
shoot	shot	shot	쏘다
sleep	slept	slept	자다
spend	spent	spent	소비하다
spin	spun	spun	돌다, 돌리다
stand	stood	stood	서다
stick	stuck	stuck	찌르다; 고정시키다
strike	struck	struck	치다, 때리다
sweep	swept	swept	쓸다, 청소하다
swing	swung	swung	흔들다
teach	taught	taught	가르치다
think	thought	thought	생각하다

❹ A−B−C형

현재형	과거형	과거분사형	의미
begin	began	begun	시작하다
bite	bit	bitten, bit	깨물다
blow	blew	blown	불다
break	broke	broken	깨다, 부수다
choose	chose	chosen	고르다
draw	drew	drawn	끌어내다; 그리다
drink	drank	drunk	마시다
drive	drove	driven	몰다, 운전하다
eat	ate	eaten	먹다
fly	flew	flown	날다
forget	forgot	forgotten	잊다
freeze	froze	freezen	얼다
grow	grew	grown	자라다, 기르다
hide	hid	hidden	숨기다
know	knew	known	알다
ride	rode	ridden	타다
ring	rang	rung	울리다
rise	rose	risen	오르다
shake	shook	shaken	흔들다
show	showed	shown	보여 주다
sing	sang	sung	노래하다
sink	sank	sunk	가라앉다
speak	spoke	spoken	말하다
steal	stole	stolen	훔치다
strive	strove	striven	애쓰다, 노력하다
swear	swore	sworn	맹세하다
swim	swam	swum	수영하다
tear	tore	torn	찢다
throw	threw	thrown	던지다
wear	wore	worn	입다
write	wrote	written	쓰다

03 미래시제(will/shall＋동사원형)

미래에 발생할 일 또는 주어의 의지나 결심으로 일어나게 될 일을 표현할 때 사용하는 시제가 미래시제이다.

① 다음 주 월요일에 중간고사가
있을 것이다.
midterm 중간고사

② 너의 반대에도 불구하고 나는
이 일을 하겠다.
despite ~에도 불구하고
objection 반대

① There will be a midterm next Monday.

② I will do this despite your objection.

👍One Tip 미래시제 대용

❶ 시조부는 현미
 ● We will wait for him until he comes here.
 우리는 그가 여기에 올 때까지 그를 기다릴 것이다.

❷ 왕래 발착 시종 동사＋미래표시부사(구)
 ● The train leaves Seoul for Busan at 9 tonight.
 기차는 오늘 밤 9시에 서울에서 부산으로 출발한다.

❸ 현재진행시제＋미래표시부사(구)
 ● Tim and Jane are getting married next month.
 팀과 제인은 다음 달에 결혼할 예정이다.

❹ 숙어적 표현

be going to ⓥ	be about to ⓥ	be due to ⓥ
be planning to ⓥ	be scheduled to ⓥ	be to ⓥ

 ● I'm going to clean this room tonight.
 나는 오늘 저녁 이 방을 치울 것이다.

 ● The movie is about to hit the jackpot.
 그 영화는 대박이 날 것이다.

 ● He is due to make a speech this evening.
 그는 오늘 저녁 연설할 예정이다.

 ● They are planning to go shopping at the department store.
 그들은 백화점에서 쇼핑할 계획이다.

 ● The items are scheduled to be sent on August 13th.
 그 품목들은 8월 13일에 보내질 예정이다.

 ● The important meeting is to be held next Friday.
 그 중요한 회의가 다음 금요일에 열릴 것이다.

확인학습 문제 1

다음 문장을 읽고 [ ] 안에서 어법상 적절한 것을 고르시오.

01 I [want / wanted] to be a politician at that time.

02 When she was young, she [moves / moved] to Seoul.

03 If you [will want / want] to take some sleep, please tell me.

04 Could you tell me when he [will come / comes] back home?

05 Many a student [was / were / are] killed at the boat in 2012.

06 Before you [will meet / meet] him, you will make a call to him.

07 The earth [go / goes / went] around the sun so the sun always [rises / rise / rose] in the east.

08 If I have some free time tomorrow, I [go / will go] to the amusement park for a change.

---

01 해설 과거표시부사구 **at that time**(그 당시에는)이 있으므로 과거시제 **wanted**가 정답이 된다.
  해석 나는 그 당시에는 정치가가 되고 싶었다.
  어휘 **politician** 정치가

02 해설 **when**절의 시제가 과거이므로 주절의 시제도 과거시제를 사용해야 한다. 따라서 **moved**가 정답이 된다.
  해석 그녀가 어렸을 때, 서울로 이사했다.

03 해설 '시조부는 현미(<u>시</u>간이나 <u>조</u>건의 <u>부</u>사절에서는 <u>현</u>재가 <u>미</u>래시제를 대신해야 한다)'이므로 현재시제 **want**가 정답이 된다.
  해석 만약 당신이 잠자기를 원하면, 내게 말하세요.

04 해설 **tell**의 목적어가 **when**절이므로 여기에서 **when**절은 명사절이 된다. 따라서 부사절이 아닌 명사절이기 때문에 미래시제 **will come**이 정답이 된다.
  해석 그가 언제 집으로 돌아올지 말해 주시겠어요?

05 해설 **many a**가 주어 자리에 있으므로 단수동사가 필요하고 과거표시부사구 **in 2012**가 있으므로 **was**가 정답이 된다.
  해석 많은 학생들이 2012년에 배에서 죽음을 당했다.

06 해설 '시조부는 현미(<u>시</u>간이나 <u>조</u>건의 <u>부</u>사절에서는 <u>현</u>재가 <u>미</u>래시제를 대신해야 한다)'이므로 현재시제 **meet**이 정답이 된다.
  해석 당신이 그를 만나기 전에, 당신은 그에게 전화를 하십시오.

07 해설 불변의 진리는 현재시제를 사용해야 하고 주어가 3인칭 단수이므로 각각 **goes**와 **rises**가 정답이 된다.
  해석 지구는 태양 주변을 돌고 그래서 항상 태양은 동쪽에서 뜬다.

08 해설 미래표시부사구 **tomorrow**가 있으므로 미래시제가 필요하다. 따라서 **will go**가 정답이 된다.
  해석 만약 내일 여유 시간이 생긴다면 나는 기분 전환을 위해 놀이공원에 갈 것이다.
  어휘 **amusement park** 놀이공원 **for a change** 기분 전환으로

확인학습 문제2

문장을 읽고 그 의미상 시제가 미래면 F, 현재면 P로 표기하시오.

01 They are due to leave the country. _____

02 I am going to Europe with my wife. _____

03 My hobby is to read western novels. _____

04 We are having a nice dinner tomorrow. _____

05 This accident is due to driving carelessly. _____

06 He is going to call Sharon around seven. _____

07 The president is to visit China next month. _____

08 I am about to have dinner with my family. _____

09 The last train arrives at 9 o'clock tonight. _____

---

01 해설 be due to ⓥ '~할 예정이다'라는 뜻으로 미래를 나타낸다. **F**
   해석 그들은 그 나라를 떠날 예정이다.

02 해설 be going to 다음 명사가 있기 때문에 '~할 예정이다'의 의미가 아니므로 현재를 나타낸다. **P**
   해석 나는 아내와 유럽으로 가는 중이다.

03 해설 현재의 습관을 나타내므로 현재를 나타낸다. **P**
   해석 나의 취미는 서양 소설을 읽는 것이다.

04 해설 현재진행시제가 미래표시부사(구)와 함께하면 미래를 나타낸다. **F**
   해석 내일 우리는 멋진 저녁 식사를 할 것이다.

05 해설 be due to+명사(ⓥ-ing)는 '~ 때문이다'의 뜻으로 미래시제를 나타낼 수 없으므로 현재시제가 된다. **P**
   해석 이 사고는 부주의한 운전 때문이다.

06 해설 be going to ⓥ는 '~할 예정이다'이므로 미래를 나타낸다. **F**
   해석 그는 7시쯤 Sharon에게 전화할 것이다.

07 해설 be to ⓥ는 '~할 예정이다'의 뜻으로 미래를 나타낸다. **F**
   해석 대통령은 다음달 중국을 방문할 예정이다.

08 해설 be about to ⓥ는 '막 ~하려 하다'의 뜻으로 가까운 미래를 나타낸다. **F**
   해석 나는 가족과 곧 저녁 식사를 하려고 한다.

09 해설 왕래 발착 동사가 미래표시부사(구)와 결합하면 현재시제로 미래를 나타낸다. **F**
   해석 마지막 기차는 오늘 밤 9시 정각에 도착할 것이다.

UNIT 02 완료 · 진행시제

01 현재완료(have/has＋p.p)

과거에 이미 발생한 일이 현재까지 이어져 어떤 형태로든 현재에 영향을 미칠 때 사용하는 시제이다.

① I have been to Hawaii.
(I can explain to you what Hawaii was like.)

① 나는 하와이에 가본 적이 있다 (나는 하와이가 어땠는지 설명할 수 있다).

② Karen has stayed in London over the past 2 years.
(She stays in London now. So, she's not here.)

② Karen은 지난 2년 동안 런던에 머무르고 있다(그녀는 현재 런던에 있으므로, 지금 이곳에 없다).

③ He has just finished his homework.
(He finished it just ago. So, he can play football now.)

③ 그는 막 숙제를 마쳤다(방금 전 그는 숙제를 끝냈다. 그래서 그는 축구를 해도 된다).

④ I have broken my leg.
(My leg is broken now. So, I feel unhappy.)

④ 나는 다리가 부러졌다(현재 내 다리는 부러져 있다. 그래서 난 불행해).

👍 **One Tip** 현재완료시제를 꼭 사용해야 하는 경우

> 현재완료(have+p.p) ~ since+S+과거시제/과거표시부사구
> 현재완료(have+p.p) ~ for/over/during/in+past/last/recent+시간개념

- It has been 15 years since we graduated from high school.
  우리가 고등학교를 졸업한 이래로 15년이 지났다.

- Movie industry has changed over the past two decades.
  영화 업계는 지난 이십 년 동안 변화해 왔다.

👍 **Two Tips** have gone to vs. have been to

have gone to는 결과를 표현하여 '~에 가 버리고 없다'의 뜻이고, have been to는 경험을 표현하여 '~에 가 본 적이 있다'의 뜻이다. 따라서 논리상 have gone to는 1인칭이나 2인칭이 주어가 될 수 없고 언제나 3인칭이 주어가 되어야 한다.

- I have been to Hawaii. (○) 나는 하와이에 가 본 적이 있다.

- I have gone to Hawaii. (×)

- He has been to Hawaii. (○) 그는 하와이에 가 본 적이 있다.

👍 **Three Tips** 의문사 when은 현재완료시제와 함께 사용하지 않는다.

- When have you heard the news? (×)
  → When did you hear the news? (○)
  당신은 그 소식을 언제 들었나요?

02 과거완료(had+p.p)

과거완료는 과거보다 이전에 있었던 일(대과거)이나 그 일이 과거에 영향을 미치는 경우에 사용되는 시제이다.

① I had often heard from her before I met her.

② She had been ill in bed for five days when I returned.

③ He told us that he had lost his cellular phone.

④ I found that I had left my key in my office.

⑤ I lost my watch that my father had bought.

① 내가 그녀를 만나기 전에 나는 그녀의 소식을 자주 들어왔다.

② 내가 돌아왔을 때, 그녀는 이미 5일째 병을 앓고 있었다.
ill in bed 병으로 누워 있는

③ 그는 (이미) 휴대폰을 잃어버린 상태라고 우리에게 말했다.

④ 나는 사무실에 열쇠를 놔두고 온 것을 알았다.

⑤ 나는 아버지가 사주셨던 시계를 잃어버렸다.

👍 One Tip 과거 = 과거완료

접속사 **before, after, because** 등이 있는 경우는 전후 상황을 분명히 알 수 있기 때문에 굳이 과거완료를 사용할 필요가 없다. 따라서 과거시제로 과거완료를 대신 사용할 수 있다.

- After I (had) finished it, I went home.
  나는 그것을 끝낸 다음 집으로 갔다.

- My bus (had) left before I reached the terminal.
  내가 터미널에 도착하기 전에 버스는 이미 떠났다.

- I couldn't sleep because I (had) had too much coffee.
  나는 커피를 너무 많이 마셨기 때문에 잠을 잘 수가 없었다.

👍Two Tips 과거 완료를 꼭 사용해야 하는 경우(~하자마자 …했다)

Hardly/Scarcely＋had＋S＋p.p ~, when/before＋S'＋과거동사
→ No sooner＋had＋S＋p.p ~, than＋S'＋과거동사
→ As soon as S＋과거동사 ~, S'＋과거동사
→ The moment/instant/minute＋S＋과거동사 ~, S'＋과거동사
→ On/Upon ⓥ-ing ~, S'＋과거동사

- The rabbit had hardly/scarcely seen the hunter when/before he ran away.
  → Hardly/Scarcely had the rabbit seen the hunter when/before he ran away.

- The rabbit had no sooner seen the hunter than he ran away.
  → No sooner had the rabbit seen the hunter than he ran away.

- As soon as the rabbit saw the hunter, he ran away.

- The moment/instant/minute the rabbit saw the hunter, he ran away.

- On seeing the hunter, the rabbit ran away.
  사냥꾼을 보자마자, 토끼는 달아났다.

03 미래완료(will have+p.p)

과거, 현재, 미래의 어느 시점에서부터 미래의 일정한 기준 시점까지 연속상에 걸쳐 있는 상황을 설명해야할 때 미래완료시제를 사용한다. 이때에는 미래의 기준 시점을 나타내는 미래표시부사절(구)이 동반된다.참고로, 현대영어에서는 미래완료시제를 거의 사용하지 않는다.

① I will have been to Guam three times if I visit there next week.

② He will have been a prosecutor by the time you get back to Korea.

04 진행시제(be+ⓥ-ing)

진행시제는 각 해당 시점에서 동작이 진행되고 있음을 보다 강조할 경우에 사용되며 일시적 개념(temporary)을 포함하고 있다.

① The last train is arriving at the station.

② We are having a party at my house on Halloween.

③ The river was flowing very fast because of heavy rain last night.

④ My baby will be getting better at this time tomorrow.

⑤ My kid has been reading a book for two hours.

⑥ He had been waiting for me for an hour when I got there.

⑦ She will have been sleeping for 24 hours by tomorrow.

① 내가 다음 주에 괌에 간다면 난 그곳에 세 번째 가 보게 될 것이다.

② 당신이 한국에 돌아올 때쯤이면 그는 검사가 돼 있을 것이다.
prosecutor 검사

① 마지막 기차가 역에 도착하고 있다.

② 우리는 할로윈 때 집에서 파티를 할 계획이다.

③ 지난밤 폭우 때문에 그 강은 매우 빠르게 흐르고 있었다.

④ 내일 이맘때쯤이면 내 아기는 상태가 더 호전되고 있을 것이다.
get better (상황, 병세가) 더 좋아지다, 호전되다

⑤ 우리 애가 두 시간째 독서 중이다.

⑥ 내가 그곳에 도착했을 때 그는 나를 한 시간째 기다리고 있었다.

⑦ 그녀는 내일까지 24시간 동안 자고 있을 것이다.

👍One Tip 진행형 불가 동사

❶ 상태동사

resemble

- My son is resembling me very much. (×)
  → My son resembles me very much. (○)
  나의 아들은 나를 많이 닮았다.

❷ 인지동사

know

- I am knowing he leaves school after graduation. (×)
  → I think he leaves school after graduation. (○)
  나는 졸업 후에 그가 학교를 떠날 것을 알고 있다.

❸ 감각동사

feel, smell, look, taste, sound + 형용사 보어

- This soup is tasting too salty. (×)
  → This soup tastes too salty. (○)
  나는 스프가 너무 짜지 않은지 확인하려고 맛보고 있는 중이다.
  참고 I am tasting the soup to make sure it's not too salty. (○)

- She was looking happy when she heard the news. (×)
  → She looked happy when she heard the news. (○)
  그녀는 그 소식을 들었을 때 행복해 보였다.
  참고 She was looking at the plane flying across the sky. (○)
  그녀는 하늘을 나는 비행기를 보고 있었다.

❹ 소유동사

have, belong to

- Jane is having tickets for the movie. (×)
  → Jane has tickets for the movie. (○)
  Jane은 영화 티켓을 가지고 있다.
  참고 Jane is having lunch now. (○)
  Jane은 지금 점심 식사 중이다.

- This house is belonging to my mother. (×)
  → This house belongs to my mother. (○)
  이 집은 우리 어머니 소유이다.

❺ 감정동사

like, dislike, want, prefer

- I am disliking the fact that he is right. (×)
  → I dislike the fact that he is right. (○)
  나는 그가 옳다는 사실이 싫다.

05 시제 일치

주절과 종속절의 동사 시제를 글의 흐름상 문맥에 맞게 선택하는 것이 시제 일치이다.

① He says that he wants to go home.

② He says that he wanted to go home.

③ He says that he will want to go home.
　참고 He says that he had wanted to go home. (×)

④ He said that he wanted to go home.

⑤ He said that he had been ill in bed.
　참고 He said that he wants to go home. (×)
　　　When he was young, he goes to church. (×)

① 그는 집에 가고 싶다고 말한다.

② 그는 집에 가고 싶었다고 말한다.

③ 그는 집에 가고 싶을 거라고 말한다.

④ 그는 집에 가고 싶다고 말했다.

⑤ 그는 앓아 누워 있었다고 말했다.

👍 **One Tip** 시제 일치 예외

❶ 주절이 과거시제라도 종속절에 불변의 진리 / 일반적 사실(통념) / 속담이 오는 경우
❷ 부사절에서 현재시제가 미래를 대신하는 경우

- Columbus believed that the earth is round.
  콜럼버스는 지구가 둥글다고 믿었다.
- As soon as she shows up, we will leave for the train station.
  그녀가 나타나자마자 우리는 기차역으로 떠날 것이다.

확인학습 문제 1

다음 문장을 읽고 [ ] 안에서 어법상 적절한 것을 고르시오.

01 There [has been / was] no car then.

02 After I had taken medicine, I [felt / had felt] a lot better.

03 By the time you [get / will get] back, I shall have gone to bed.

04 When [have you seen / did you see] Ms. Hur who is my teacher?

05 We [knew / have known] each other since we were in our mid-twenties.

---

01 해설 과거표시부사구 then이 있으므로 과거시제가 필요하다. 따라서 정답은 **was**가 된다.
    해석 그 당시에는 자동차가 없었다.

02 해설 약을 먹은 것이 좋아진 것보다 먼저 일어난 일이므로 약을 먹은 것은 과거완료시제를 사용해야 하고 좋아진 것은 과거시제를 사용해야 한다. 따라서 **felt**가 정답이 된다.
    해석 약을 먹고 난 후 기분이 훨씬 더 좋아졌다.
    어휘 take (음식, 약물 등)을 섭취하다   medicine 약(물)

03 해설 by the time이 시간을 나타내는 접속사로 사용되었다. '시조부는 현미(시간이나 조건의 부사절에서는 현재가 미래시제를 대신해야 한다)'이므로 현재시제가 필요하다. 따라서 **get**이 정답이 된다.
    해석 당신이 돌아올 때쯤이면 나는 (이미) 잠자리에 들 것이다.

04 해설 의문사 when은 현재완료와 함께 사용할 수 없으므로 과거시제가 필요하다. 따라서 정답은 **did you see**가 된다.
    해석 당신은 언제 저희 허 선생님을 보았나요?

05 해설 since 다음 과거시제가 있으므로 주절의 시제는 현재완료시제가 필요하다. 따라서 정답은 **have known**이 된다.
    해석 우리는 20대 중반 이후로 서로 알게 되었다.
    어휘 mid-twenties 20대 중반

확인학습 문제2

다음 문장을 읽고 [　] 안에서 어법상 적절한 것을 고르시오.

01　Annie will ask me if I [need / will need] a pen.

02　The plant [has / is having] roots in appearance.

03　He will [know / be knowing] of us when he gets home alone.

04　Before they [visit / will visit] you tomorrow, they will call you first.

05　She agreed on the proposal and so [does / did] the man.

06　The moment she [shows / will show] up, we will leave for Seoul.

07　When he appeared at the conference room, he [looks / looked] like a hero.

01　해설 ask 다음 if절은 부사절이 아니라 명사절이므로 미래시제를 사용해야 한다. 따라서 **will need**가 정답이다.
　　해석 Annie는 내게 펜이 필요할지 물을 것이다.

02　해설 **have**는 진행형 불가 동사이므로 **has**로 정답이 된다.
　　해석 그 식물은 외견상으로 뿌리를 가지고 있다.
　　어휘 appearance 외모, 모습(= look)

03　해설 **think**는 진행형 불가 동사이므로 **think**가 정답이 된다.
　　해석 그가 집에 홀로 오면 우리 생각을 할 거야.

04　해설 시간을 나타내는 부사절에서는 현재가 미래를 대신한다. 따라서 **visit**가 정답이다.
　　해석 내일 그들이 당신을 방문하기 전에 그들은 먼저 당신에게 전화할 겁니다.

05　해설 앞에 있는 동사의 시제가 과거이므로 **so** 다음 동사의 시제도 과거시제여야 한다. 따라서 **did**가 정답이다.
　　해석 그녀는 그 제안에 동의를 했고 그 남자도 마찬가지였다.
　　어휘 agree on ~에 동의하다　proposal 제안

06　해설 **The moment**는 '~하자마자'의 뜻으로 시간을 나타내는 접속사로 사용되었다. '시조부는 현미(시간이나 조건의 부사절에서는 현재가 미래시제를 대신해야 한다)'이므로 현재시제 **shows**가 정답이 된다.
　　해석 그녀가 나타나자마자 우리는 서울로 향할 것이다.
　　어휘 the moment S+V ~하자마자　show up 나타나다

07　해설 **when**절에 과거시제가 있으므로 문맥상 주절의 시제는 과거시제가 필요하다. 따라서 **looked**가 정답이 된다.
　　해석 그가 회의실에 나타났을 때 그는 마치 영웅처럼 보였다.
　　어휘 conference 회의

기본문제

01 다음 밑줄 친 부분 중 어법상 적절하지 않은 것은?

My geology teacher ① <u>explained</u> to us that the earth ② <u>goes</u> around so the sun always ③ <u>rises</u> in the east two days ago in his class. However, many a student ④ <u>doesn't</u> understand his explanation, then.

02 다음 밑줄 친 부분 중 어법상 어색한 것은?

When my sister ① <u>retires</u> in twenty years, she ② <u>will save</u> enough money to allow her ③ <u>to live</u> ④ <u>comfortable</u>.

03 다음 중 어법상 적절한 것은?

① My son is resembling me very much.
② I had once believed the ridiculous event.
③ If you'll like horror movies, you must see this one.
④ I'm tasting the soup to make sure that it's not salty.

정답 및 해설

01 해설 ④ many a student 다음 단수동사 doesn't는 적절하지만 과거표시부사구 then이 있으므로 doesn't는 didn't로 고쳐 써야 한다.
① 과거표시부사구 two days ago가 있으므로 과거시제 explained는 어법상 적절하다.
② 불변의 진리는 현재시제를 사용해야 하고 주어가 3인칭 단수이므로 goes는 어법상 적절하다.
③ 불변의 진리는 현재시제를 사용해야 하고 주어가 3인칭 단수이므로 rises는 어법상 적절하다.

해석 지질학 선생님께서 이틀 전에 지구는 태양 주변을 돌고 그래서 태양은 항상 동쪽에서 뜬다고 우리에게 설명하셨다. 하지만 많은 학생들은 그 당시에는 그의 설명을 이해하지 못했다.

01
geology 지질학
explanation 설명
then 그 당시에는, 그 때에는

02 해설 ④ live는 1형식 자동사이므로 live 다음에는 부사가 있어야 한다. 따라서 comfortable을 comfortably로 고쳐 써야 한다.
① '시조부는 현미(시간이나 조건의 부사절에서는 현재가 미래시제를 대신해야 한다)'이므로 현재시제 retires의 사용은 적절하다.
② 문맥상 20년 후쯤 은퇴할 때(미래의 일)의 일이므로 미래시제 will save의 사용은 어법상 옳다. 참고로, 미래시제에서 전치사 in 다음 '시간'이 나오면 전치사 in은 '~안에'의 뜻보다는 '~가 지나서, ~후쯤'의 뜻이 된다.
③ 'allow+O+to ⓥ' 구문을 묻고 있으므로 to live의 사용은 적절하다.

해석 나의 누이가 20년 후쯤 은퇴할 때, 그녀는 편하게 사는 것을 허용할 만큼의 충분한 돈을 모을 것이다.

02
retire 은퇴 · 퇴직하다
save 절약 · 저축하다
allow 허락하다
comfortable 편안한

03 해설 ④ taste가 '맛보다'의 의미로 사용될 때에는 진행시제가 가능하다. 따라서 어법상 적절하다.
① resemble은 진행형 불가동사이므로 어법상 적절하지 않다. 따라서 is resembling은 resembles로 고쳐 써야 한다.
② 과거표시부사 once가 있으므로 과거완료시제 had believed는 과거시제 believed로 고쳐 써야 한다.
③ 시조부는 현미이므로 will like는 like로 고쳐 써야 한다.

해석 ① 나의 아들은 나를 많이 닮았다.
② 나는 한 때 그 어처구니없는 사건을 믿었었다.
③ 만약 당신이 공포영화를 좋아한다면 이 영화는 반드시 봐야 한다.
④ 나는 그 수프가 짜지 않은지 확인하려고 맛보고 있다.

03
resemble 닮다
ridiculous 어처구니없는, 터무니없는
taste 맛보다
salty (맛이) 짠

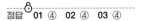
정답 01 ④ 02 ④ 03 ④

04 다음 밑줄 친 부분 중 어법상 어색한 것은?

> In 1981, a number of ① <u>regions</u> of Siberian countryside ② <u>was devastated</u> when an asteroid which ③ <u>moved</u> around the sun ④ <u>reached</u> our atmosphere and caused an explosion.

05 우리말을 영어로 가장 잘 옮긴 것을 고르시오.

① 이 사무실 컴퓨터의 1/3이 어제 밤에 도난당했다.

→ A third of the computers in this office was stolen last night.

② 소년이 잠들자마자 그의 아버지가 집에 왔다.

→ The boy had no sooner fallen asleep than his father had come home.

③ 그때 이래로 혼밥하는 사람들의 수는 점차로 증가하고 있다.

→ Since then, the number of solo eaters have gradually increased.

④ 그 교수는 최근 3년 동안 그 일에 주의를 기울였다.

→ The professor has paid attention to the task over the recent 3 years.

정답 및 해설

어휘

04
devastate 파괴하다, 황폐화시키다
asteroid 소행성
atmosphere 대기; 분위기
explosion 폭발

04 해설 ② 과거표시부사구 In 1981이 있으므로 과거동사 moved의 사용은 어법상 적절다.
① a number of 다음에는 복수명사가 위치해야 하므로 regions는 어법상 옳다.
③ 과거표시부사구 In 1981이 있으므로 과거동사 moved의 사용은 어법상 적절하고 또한 move는 1형식 동사이므로 능동의 형태 또한 어법상 옳다.
④ 과거표시부사구 In 1981이 있으므로 과거동사 reached의 사용은 어법상 적절하고 reach 는 타동사이므로 바로 뒤에 목적어의 사용 역시 어법상 적절하다.

해석 1981년, 태양을 돌던 한 소행성이 지구의 대기에 접근해서 폭발을 야기했을 때, 시베리아의 많은 시골지역들이 완전히 파괴되었다.

05
convince 확신시키다
from scratch 아무 준비 없이

05 해설 ④ 'have + p.p ~ over / during / for / in + past / last / recent / 시간' 구문을 묻고 있다. 따라서 현재완료 has paid의 사용은 어법상 적절하다.
① 과거표시부사구 last night이 있으므로 과거동사 was의 사용은 어법상 적절하지만 주어가 부분 주어이고 of 다음 명사가 복수명사(computers)이므로 동사도 복수동사가 필요하다. 따라서 was는 were로 고쳐 써야 한다.
② 'had + no sooner + p.p ~ than S + 과거동사' 구문을 묻고 있다. 따라서 had come은 came으로 고쳐 써야 한다.
③ 'since + 과거(then) ~ have + p.p(have increased)' 구문을 묻고 있다. 따라서 시제관계는 어법상 적절하지만 the number of가 주어 자리에 위치할 때에는 단수동사가 필요하므로 have는 has로 고쳐 써야 한다.

06 **어법상 옳은 것은?** 2021. 국가직 9급

① This guide book tells you where should you visit in Hong Kong.

② I was born in Taiwan, but I have lived in Korea since I started work.

③ The novel was so excited that I lost track of time and missed the bus.

④ It's not surprising that book stores don't carry newspapers any more, doesn't it?

07 **우리말을 영어로 가장 잘 옮긴 것을 고르시오.** 2021. 국가직 9급

① 나는 너의 답장을 가능한 한 빨리 받기를 고대한다.

→ I look forward to receive your reply as soon as possible.

② 그는 내가 일을 열심히 했기 때문에 월급을 올려 주겠다고 말했다.

→ He said he would rise my salary because I worked hard.

③ 그의 스마트 도시 계획은 고려할 만했다.

→ His plan for the smart city was worth considered.

④ Cindy는 피아노 치는 것을 매우 좋아했고 그녀의 아들도 그랬다.

→ Cindy loved playing the piano, and so did her son.

정답 및 해설

06 해설 ② 'have + p.p. ~ since + 과거시제'의 사용은 어법상 적절하고 태어난 시점은 과거이고 지금 현재 한국에 살고 있으므로 문맥상 시제 일치 역시 어법상 옳다.

① 간접의문문의 어순을 묻고 있다. 직접의문문은 의문사 다음 '동사 + 주어' 구조이지만 동사 뒤에 의문문이 올 때에는 '의문사 + 주어 + 동사' 어순이므로 should you visit는 you should visit로 고쳐 써야 한다.

③ 감정표현동사 exite의 주체가 사물(novel)이므로 exited는 exiting으로 고쳐 써야 한다.

④ 부가의문문은 앞에 부정문이 있을 때 뒤에 긍정이 와야 하고 앞에 동사가 be동사일 때에는 be동사를 사용해야 하므로 doesn't는 is로 고쳐 써야 한다

해석 ① 이 안내서는 당신이 홍콩에서 어디를 방문해야할지 말해준다.

② 나는 대만에서 태어났지만 일을 시작한 후 한국에서 살고 있다.

③ 그 소설이 너무 재미있어서 나는 시간가는 줄 몰랐고 그래서 버스를 놓쳤다.

④ 서점에 신문을 더 이상 두지 않는 것은 놀랄 일이 아니죠?

07 해설 ④ so + V + S (도치구문) 을 묻고 있다. 앞에 긍정문이 있으므로 so의 사용은 어법상 적절하고 일반동사 love를 대신하는 대동사 did의 사용과 시제 일치(과거시제) 모두 어법상 옳다. 또한 악기명 앞에 정관사 the의 사용 역시 어법상 적절하다.

① look forward to ~ing 구문을 묻고 있다. 따라서 receive는 receiving으로 고쳐 써야 한다.

② 말장난(단어장난: rise vs. raise) 문제이다. 우리말의 '~을 올리다'의 영어표현은 raise를 사용해야 하므로 rise는 raise로 고쳐 써야 한다. 물론, rise는 자동사이므로 뒤에 목적어 (my salary) 를 취할 수 없다.

③ be worth ~ ing 구문을 묻고 있다. 따라서 considered는 considering으로 고쳐 써야 한다. 참고로 be worth ~ ing 구문에서 ~ ing는 형태는 능동이지만 수동의 의미(이런 경우를 중간태 라고 한다)를 지닐 수 있어 considering을 being considered로 고쳐 쓰지 않아도 된다.

08 다음 문장 중 어법상 옳은 것은?

① They didn't believe his story, and neither did I.
② The sport in that I am most interested is soccer.
③ Jamie learned from the book that World War I had broken out in 1914.
④ Two factors have made scientists difficult to determine the number of species on Earth.

09 다음 문장 중 어법상 옳지 않은 것은?   2017. 국가직 9급

① A few words caught in passing set me thinking.
② Hardly did she enter the house when someone turned on the light.
③ We drove on to the hotel, from whose balcony we could look down at the town.
④ The homeless usually have great difficulty getting a job, so they are losing their hope.

10 다음 우리말을 영어로 잘못 옮긴 것을 고르시오.   2016. 국가직 9급

① 그는 자신의 정적들을 투옥시켰다.
   → He had his political enemies imprisoned.
② 경제적 자유가 없다면 진정한 자유가 있을 수 없다.
   → There can be no true liberty unless there is economic liberty.
③ 나는 가능하면 빨리 당신과 거래할 수 있기를 바란다.
   → I look forward to doing business with you as soon as possible.
④ 30년 전 고향을 떠날 때, 그는 다시는 고향을 못 볼 거라고 꿈에도 생각지 않았다.
   → When he left his hometown thirty years ago, little does he dream that he could never see it again.

정답 및 해설

어휘

08
break out 발발하다
factor 요소
determine 결정[결심]하다

08 해설 ① 부정문 다음 and neither(= nor)와 뒤에 이어지는 도치구문(did I) 그리고 believe의 대동사 did의 사용 모두 어법상 옳다.
② 관계대명사 that은 전치사와 함께 사용할 수 없으므로 that은 관계대명사 which로 고쳐 써야 한다.
③ 과거표시부사구(in 1914)는 과거시제와 함께 사용해야 하므로 과거완료시제 had broken은 과거시제 broke로 고쳐 써야 한다.
④ made it(가목적어) + 형용사 보어 + for + 의미상 주어 to ⓥ(진목적어) 구문을 묻고 있다. made scientists difficult to determine을 made it difficult for scientists to determine으로 고쳐 써야 한다.

해석 ① 그들은 그의 이야기를 믿지 않았고, 나도 그랬다.
② 내가 가장 흥미 있는 스포츠는 축구이다.
③ Jamie는 제1차 세계대전이 1914년에 발발했다는 것을 책으로부터 배웠다.
④ 두 요인들은 과학자들이 지구에 있는 종들의 수를 결정하는 것을 어렵게 만들었다.

09
hardly ~ when … ~하자마자 …했다
turn on ~을 켜다
have difficulty ⓥ-ing ⓥ하는 데 어려움을 겪다
look down at ~을 내려다 보다

09 해설 ② 'Hardly had + S + p.p.~ when + S + 과거동사'의 시제 패턴을 묻고 있다. 따라서 did she enter는 had she entered로 고쳐 써야 한다.
① a few 다음 복수명사 words와 과거분사 caught(뒤에 목적어가 없으므로) 그리고 5형식 구조 set me thinking(think는 자동사 타동사 둘 다 쓸 수 있는 동사) 모두 어법상 적절하다.
③ 계속적 용법에서 전치사 + whose는 어법상 적절하고(계속적 용법이 아닌 경우 전치사 + whose는 불가) 전치사 + whose 다음 문장구조는 완전한 문장이 이어지므로 어법상 적절하다.
④ The + 형용사(= The homeless)는 복수명사로 사용될 수 있으므로 복수동사 have는 어법상 적절하고 또한 have difficulty ⓥ-ing 구문 역시 어법상 옳다. 그리고 대등 접속사 so 다음 완전한 S + V 절이 오는 구조 역시 어법상 적절하다.

해석 ① 지나가다가 잡힌 몇 단어가 나로 하여금 생각나게 한다.
② 그녀가 집에 들어가자마자 누군가가 불을 켰다.
③ 우리는 호텔로 운전해 갔고 그 호텔의 발코니에서 우리는 마을 전체를 내다 볼 수 있었다.
④ 그 노숙자들은 직업을 얻는 데 대체로 어려움을 겪는다. 그래서 그들은 희망을 잃고 있다.

10
political enemy 정적
imprison 투옥시키다, 가두다
liberty 자유
look forward to ~을 기대하다
do business with ~와 거래하다

10 해설 ④ When절의 동사가 과거시제(left)이므로 주절의 동사시제도 과거시제가 필요하다. 따라서 현재시제 does는 과거시제 did로 고쳐 써야 한다.
① no sooner ~ than 구문으로 no sooner에는 과거완료, than 다음에는 과거시제가 와야 하므로 어법상 적절하다.
② 시조부는 현미이므로 unless다음 현재시제(is)의 사용은 어법상 옳다.
③ 'look forward to ~ing'구문을 묻고 있다. 따라서 doing의 사용은 어법상 적절하다.

심화문제

01 다음 밑줄 친 부분 중 어법상 적절하지 않은 것은?

> I am about ① <u>to contact</u> the prospective manager who ② <u>makes</u> the final hiring decision. Once I ③ <u>approach the work</u>, I ④ <u>will be</u> able to do my best. However, I always ask myself which place I want to go most.

02 다음 중 어법상 적절한 것은?

① Australian citizens who were evacuated from the war were greeting with family members.

② Remodeling the entire buildings cost over a million dollars last year.

③ You have to assure right now that each package is safely packed.

④ What came up with the solutions were not beneficial to us just now.

정답 및 해설

01
be about to ⓥ 막 ⓥ하려 하다
prospective 장차 ~ 될, 장래의
hire 고용하다
***hiring** 고용
decision 결정
once S + V~ 일단 ~하면; 한때 ~였지만

01 **해설** ② be about to ⓥ는 미래시제이기 때문에 문맥상 현재 동사 **makes**는 **will make**로 고쳐 써야 한다.
① be about to ⓥ 구문을 묻고 있다. 따라서 동사원형 **contact**는 어법상 적절하다. 또한 **contact**는 타동사이므로 바로 뒤에 목적어의 사용 역시 어법상 옳다.
③ **approach**는 타동사이므로 바로 뒤에 목적어 **the work**는 적절하고 시조부는 현미(<u>시간</u>이나 <u>조건</u>의 부사절에서는 <u>현재</u>가 미래시제를 대신해야 한다) 또한 어법상 적절하다.
④ 시조부는 현미이므로 주절의 미래시제 **will be**는 어법상 옳다.

해석 나는 최후의 고용 결정을 할 장차 나의 매니저가 될 사람과 곧 만날 것이다. 일단 내가 그 직장에 가면 나는 최선을 다 할 것이다. 하지만 나는 항상 스스로에게 어떤 곳이 내가 가장 가고 싶은 곳인지를 묻는다.

02
citizen 시민
evacuate 대피시키다, 피난하다
greet 인사하다
assure 확신시키다, 확인해주다
package 소포
beneficial 유리한, 이로운, 유익한
entire ① 전체의 ② 완전한

02 **해설** ② 주어가 **Remodeling**(동명사)이므로 동사는 단수동사가 필요하다. 하지만 문장 제일 마지막에 **last year**(과거 표시 부사구)가 있으므로 동사 **cost**는 현재시제가 아니라 과거시제로 사용되었다(**cost**는 과거나 과거분사 모두 **cost**이다). 따라서 어법상 옳다.
① 주어가 **citizens**(복수)이므로 복수동사 **were**는 적절하지만 **greet**는 3형식 동사이므로 전치사 **with**는 불필요하다. 따라서 어법상 적절하지 않다.
③ **assure+I.O+that+S+V ~** (4형식) 구조를 묻고 있다. 문맥상 **assure** 뒤에 **me**나 **us**(간접 목적어)가 필요하다.
④ 주어가 명사절(**What came~**)이므로 단수동사가 있어야 한다. 따라서 **were**는 **was**로 고쳐 써야 한다.

해석 ① 전쟁 지역에서 피난한 호주 시민들이 가족들과 인사를 나누고 있었다.
② 전체 건물들을 리모델링하는 것 때문에 작년에 백만 불 이상의 비용이 들었다.
③ 당신은 우리에게 각각의 소포를 안전하게 포장했는지를 지금 당장 확인해 주어야 한다.
④ 방금 전에 그 해결책과 함께 떠오른 것이 우리에게 유익하지는 않았다.

03 다음 중 어법상 적절한 것은?

① Little did I dream that I become a doctor.

② He forced his son to enter Harvard Law School, does he?

③ Rarely is he overwhelmed when he heard me pass the exam.

④ So unhappy did she look that everyone burst out crying.

04 다음 우리말을 영어로 옮긴 것으로 가장 적절한 것은?

① 그가 연단에 올랐을 때 그는 영웅처럼 보였다.

  → When he stepped on the podium, he seemed like a hero.

② 내가 집에 왔을 때 우산을 학교에 두고 온 것을 알았다.

  → When I came home, I had found I left my umbrella at school.

③ 그 정치가는 자신이 머지않아 대통령이 될 것이라고 말하곤 했다.

  → The politician used to say that he will be a president in the near future.

④ 그녀는 그저께 먹었던 음식 때문에 식중독에 걸렸다.

  → She got food poisoning due to the food she had eaten the day before yesterday.

05 다음 밑줄 친 부분 중 어법상 옳지 않은 것은?

What I'd like to explain to you guys ① is related with a computer, today. Interest in automatic data processing ② grows across the board rapidly since part of large calculators ③ were first introduced about thirty years ago. In the near future, they ④ are starting to develop much more dramatically.

정답 및 해설

03　**해설** ④ 주절의 시제가 과거(did)이므로 that절의 시제 burst(과거시제)는 어법상 적절하다.

　　　　① 주절의 시제가 과거(did)이므로 that절의 시제도 과거나 과거완료가 필요하다. 따라서 현재 시제 become은 문맥상 would become으로 고쳐 써야 한다.

　　　　② 주절의 시제가 과거시제이므로 부가의문문의 시제도 과거시제가 필요하다. 따라서 does는 didn't로 고쳐 써야 한다.

　　　　③ when절의 시제가 과거시제이므로 주절의 시제는 과거시제가 있어야 한다. 따라서 is를 was로 고쳐 써야 한다.

　　해석 ① 내가 의사가 될 것이라고는 전혀 꿈꾸지 않았다.

　　　　② 그는 아들이 하버드 로스쿨에 입학하기를 강요했지?

　　　　③ 그는 내가 시험에 붙었다는 말을 들었을 때 전혀 당황하지 않았다.

　　　　④ 그녀는 너무 불행해 보여서 모두가 울음을 터뜨렸다.

04　**해설** ① 시제의 쓰임도 적절하고 특히 2형식 동사 seem 다음 like＋명사 구조의 쓰임도 어법상 적절하다.

　　　　② 우산을 놓고 온 것이 그 사실을 안 것 보다 먼저이므로 had found는 found로 left는 (had) left로 각각 고쳐 써야 한다.

　　　　③ 주절의 시제가 과거이므로 종속절의 시제도 과거나 과거 완료 시제가 필요하므로 will은 would로 고쳐 써야 한다.

　　　　④ 과거표시부사구(the day before yesterday)가 있기 때문에 had eaten을 ate로 고쳐 써야 한다.

05　**해설** ② since 다음 과거시제(were)가 사용되었으므로 주절의 시제는 현재완료가 필요하다. 따라서 grows는 has grown으로 고쳐 써야 한다.

　　　　① 주어가 what절이므로 단수동사 is의 사용은 어법상 적절하다.

　　　　③ 부분주어 part of 다음 명사가 복수명사(calculators)이므로 복수동사 were의 사용은 어법상 옳다.

　　　　④ 왕래발착시종동사의 현재진행형이 미래표시부사구와 결합하면 가까운 미래를 나타내므로 현재완료시제 are starting의 사용은 어법상 적절하다.

　　해석 내가 오늘 여러분들에게 설명하고 싶은 것은 컴퓨터와 관련이 있다. 30년 전 처음 대용량 계산기의 일부가 도입된 이래로 자동 데이터 처리 과정에 대한 관심이 급증해왔다. 가까운 미래에 그것들은 훨씬 더 극적으로 발전을 시작할 것이다.

정답 03 ④　04 ①　05 ②

06 어법상 옳은 것은?

① What happens to my intimate friend last fall was amazing.
② Wooden chopsticks are not good toys, and so is a glass bottle.
③ The elderly have subsisted on very small incomes since we left New York.
④ Sarah's parents once asked the school to allow Satin to contact to Sarah for an hour in a week.

07 다음 중 어법상 가장 적절한 것은?

① If you won't be able to do anything about it, I'm on the verge of helping you out.
② Many a soldier had been killed at the battleship in open waters in 1978.
③ It had been 10 years since we engaged in the research of dialectology.
④ Scarcely had the real estate agent seen the owner when he ran away.

정답 및 해설

06 해설 ③ the + 형용사는 복수명사로 사용될 수 있으므로 '노인들'의 의미를 나타내는 The elderly 의 사용과 수 일치(복수동사 have)는 어법상 적절하고 자동사 subsist의 사용과 시제관계(S + have + p.p.… since + 과거 ~) 또한 어법상 옳다.
① what 다음 불완전(happened의 주어가 없다)한 문장이 이어지므로 관계대명사 what은 어법상 적절하고 명사절을 이끄는 What절(주절)의 동사 was와 감정표현동사 amaze의 주체 가 사물이므로 amazing의 사용 모두 어법상 옳지만 과거표시부사구 last fall이 있으므로 현 재동사 happens의 사용은 어법상 옳지 않다. 따라서 happens는 과거동사 happened로 고 쳐 써야 한다.
② 시제관계는 어법상 적절하지만 앞에 부정문이 있으므로 so의 사용은 어법상 적절하지 않 다. 따라서 so는 neither로 고쳐 써야 한다.
④ 과거표시부사 once가 있으므로 과거동사 asked의 사용은 어법상 적절하지만 contact는 타동사로서 바로 뒤에 목적어가 위치해야 하므로 전치사 to를 없애야 한다.

해석 ① 지난 가을 나의 친한 친구에게 일어난 일은 놀라웠다.
② 나무젓가락은 아이들에게 좋지 않은 장난감이고 유리병 또한 그렇다.
③ 노인들이 뉴욕을 떠난 후로 아주 적은 수입으로 근근이 살고 있다.
④ Sarah의 부모는 한 때 일주일에 한 시간 동안 Satin이 Sarah를 만날 수 있도록 학교 측 에 요청했다.

06
intimate 가까운, 친근한
chopsticks 젓가락
elderly 나이든
subsist on ~로 살아가다

07 해설 ④ Scarcely had + S + p.p ~ when + S + 과거동사 구문의 사용은 어법상 적절하다.
① 주절에 미래의미(be on the verge of ~)가 있고 시조부는 현미이므로 미래시제 will not 은 어법상 적절하지 않다. 따라서 won't be는 are not으로 고쳐 써야 한다.
② 과거표시부사구(in 1978)가 있으므로 과거시제를 사용해야 한다. 따라서 had been은 was로 고쳐 써야 한다.
③ 구동사 engage in의 사용은 어법상 적절하지만 have + p.p ~ since + S + 과거동사 구문을 묻고 있으므로 had been은 has been으로 고쳐 써야 한다.

해석 ① 당신이 그것에 대한 어떤 것도 할 수 없다면 내가 당신을 도와줄 것이다.
② 많은 군인들이 1978년에 공해상에서 전사했다.
③ 우리가 방언학 연구에 참여 한 지 10년이 되었다.
④ 부동산 중개인이 주인을 보자마자 그는 도망쳤다.

07
battleship 군함, 전함
in open waters 공해상에서
engage in ~에 참여(종사)하다
dialectology 방언학
run away 도망치다

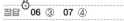

08 우리말을 영어로 잘못 옮긴 것을 고르시오.

① 당신이 누군가를 속일지 알 수 있는 최선책은 그 사람을 속이는 것이다.

→ The best way you find out if you will deceive somebody is to deceive him.

② 그는 1969년에 유럽으로 떠날 때 책들을 남겨 두었다.

→ He left his books behind when he set off for Europe in 1969.

③ 레고는 아이들에게 매우 좋은 장난감이고 색연필 또한 그렇다.

→ LEGO is excellent toys for children, and so are colored pencils.

④ 나는 대학 졸업 후부터 내내 이 일을 해 오고 있다.

→ I have been doing this work ever since I graduate from college.

09 다음 중 어법상 틀린 것은?

① I'm about to train hard until the marathon and then I'll relax.

② When she was 19 years old, her illness deprived her of a chance to go to college.

③ People residing in the rain forests have hunted wild animals since the dawn of human history.

④ The scheme is beginning to be revoked automatically unless it will be posted on the bulletin board.

10 다음 우리말을 영어로 옮긴 것 중 가장 적절한 것은?

① 나는 이틀 전에 그들이 그녀에게 10%의 임금인상을 제안한 것을 몰랐었다.

→ I was not notified that they recommended to her 10% pay raise two days ago.

② 화가 난 그 여자는 남편이 찾는 것을 못 본 체했다.

→ The annoyed woman made believe that she didn't see her husband looking for.

③ 지지자들이 내년 대선결과에 영향을 줄지 제가 알려드릴게요.

→ I will let you know if advocates influence the result of the presidential election next year.

④ 1940년대 이후 유럽이 이룬 발전은 어떤 다른 것보다도 훨씬 더 위대하다.

→ The development of science that Europe has made since 1940s are far greater than anything else.

정답 및 해설

08 **해설** ④ have + p.p ~ since + S + 과거동사 구문을 묻고 있다. 따라서 현재시제 graduate는 과거시제 graduated로 고쳐 써야 한다.
① The best way 다음 관계부사 how가 생략된 구조로 주어 동사의 수 일치는 어법상 적절하고 또한 find out 다음 명사절을 유도하는 접속사 if와 if절 안에서 미래시제 사용 역시 어법상 적절하다.
② 과거표시부사구(in 1969)가 있으므로 과거시제(set off)는 적절하다.
③ 'so + 동사 + 주어' 구조도 어법상 적절하고 시제관계 역시 어법상 옳다.

08
deceive 속이다
set off for ~를 향해 떠나다

09 **해설** ④ 시조부는 현미(시간이나 조건의 부사절에서 현재 시제가 미래 시제를 대신함)이므로 unless 다음 미래조동사 will을 없애야 한다.
① until은 전치사와 접속사 둘 다 사용될 수 있고 be about to는 미래 시제 대용으로 사용되므로 will relax의 사용은 어법상 적절하다.
② when절의 시제가 과거이므로 주절의 과거시제사용은 어법상 적절하고 deprive A of B 구문 역시 어법상 옳다.
③ 주어(people)와 동사(have)의 수 일치, 시제 일치(have + p.p ~ since + 과거) 모두 어법상 적절하다.

해석 ① 마라톤까지는 열심히 훈련할 것이고 그러고 난 후 나는 쉴 것이다.
② 그녀가 19세 때 그녀는 병 때문에 대학에 갈 기회를 놓쳤다.
③ 유사 이래로 열대우림에 사는 사람들은 야생동물들을 사냥해왔다.
④ 만약 그것이 게시판에 게시되지 않으면 그 계획은 자동적으로 폐지될 것이다.

09
be about to ⓥ ⓥ 할 예정이다
deprive A of B A에게서 B를 빼앗다
reside in ~에서 살다 (거주하다)
dawn 새벽
scheme 계획
revoke 폐지하다
bulletin board 게시판

10 **해설** ① notify A that s + v ~의 수동(was notified that ~)구조는 어법상 적절하고 과거표시 부사구 three years ago가 있으므로 과거시제(recommended)의 사용 역시 어법상 옳다.
② 주절의 동사가 과거이고 종속절의 시제도 과거이므로 시제 일치는 어법상 적절하고 지각동사 see다음 목적격 보어 자리에 현재분사의 사용 역시 어법상 옳지만 현재분사 looking for 뒤에 목적어가 없으므로 능동의 형태 looking for의 사용은 어법상 옳지 않다. 문맥상 이 문장을 제대로 쓰려면 see her husband looking for를 see what her husband looked for로 고쳐 써야 한다.
③ let + o + 원형부정사 그리고 3형식 동사 influence 다음 목적어의 사용은 어법상 적절하지만 미래표시부사구 next year가 있으므로 명사절을 이끄는 if 절의 동사 시제는 미래여야 한다. 따라서 influence는 will influence로 고쳐 써야 한다.
④ since를 기준으로 주절의 동사시제(현재완료)는 어법상 적절하고 또한 비교급 강조부사 far의 사용 역시 어법상 옳지만 주어가 단수명사(development)이므로 단수동사가 필요하다. 따라서 are는 단수동사 is로 고쳐 써야 한다.

10
notify 알리다
pay raise 임금인상
advocate 지지자, 옹호자
look for 찾다, 구하다

정답 08 ④ 09 ④ 10 ①

동사의 태

English
Grammar

UNIT 01 │ 태의 기본 개념

태 문법포인트

1. 능동 vs. 수동
2. 명사절 수동태
3. 구동사 수동태
4. 4형식 수동태
5. 5형식 수동태
6. 수동태 불가 동사
7. 감정표현동사

01 능동태와 수동태

능동태는 주어가 동사의 대상(목적어)에 직접 동작을 행하는 경우이고, 수동태는 주어가 동작을 받는(당하는) 경우이다. 수동태는 동작의 주체보다는 대상을 더 중요하게 여길 때 사용되는데, 전형적인 경우는 ① 능동의 주어가 분명하지 않을 때(이 경우 외부의 힘에 의한 피해, 강제된 행위가 많다) 사용되고 ② 놀라움, 즐거움, 실망 등의 감정표현동사를 쓸 때 사용되며 ③ 통념이나 떠도는 이야기의 전달을 위해 사용된다.

① 누군가가 그 군인을 쐈다.
→ 그 군인은 (누군가에 의해) 총을 맞았다.
shoot (총을) 쏘다

① <u>Someone</u>　<u>shot</u>　<u>the soldier</u>. (능동태)

The soldier was shot (by someone). (수동태)

② 그 개는 길거리에서 죽음을 당했다.

② The dog was killed on the street.

③ 나는 그 소식을 듣고서 놀랐다.

③ I was surprised to hear the news.

④ 코끼리는 기억력이 좋다고 전해진다.
It is said that ~라고 전해지다/(사람들은) 말한다

④ It is said that elephants have good memories.

One Tip 수동태의 시제

구분	현재	과거	미래
단순형	ⓥ → is+p.p	ⓥed → was+p.p	will+ⓥ → will be p.p
완료형	have+p.p → have+been+ⓥed	had+p.p → had+been+p.p	will+have+p.p → will+have+been+p.p
진행형	is+ⓥ-ing → is+being+p.p	was+ⓥ-ing → was+being+p.p	×

조동사의 수동태는 '조동사+be+p.p' 형태를 사용한다.

02 능동과 수동을 구별하는 방법

원칙은 주어와 동사의 관계를 의미상으로 파악해서 능동과 수동을 구분하는 것이다. 하지만 의미 구조는 분명히 한계가 있으므로 형태 구조(목적어 유무)로의 판단도 필요하다.

① The letter [was written / wrote] quickly.

① 그 편지는 빠르게 쓰여졌다.

② The climber [was killed / killed] in the mountain.

② 그 등산객은 산에서 죽음을 당했다.

③ The device [was expedited / expedited] delivery systems.

③ 그 장치로 배달 체계를 처리했다.

👍 **One Tip** 자동사와 타동사

수동태는 타동사만이 가능한 구조이다. 따라서 자동사(1·2형식 동사)는 수동이 불가하다.

- A friend of mine lives in Busan. (○)
  → Busan is lived by a friend of mine. (×)
  → A friend of mine is lived in Busan. (×)
  내 친구 중 한 명이 부산에 산다.

확인학습 문제

다음 문장을 보고 [   ] 안에서 어법이 맞는 것을 고르시오.

01 Dark grey clouds [lay / were lain] thick and heavy over Edmonton.

02 The house [damaged / was damaged] by the severe storm.

03 A violence [arose / was arisen] on the crowded street.

04 The teaching system [praised / was praised] on the newspaper by him.

---

01 해설 lie는 자동사이므로 수동이 불가하다. 따라서 lay가 정답이 된다.
　　해석 어두운 회색 구름이 Edmonton 위에 두껍게 쌓였다.
　　어휘 lie(- lay - lain) ① ~에 있다 ② 눕다 ③ 되다, 지다

02 해설 타동사 damage 다음 목적어가 없으므로 수동태가 필요하다. 따라서 was damaged가 정답이 된다.
　　해석 그 집은 심각한 폭풍으로 손상되었다.
　　어휘 damage 손상시키다　severe 심각한

03 해설 arise는 자동사이므로 수동이 불가하다. 따라서 arose가 정답이 된다.
　　해석 폭력이 혼잡한 도로 위에서 발생했다.
　　어휘 arise(-arose-arisen) 일어나다, 발생하다　crowded 복잡한, 혼잡한

04 해설 타동사 praise 다음 목적어가 없으므로 수동태가 필요하다. 따라서 was praised가 정답이 된다.
　　해석 그 교육 제도는 그에 의해 신문상에서 칭찬받았다.
　　어휘 praise 칭찬하다

UNIT 02 3·4·5형식 수동태

01 목적어가 명사절인 경우의 수동태

목적어가 명사절인 경우의 수동태는 가주어-진주어 구문을 이용하는 경우가 가장 흔하고 이때 동사는 say, believe, think 등이 주로 사용된다. 특히 가주어-진주어 구문 대신 to ⓥ를 사용하는 경우 주절과 종속절의 시제가 같으면 to ⓥ, 다르면 to have+p.p를 써야 함에 유의해야 한다.

① 사람들이 말하길 그는 와병 중이다(현재 앓아 누워 있다).
　→ 그는 와병 중이라고 전해진다.

① People say that he is ill in bed.
　→ That he is ill in bed is said (by people).
　→ It is said that he is ill in bed.
　→ He is said to be ill in bed.

② 사람들이 말하길 그는 와병 중이었다(전에 앓아 누웠었다).
　→ 그는 와병 중이었다고 전해진다.

② People say that he was ill in bed.
　→ That he was ill in bed is said (by people).
　→ It is said that he was ill in bed.
　→ He is said to have been ill in bed.

확인학습 문제 1

다음 문장을 수동형으로 바꾸시오.

01 They say that stress causes headaches.
　→ _____
　→ _____
　→ _____

02 People thought that she had traveled all around the world.
　→ _____
　→ _____
　→ _____

01 정답 → That stress causes headaches is said (by them).
　　　　→ It is said that stress causes headaches.
　　　　→ Stress is said to cause headaches.
　　해석 스트레스는 두통을 유발한다고 전해진다.
　　어휘 cause 유발하다, 야기하다   headache 두통

02 정답 → That she had traveled all around the world was thought (by people).
　　　　→ It was thought that she had traveled all around the world.
　　　　→ She was thought to have traveled all around the world.
　　해석 그녀는 전 세계를 여행했다고 여겨졌다.

확인학습 문제2

다음 우리말을 영어로 잘못 옮긴 것은?

사람들은 그가 그저께 자살했다고 믿는다.

① They believe that he killed himself the day before yesterday.
② That he killed himself the day before yesterday is believed.
③ It is believed that he killed himself the day before yesterday.
④ He is believed to kill himself the day before yesterday.

해설 '믿는다'보다 '자살했다'는 시제가 한 시제 앞서므로 to kill을 to have killed로 바꿔야 한다. 따라서 ④가 정답이 된다.
어휘 the day before yesterday 그저께, 그제

정답 ④

---

02 구동사(Phrasal verb) 수동태

구동사는 하나의 동사이므로 수동태를 취할 수 있다. 따라서 구동사를 수동태로 만들 때 구동사와 연결되는 전치사를 생략하거나 by를 생략해서는 안 된다.

① The teacher laughed at his students.
 → His students were laughed at the teacher. (×)
 → His students were laughed by the teacher. (×)
 → His students were laughed at by the teacher. (○)

① 그 선생은 그의 학생들을 비웃었다.
 → 그 선생에 의해 그의 학생들은 비웃음을 샀다.
 laugh at ~을 비웃다

② Many scholars spoke well of the scientist.
 → The scientist was spoken well of many scholars. (×)
 → The scientist was spoken well by many scholars. (×)
 → The scientist was spoken well of by many scholars. (○)

② 많은 학자들이 그 과학자에 대해 좋게 평한다.
 → 그 과학자는 많은 학자들에게 좋은 평을 받았다.
 speak well of ~에 대해 좋게 말하다, 좋게 평하다

확인학습 문제

01 다음 밑줄 친 부분 중 어법상 틀린 것은?

Let me ① imagine life without the beauty and richness of forests. In fact. this kind of imagination cannot be easy. But scientists ② are convinced that we must not take our forest for granted. By some estimates, deforestation ③ has been brought about the loss of as much as eighty percent of the natural forests of the world. Currently, deforestation ④ is thought to be a global problem.

02 다음 중 어법상 올바른 것은?

① Her research can be relied upon many economists.
② The movement of enemies was focused by soldiers.
③ Your father was paid attention to by the press.
④ Ben was referred as a nice guy by students.

---

01 **해설** ③ bring about은 구동사로서 뒤에 목적어(the loss)가 있으므로 수동의 형태는 어법상 옳지 않다. 따라서 has been brought about은 has brought about(능동의 형태)으로 고쳐 써야 한다.
① 사역동사 let 다음 목적격 보어 자리에 원형부정사의 사용은 어법상 적절하고 뒤에 의미상 목적어 life가 있으므로 능동의 형태 역시 어법상 옳다.
② 4형식 동사 convince의 수동의 형태로 직접목적어 자리에 that절의 사용은 어법상 적절하다.
④ 'People think that deforestation is a global problem.'의 수동태 구문으로 is thought의 사용과 주절의 동사 think와 종속절의 동사 is의 시제가 일치하므로 to be의 사용 모두 어법상 옳다.
해석 숲의 아름다움과 풍요로움이 없는 삶을 떠올려 보자. 사실상, 이러한 상상은 쉬울 수 없다. 하지만 과학자들은 우리가 우리의 숲을 당연시 여겨서는 안 된다는 것을 분명히 하고 있다. 몇몇 추정치에 따르면 삼림벌채는 세계 자연 삼림의 80%의 손실을 야기했다. 현재, 삼림벌채는 국제적인 문제라고 생각되고 있다.
어휘 convince 확신시키다 take A for granted A를 당연시 여기다 estimate 추정(치) deforestation 삼림벌채 bring about ~을 야기하다, 초래하다 loss 손실 currently 현재

02 **해설** ③ pay attention to는 구동사이므로 수동태로 전환할 때 the press 앞에 전치사 by가 필요하다. 따라서 어법상 옳다.
① rely upon은 구동사이므로 수동태로 전환할 때 upon 뒤에 전치사 by가 필요하다. 따라서 어법상 적절하지 않다.
② focus on은 구동사이므로 수동태로 전환할 때 by 앞에 전치사 on이 필요하다. 따라서 어법상 적절하지 않다.
④ refer to는 구동사이므로 수동태로 전환할 때 as앞에 전치사 to가 필요하다. 따라서 어법상 적절하지 않다.
해석 ① 많은 경제학자들에 의해 그녀의 연구가 의존을 받게 될 수 있다.
② 병사들에 의해 적들의 움직임이 초점에 맞춰졌다.
③ 당신의 아버지는 언론에 의해 집중 조명을 받았다.
④ Ben은 학생들에 의해 멋진 아이라고 언급되었다.
어휘 research 연구, 조사 economist 경제학자 movement 움직임, 이동; 이사 enemy 적(군) press 언론

정답 **1** ③ **2** ③

03 4형식 문장의 수동태

4형식 문장을 수동태로 전환할 때 간접 목적어(사람)나 직접 목적어(사물) 둘 다 수동의 주어로 사용할 수 있다. 따라서 4형식 동사의 수동태 다음에는 반드시 목적어 한 개가 존재해야 한다. 또한, 이 경우 직접 목적어가 주어가 될 때에는 간접 목적어 앞에 전치사(to, for, of)를 사용해야 한다.

① The mayor gave him the award.
   → He was given the award by the mayor.
   → The award was given to him by the mayor.

② My uncle can order the manufacturer the boots.
   → The manufacturer can be ordered the boots by my uncle.
   → The boots can be ordered for the manufacturer by my uncle.

① 그 시장이 그에게 상을 수여했다.
   → 그 시장에 의해 그는 상을 받았다.
   → 그 시장에 의해 그 상이 그에게 수여됐다.
   mayor 시장 **award** 상

② 나의 삼촌은 그 제조업자에게 구두를 주문할 수 있다.
   → 나의 삼촌에 의해 그 제조업자는 구두를 주문받을 수 있다.
   → 나의 삼촌에 의해 구두가 그 제조업자에게 주문될 수 있다.
   manufacturer 제조업자

확인학습 문제

다음 빈칸에 들어갈 말로 가장 적절한 것은?

> My sister _____ a present by her boy friend just ago.

① gives　　　　　　　　　② was given
③ gave　　　　　　　　　④ had been given

해설 give는 4형식 동사이므로 목적어가 2개 필요하다. 빈칸 뒤에 목적어가 1개 있기 때문에, give는 수동태로 사용되어야 하며 또한 just ago는 과거 표시 부사구이므로 과거시제가 필요하다. 따라서 정답은 ②가 된다.
해석 나의 누이는 방금 전에 남자친구에게 선물을 받았다.

정답 ②

04 5형식 문장의 수동태

5형식 문장을 수동태로 바꾸면 2형식이 된다(5형식 문장에서 목적어를 주어로 표현하면 목적격 보어는 주격 보어가 되어 2형식 문장이 된다). 또한, 지각동사와 사역동사를 수동태로 쓸 때는 원형부정사를 to부정사로 바꿔야 한다.

① 우리는 그녀를 회장으로 선출했다.
→ 그녀는 (우리에 의해) 회장으로 선출되었다.
elect 선출하다
chairman 회장, 의장

① We elected her chairman.
→ She was elected chairman (by us).

② 사람들은 시간이 돈보다 더 중요하다고 여긴다.
→ 시간이 돈보다 더 중요하다고 여겨진다.

② People consider time more important than money.
→ Time is considered more important than money. (○)
→ Time is considered more importantly than money. (×)

③ 그는 내가 그의 차를 사용하도록 허락했다.
→ 나는 그의 차를 사용해도 된다고 허락받았다.

③ He allowed me to use his car.
→ I was allowed to use his car by him. (○)
→ I was allowed using his car by him. (×)

④ 나는 그가 유리창을 깨는 걸 보았다.
→ 그가 유리창을 깨는 것이 나에게 목격됐다.

④ I saw him break the window.
→ He was seen to break the window by me. (○)
→ He was seen break the window by me. (×)

⑤ 그 회사는 직원들이 야근하게 했다.
→ 그 직원들은 회사에 의해 야근하게 되었다.

⑤ The company made the employees work overtime.
→ The employees were made to work overtime by the company.

👍 **One Tip** 사역동사의 수동태

사역동사 let과 **have**의 수동태는 let과 **have**를 사용하지 않는다. let과 **have**를 수동태로 바꿀 때는 let은 **be allowed to** ⓥ로 have는 **be asked to** ⓥ로 전환한다.

• He had me sing. 그는 내게 노래를 부르도록 시켰다.
→ I was had to sing by him. (×)
→ I was asked to sing by him. (○)
• He let me go. 그는 나를 가게 했다.
→ I was let to go by him. (×)
→ I was allowed to go by him. (○)

확인학습 문제

01 다음 빈칸에 들어갈 말로 가장 적절한 것은?

> The scientific study of the motion of bodies and the action of forces that change or cause motion _____ dynamics.

① is calling   ② are calling

③ is called   ④ has called

02 다음 중 어법상 틀린 것은?

① Mr. Davis was appointed mayor of the city.

② Some prisoners were asked to do hard work.

③ He was considered correctly by this evidence in the end.

④ The teacher was heard to say that cheating was unacceptable.

03 다음 두 문장이 서로 같지 않은 것은?

① I will look for him.

    → He will be looked for by me.

② I saw her play the guitar.

    → She was seen to play the guitar.

③ Move this chair.

    → Let this chair moved.

④ She made him a cake.

    → A cake was made for him by her.

---

01 **해설** call은 5형식 동사로 목적어와 목적격 보어가 필요하고 목적격 보어 자리에는 명사가 온다. 빈칸 다음 명사 (dynamics)가 있으므로 이 명사는 목적격 보어가 된다. 따라서 빈칸에는 수동태가 필요하므로 정답은 ③이 된다.

    해석 물체의 운동과 운동을 변화시키거나 야기시키는 힘의 작용에 대한 과학적 연구는 역학이라 불린다.

    어휘 motion 운동, 활동   action 활동, 행동   dynamics 역학

02 **해설** ③ consider는 5형식 동사이므로 목적격 보어 자리에 형용사가 필요하다. 따라서 correctly를 correct로 바꿔야 한다.

       ① appoint는 5형식 동사로 목적격 보어 자리에 명사가 올 수 있다. 따라서 어법상 옳다.

       ② ask는 5형식 동사(ask+O+to ⓥ)이므로 목적격 보어 자리에 to do는 적절하다.

       ④ hear는 지각동사로 수동태로 바꾸면 목적격 보어 자리에 원형부정사를 to부정사로 바꾸어야 하므로 어법상 옳다.

    해석 ① Davis 씨는 그 도시의 시장으로 임명되었다.

       ② 몇몇 죄수들은 고된 일을 하도록 요구받았다.

       ③ 결국 이 증거에 의해 그가 맞다고 여겨졌다.

       ④ 우리는 선생님께서 부정행위(커닝)는 용납할 수 없다고 말씀하시는 것을 들었다.

    어휘 mayor 시장   prisoner 죄인, 죄수   cheating 부정행위(커닝)   unacceptable 받아들일 수 없는

03 **해설** ③ 명령문의 수동태는 'let+목적어+be p.p'이다. 따라서 moved 앞에 be가 필요하다.

       ① look for는 '~을 찾다'라는 뜻의 구동사이며 수동태로 바꿀 수 있다. 따라서 옳은 문장이다.

       ② 5형식 지각동사의 수동태에서는 보어로 쓰인 원형부정사 앞에 to를 사용해야 한다. 따라서 옳은 문장이 된다.

       ④ 4형식 동사 make를 수동태로 바꿀 때 전치사 for가 필요하므로 어법상 적절하다.

    해석 ① 나는 그를 찾을 것이다.

       ② 나는 그녀가 기타를 연주하는 것을 보았다.

       ③ 이 의자를 옮겨라.

       ④ 그녀는 그에게 케이크를 만들어 주었다.

정답 **1** ③   **2** ③   **3** ③

UNIT 03 태 주의사항

01 수동태 불가 동사

1형식이나 2형식 동사는 수동이 불가하다. 또한 소유나 상태를 나타내는 동사도 수동이 불가하다.

① 겨울철에 우리에게 거대한 폭풍이 발생했다.
storm 폭풍
occur 발생하다, 일어나다

① The big storm occurred to us in winter.
　→ The big storm was occurred to us in winter. (×)

② 그는 행복해 보였다.
seem -인 것 같다.

② It seemed that he is happy.
　→ It is seemed that he is happy. (×)

③ 그는 그의 아버지를 많이 닮았다.
closely 가깝게

③ He resembles his father closely.
　→ His father is closely resembled by him. (×)

④ 그 위원회는 10명의 위원으로 구성되어 있다.
committee 위원회
consist of ~로 구성되다

④ The committee consisted of ten members.
　→ The committee was consisted of ten members. (×)

👍 **One Tip** 시험에 자주 등장하는 수동태 불가 동사

❶ 1형식 동사

> happen, occur, take place, arise, rise, appear (↔ disappear), collide, emerge(↔ vanish), exist, result from, last, continue, stand (↔ sit), lie

❷ 2형식 동사

> seem, remain, stay, fall, look, sound, taste

❸ 소유 · 상태 동사

> possess, belong to, consist of, resemble, lack, have

단, **have**가 '가지다'라는 뜻이 아닐 때에는 수동태가 가능하다.

확인학습 문제

01 다음 중 어법상 올바른 것은?

① His father is resembled by him.

② He was made to learn bookbinding.

③ He was seen enter the room.

④ The meeting was seldom lasted a few minutes.

02 다음 중 어법상 올바른 것은?

① Tens of thousands of people were died in Iraq war.

② The film festival was arisen in last October.

③ His explanation is greatly sounded reasonably to me.

④ The statue was looked at in the art center by the audience.

---

01 해설 ② 사역동사 make의 수동태를 묻고 있다. 보어인 동사원형 앞에 to가 있으므로 올바른 문장이다.
① resemble은 '닮다'라는 뜻의 '상태 동사'로 수동태가 될 수 없다. 따라서 is resembled를 resembles로 고쳐야 한다.
③ 지각동사의 수동태 구문이다. 보어로 사용된 동사원형 앞에 to가 들어가야 한다. 따라서 enter를 to enter로 고쳐야 옳은 문장이 된다.
④ last는 자동사이기 때문에 수동이 불가하다. 따라서 was lasted는 lasted로 고쳐 써야 한다.
해석 ① 그는 그의 아빠를 닮았다.
② 그는 제본술을 배우도록 강요받았다.
③ 그가 방에 들어가는 것이 보였다.
④ 그 회의는 거의 몇 분밖에 지속되지 않았다.
어휘 resemble ~와 닮았다 bookbinding 제본(술) seldom 거의 ~않는 last 지속되다

02 해설 ④ 2형식 감각동사 look은 수동태 전환이 불가하다. 하지만, look 뒤에 at을 붙여서 구동사를 만들 수 있고 look at은 타동사가 되므로 수동이 가능해진다. 따라서 was looked at은 어법상 적절하다.
① 1형식 동사 die는 수동태 전환이 불가하다. 따라서 were died는 died로 고쳐 써야 한다.
② 1형식 동사 arise는 수동태 전환이 불가하다. 따라서 was arisen을 arose로 고쳐 써야 한다.
③ 2형식 감각동사 sound는 수동태 전환이 불가하다. 그리고 2형식 감각동사 sound 다음에는 형용사 보어가 필요하므로 부사 reasonably 또한 적절하지 않다. 따라서 His explanation sounded greatly reasonable to me로 고쳐 써야 옳다.
해석 ① 수만 명의 사람들이 이라크 전쟁에서 죽었다.
② 지난 10월 영화제가 있었다.
③ 그의 설명은 상당히 타당하게 들린다.
④ 그 조각상은 미술관에서 관객들에게 관람되었다.
어휘 greatly 상당히, 꽤 reasonable 타당한, 합리적인, 이성적인 statue 조각상 art center(＝museum) 미술관, 박물관 tens of thousands 수만의 *hundreds of thousands 수십만의

정답 **1** ② **2** ④

02 감정표현동사

감정표현동사는 사람이 주체이면 p.p, 사물이 주체이면 ⓥ-ing 형태를 취한다.

① 그 소식은 우리 모두에게 놀라웠다.

② 그 소식을 들었을 때 그 회원은 놀랐다.

③ 그 회원은 놀라운 소식을 받았다.

④ 그 소식은 그를 놀라게 했다.

① The news was surprising to all of us.

② The member got surprised when he heard the news.

③ The member received a surprising news.

④ The news made him surprised.

👍 **One Tip** 감정표현동사

overwhelm(＝ embarrass) 당황하게 하다	confuse 혼란시키다
disappoint 실망시키다	satisfy 만족시키다
surprise 놀라게 하다	excite 흥분시키다
interest 관심(흥미)을 끌다	frustrate 좌절시키다
annoy 화나게 하다	concern 걱정시키다
shock 충격을 주다	impress 감명을 주다
please 기쁘게 하다	exhaust(＝ tire) 피곤하게 하다
bore 지루하게 하다	puzzle 어리둥절하게 하다

👍 Two Tips 전치사 by 대신 다른 전치사를 쓰는 동사

be filled with ~로 가득 차다	be devoted to ~에 전념하다
be covered with ~로 덮이다	be exposed to ~에 노출되다
be satisfied with ~에 만족하다	be committed to ~에 전념 · 헌신하다
be acquainted with ~와 알고 지내다	be opposed to ~에 반대하다
be bored with ~에 싫증 나다	be accustomed to ~에 익숙하다
be divorced with ~와 이혼하다	be burnt to death 불타 죽다
be equipped with ~을 갖추다	be absorbed in ~에 열중하다
be surprised at ~에 놀라다	be involved in ~에 종사하다/관계하다
be astonished at ~에 놀라다	be located in[at] ~에 있다
be frightened at ~에 놀라다	be situated in[at] ~에 있다
be alarmed at ~에 놀라다	be derived from ~에서 유래되다

확인학습 문제

01 다음 어법상 밑줄 친 부분에 가장 적절한 것은?

> The circumstance you have to provide people with money must _____.

① overwhelm   ② be overwhelmed
③ overwhelming   ④ be overwhelming

02 다음 우리말을 영어로 옮긴 것 중 가장 적절한 것은?

① 나는 최근에 좀처럼 흥미로운 소문을 듣지 못했다.

→ I rarely heard the rumor excited recently.

② 피곤하면 한 시간 정도 낮잠을 자는 게 어떻습니까?

→ If you are exhausting, why not take a nap for an hour?

③ 그 설교가 너무 지루해서 나는 30분 후에 잠이 들었다.

→ I felt his sermon so bored that I fell asleep after half an hour.

④ 나는 아직 그 동영상을 못 봤어. 뭐 재미있는 것 있니?

→ I have watched the video yet. Is there anything interesting in it?

---

01 해설 조동사 must 뒤에 동사원형이 있어야 하고 overwhelm은 감정표현동사이고 주체가 사물(circumstance)이므로
빈칸에 가장 적절한 것은 be overwhelming이다.
해석 당신이 사람들에게 돈을 줘야만 하는 상황은 틀림없이 당황스럽다.
어휘 circumstance 상황 overwhelm 당황하게 하다; 압도하다

02 해설 ④ interest는 감정표현동사이고 주체가 사물(anything)이므로 interesting의 사용은 어법상 적절하다.
① excite는 감정표현동사이고 주체가 사물(rumor)이므로 excited는 exciting으로 고쳐 써야 한다.
② exhaust는 감정표현동사이고 주체가 사람(you)이므로 exhausting은 exhausted로 고쳐 써야 한다.
③ bore는 감정표현동사이고 주체가 사물(sermon)이므로 bored는 boring으로 고쳐 써야 한다.
어휘 rarely 좀처럼 ~않는 recently 최근에 exhaust 피곤하게 (지치게) 하다 take a nap 낮잠 자다
sermon 설교 bore 지루하게 하다

정답 1 ④ 2 ④

기본문제

01 다음 중 어법에 맞는 표현을 골라 가장 적절하게 나열한 것은?

> Jane Lee, owner of the *Coffee L* at 98 Hwarang-ro, Sungbuk-gu, called police headquarters at 6:30 am, Friday, September 11, to report that her coffee shop (A) [had broken / had been broken] into during the night. Officers Kyudong Hong and Sami Kim (B) [arrived / were arrived] at the store at 6:40 am to investigate the incident. Ms. Lee was able to report immediately that an espresso machine and 850,000 won from the cash register (C) [were missing / were missed].

	(A)	(B)	(C)
①	had broken	were arrived	were missed
②	had broken	were arrived	were missing
③	had been broken	arrived	were missing
④	had been broken	arrived	were missed

02 다음 밑줄 친 부분 중 어법상 옳지 않은 것은?

> Today's purposes of education ① are certainly centered on making us all better humans, in addition to making a good living. However, when education ② is considered a mere means of making a good fortune, you think, don't let it ③ be kept in your mind ④ permanently.

03 다음 중 어법상 적절한 것은?

① The nice car I've wanted so much is belonging to me.

② The dehumidifier will install in your office next week.

③ She is thought to have spoken French fluently by me.

④ The trash bags were done away with street cleaners just now.

정답 및 해설

01 해설 (A) 뒤에 목적어가 없으므로 수동의 형태가 필요하다. 따라서 **had been broken**이 어법상 적절하다.

(B) 동사 **arrive**가 자동사이므로 능동의 형태인 **arrived**가 어법상 적절하다.

(C) **miss**가 내용의 흐름상 자동사(실종되다, 사라지다)의 의미이므로 능동의 형태인 **were missing**이 어법상 적절하다.

해석 성북구 화랑로 98번지에 있는 **Coffee L**의 주인인 이제인은 자신의 커피숍이 밤중에 누군가의 침입을 받았음을 신고하기 위해 9월 11일 금요일 새벽 6시 30분에 경찰청에 전화를 했다. 그 사건을 조사하기 위해 홍규동 경찰관과 김세미 경찰관이 새벽 6시 40분에 그 가게에 도착했다. 이 씨는 에스프레소 기계와 현금 계산대에 있던 85만원이 분실되었음을 즉시 신고할 수 있었다.

02 해설 ④ **keep**은 5형식 동사이므로 **be kept** 뒤에 형용사 보어가 있어야 한다. 따라서 **permanently**를 **permanent**로 고쳐 써야 한다.

① **be p.p** 사이에 부사 **certainly**는 적절하고 뒤에 목적어가 없으므로 수동의 형태 또한 적절하다.

② **consider**는 5형식 동사이므로 **is considered** 뒤에 **a mere means**(보어)는 적절하다.

③ 명령문 수동태로 뒤에 목적어가 없으므로 **be kept**는 어법상 옳다.

해석 오늘날의 교육 목적은 더 좋은 삶을 만드는 것 이외에도 인간을 만드는 데 집중하고 있다. 하지만 당신이 생각하기에 교육이 돈을 버는 단순한 수단으로만 여겨진다면 마음속에 그것(돈 버는 수단)을 영원히 간직하게 해서는 안 된다.

02
purpose 목적
certainly 확실히, 분명히
center 집중시키다
in addition to ~이외에도
mere 단순한
means 수단
make a fortune 돈을 벌다
permanently 영원히

03 해설 ③ **I think that she spoke French fluently**를 수동태로 바꾼 문장이다. 따라서 어법상 옳다.

① **belong**은 진행형 불가동사이므로 어법상 적절하지 않다.

② **install**은 '~을 설치하다'의 뜻으로 타동사이다. 제습기가 설치되는 것이므로(또한 뒤에 목적어가 없다) 수동의 형태(**will be installed**)가 필요하다. 따라서 어법상 적절하지 않다.

④ **do away with**는 구동사이므로 구동사 수동태(**be done away with**)는 적절하지만 **street cleaners**(청소부들)에 '의해서'의 의미인 전치사 **by**가 빠져 있으므로 어법상 적절하지 않다. **with** 다음 전치사 **by**가 필요하다.

해석 ① 내가 그렇게 원했던 그 멋진 자동차가 내 소유가 되었다.

② 제습기가 다음 주에 너의 사무실에 설치될 것이다.

③ 나는 그녀가 유창하게 불어를 말했다고 생각했다.

④ 방금 전에 청소부들에 의해 쓰레기봉투들이 치워졌다.

03
belong to ~에 속하다; ~의 소유이다
dehumidifier 제습기
install 설치하다
fluently 유창하게
trash 쓰레기
do away with ~을 없애다, 제거하다
just now 방금 전에

정답 01 ③ 02 ④ 03 ③

04 다음 밑줄 친 부분 중 어법상 적절하지 않은 것은?

> My secretary, Jenny, was good at doing her job. I ① <u>was always reminded</u> of a number of business affairs. She sometimes ② <u>assured</u> me that I received e-mail message. Not only ③ <u>was she told</u> that my company launched the new project, she ④ <u>was also impeded</u> that I was going to take much business trip.

05 우리말을 영어로 잘못 옮긴 것을 고르시오.

2021. 지방직 9급

① 경찰 당국은 자신의 이웃을 공격했기 때문에 그 여성을 체포하도록 했다.

   → The police authorities had the woman arrested for attacking her neighbor.

② 네가 내는 소음 때문에 내 집중력을 잃게 하지 말아라.

   → Don't let me distracted by the noise you make.

③ 가능한 한 빨리 제가 결과를 알도록 해 주세요.

   → Please let me know the result as soon as possible.

④ 그는 학생들에게 모르는 사람들에게 전화를 걸어 성금을 기부할 것을 부탁하도록 시켰다.

   → He had the students phone strangers and ask them to donate money.

정답 및 해설

어휘

04

해설 ④ impede는 3형식동사이고 뒤에 명사절(that + S + V ~)이 있으므로 수동의 형태는 어법상 적절하지 않다. 따라서 수동의 형태 was also impeded는 능동의 형태 also impeded로 고쳐 써야 한다.

① 'remind A of B'의 수동태 구문(A be reminded of B)은 어법상 적절하다.

② assure는 4형식 동사(assure + I.O + that + S + V ~)로 사용할 수 있으므로 어법상 옳다.

③ Not only가 문두에 위치하므로 주어동사 도치는 어법상 적절하고 4형식 동사 tell의 수동태 역시 어법상 적절하다.

해석 나의 비서 Jenny는 자신의 일을 잘했다. 그녀는 내게 많은 업무를 상기시켜 주었다. 그녀는 가끔 나에게 이메일 받은 것을 확인시켜 주었다. 그녀는 나의 회사가 새로운 프로젝트를 시작한 것을 말해주었을 뿐 아니라 또한 내가 너무 많은 출장을 가는 것을 막았다.

04
be good at ~에 익숙하다, ~을 잘하다
remind A of B A에게 B를 상기시키다
business affairs 업무
assure 확신시키다, 확인시키다
launch 시작하다
impede 막다, 방해하다

05

해설 ② 부정명령문의 수동태 구문을 묻고 있다. 이 문장을 능동으로 바꾸면 'Don't distract me by the noise (that) you make.'가 되고 다시 이 문장을 수동으로 바꾸면 'Don't let me be distracted by the noise you make.'여야 하므로 distracted앞에 be가 있어야 한다.

① 사역동사 had의 목적격 보어 역할을 하는 과거분사(arrested) 뒤에 목적어가 없으므로 수동의 형태는 어법상 적절하고 전치사(for) + 동명사(attacking) + 의미상 목적어(her neighbor) 구문 역시 어법상 옳다.

③ 사역동사 let의 목적격 보어 역할을 하는 원형부정사(know)뒤에 목적어(the result)가 있으므로 능동의 형태는 어법상 적절하다.

④ 사역동사 had의 목적격 보어 역할을 하는 원형부정사(phone)뒤에 목적어(strangers)가 있으므로 능동의 형태는 어법상 적절하고 접속사 and를 기준으로 phone과 병렬을 이루는 ask의 사용 역시 어법상 옳다. 또한 ask 다음 목적어 자리에 strangers를 대신하는 복수대명사 them의 사용과 목적격 보어 역할을 하는 to부정사(to donate)의 사용 모두 어법상 적절하다.

05
convince 확신시키다
from scratch 아무 준비 없이

06 밑줄 친 부분 중 어법상 옳지 않은 것을 고르시오. 2019. 국가직 9급

A myth is a narrative that embodies — and in some cases ① helps to explain — the religious, philosophical, moral and political values of a culture. Through tales of gods and supernatural beings, myths ② try to make sense of occurrences in the natural world. Contrary to popular usage, myth does not mean "falsehood." In the broadest sense, myths are stories — usually whole groups of stories — ③ that can be true or partly true as well as false; regardless of their degree of accuracy, however, myths frequently express the deepest beliefs of a culture. According to this definition, the *Iliad* and the *Odyssey*, the koran, and the Old and New Testaments can all ④ refer to as myths.

07 우리말을 영어로 잘못 옮긴 것은? 2019. 지방직 9급

① 혹시 내게 전화하고 싶은 경우에 이게 내 번호야.
  → This is my number just in case you would like to call me.
② 나는 유럽 여행을 준비하느라 바쁘다.
  → I am busy preparing for a trip to Europe.
③ 그녀는 남편과 결혼한 지 20년 이상 되었다.
  → She has married to her husband for more than two decades.
④ 나는 내 아들이 읽을 책을 한 권 사야 한다.
  → I should buy a book for my son to read.

정답 및 해설

06 **해설** ④ refer to A as B 구문을 묻고 있다. refer to 다음 목적어가 없으므로 refer to는 be referred to로 고쳐 써야 한다.

① 주어가 a narrative이므로 단수동사 helps는 어법상 적절하고 목적어 to explain의 사용 역시 어법상 옳다.

② 문맥상 try 다음 to make는 '~하려고 애쓰다'로 사용되었으며 어법상 적절하다.

③ 선행사가 stories(사물명사)이고 관계대명사 that 다음 문장구조가 불완전(주어가 없다)하므로 관계대명사 that의 사용은 어법상 옳다.

해석 신화는 어떤 문화의 종교적, 철학적, 도덕적, 그리고 정치적 가치를 담은 어떤 경우들을 설명하는 데 도움을 주는 이야기이다. 신과 초자연적인 존재들의 이야기를 통해, 신화는 자연세계에서 일어나는 일들을 이해하려고 노력한다. 대중적 사용과는 반대로, 신화는 "거짓"을 의미하지 않는다. 가장 광범위한 의미에서, 신화는 대체로 사실인 이야기들의 전체적 모음일 수도 있고 또는 부분적으로만 사실일 수도 또는 거짓일 수도 있는 이야기이다. 그러나 정확성의 정도와 상관없이 신화는 주로 문화의 가장 깊은 믿음을 표현한다. 이러한 정의에 따르면, <일리아드>와 <오디세이>, 코란, 구약 및 신약 성경은 신화로 일컬을 수 있다.

07 **해설** ③ marry는 3형식 타동사로서 전치사 없이 바로 뒤에 목적어를 취해야 하므로 전치사 to의 사용은 어법상 어색하다. 따라서 has married는 has been married로 고쳐 써야 한다.

① 접속사 in case 다음 S + V 구문을 묻고 있다. 따라서 in case you would like는 어법상 적절하다.

② be busy ⓥ-ing 구문을 묻고 있다. 따라서 preparing은 어법상 옳고 또한 '~을 준비하다'라는 구동사 prepare for 역시 어법상 적절하다

④ to read의 의미상 주어가 my son이고 to부정사의 의미상의 주어는 그 격을 목적격으로 사용해야 하므로 my son 앞에 전치사 for의 사용은 어법상 옳고 또한 to read가 수식하는 명사가 a book이므로 to read 다음 의미상 목적어 a book의 생략 역시 어법상 적절하다.

어휘

06
myth 신화
narrative 이야기, 담화
embody 포함하다, 담다
religious 종교적인
philosophical 철학적인
moral 도덕적인
political 정치적인
supernatural 초자연적인
being 존재
make sense 이해하다
occurrence 발생, 일어나는 일
contrary to ~와 반대로
usage 사용, 이용
falsehood 거짓
broad 폭넓은
regardless of ~와 관계(상관)없이
degree 정도
accuracy 정확성, 정확함
frequently 주로, 빈번히
belief 믿음
definition 정의
available 이용 가능한
strain 긴장
utilize 이용하다, 활용하다
raise 올리다
living standard 생활수준
considerably 상당히, 아주, 매우
supplementary 보조의
foodstuff 식품
protein 단백질
burden 짐, 부담
grind 갈다
grain 곡식, 곡물
obviously 분명히, 명백하게
old(new) testament 구약(신약)성서

07
in case S + V ~의 경우에 (대비하여)
decade 10년

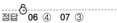

08 밑줄 친 부분 중 어법상 가장 옳지 않은 것은?

2018. 서울시 7급

A swing vote is a vote that ① <u>is seen as</u> potentially going to any of a number of candidates in an election, or, in a two-party system, may go to either of the two dominant political parties. Such votes ② <u>are usually sought</u> in election campaigns, since they can play a big role in determining the outcome. A swing voter or floating voter is a voter who may not ③ <u>be affiliated with</u> a particular political party(Independent) or who will vote across party lines. In American politics, many centrists, liberal Republicans, and conservative Democrats are considered swing voters since their voting patterns cannot ④ <u>predict</u> with certainty.

09 다음 밑줄 친 부분 중 어법 상 적절하지 않은 것은?

2018. 서울시 9급

I ① <u>convinced</u> that making pumpkin cake ② <u>from</u> scratch would be ③ <u>even</u> easier than ④ <u>making</u> cake from a box.

10 다음 밑줄 친 부분 중, 어법상 옳은 것은?

2017. 지방직 9급

Last week I was sick with the flu. When my father ① <u>heard me sneezing and coughing</u>, he opened my bedroom door to ask me ② <u>that I needed anything</u>. I was really happy to see his kind and caring face, but there wasn't ③ <u>anything he could do it</u> to ④ <u>make the flu to go away</u>.

정답·및·해설

08 **해설** ④ predict 뒤에 목적어가 없으므로 predict는 be predicted로 고쳐 써야 한다.
① 주어가 a vote(단수명사)이므로 단수동사 is는 어법상 적절하고 see A as B의 수동태 구문 역시 어법상 옳다.
② 주어가 votes(복수명사)이므로 복수동사 are는 어법상 적절하고 sought 다음 목적어가 없으므로 수동의 형태 역시 어법상 옳다.
③ 조동사 may 다음 동사원형 be는 어법상 적절하고 affiliated 다음 목적어가 없으므로 수동의 형태 역시 어법상 적절하다.

해석 부동표는 선거에서 많은 입후보자 중에 어떤 특정 후보에게 잠재적으로 투표하거나 양당 체제에서 지배적인 한 당으로의 투표를 의미한다. 그러한 투표는 대체로 선거 운동 중에서 나타나는데 그 이유는 투표 결과를 결정하는 데 중요한 역할을 하기 때문이다. 부동표 유권자 또는 유동적인 유권자는 특정 정당과 제휴하지 않거나 그 정당 노선에 반대하는 쪽으로 투표하는 사람을 의미한다. 미국 정치에서는 많은 중도파나 진보적인 공화당원 및 보수적인 민주 당원들이 부동표 유권자로 여겨지는데 그 이유는 그들의 투표 패턴이 확실하게 예측될 수 없기 때문이다.

08
swing vote 부동표
potentially 잠재적으로
candidate 입후보자
political 정치적인
party 정당
seek 찾다, 구하다
election campaign 선거 운동
play a role 역할을 하다
determine 결정하다
outcome 결과
floating 유동적인
affiliate 제휴하다
centrist 중도파
liberal 진보적인, 자유로운
conservative 보수적인
certainty 확실[분명]함

09 **해설** ① convince A that S+V 구조를 묻고 있다. convince 다음 바로 that절(직접목적어)이 나올 때에는 수동의 형태로 사용되어야 하므로 convinced는 was convinced로 고쳐 써야 한다.
② 전치사 from 다음 명사구조는 어법상 적절하다.
③ 비교급 easier를 강조해 주는 부사 even은 어법상 옳다.
④ 비교급 병렬구조를 묻고 있다. than 앞의 making과 병렬을 이루므로 making은 어법상 적절하다.

해석 아무 준비 없이 호박 케이크를 만드는 것이 박스로 케이크를 만드는 것보다 훨씬 쉬울 거라고 나는 확신했다.

10 **해설** ① 지각동사 heard의 목적격 보어로 현재분사 sneezing과 coughing은 어법상 적절하다.
② ask 다음 that절이 올 때에는 should가 있어야 하고 그렇지 않은 경우에는 that 대신 if나 whether를 사용해야 하므로 that을 if나 whether로 고쳐 써야 한다.
③ anything 다음 목적격 관계대명사 that이 생략된 구조이므로 뒤에 대명사 it을 없애야 어법상 옳은 문장이 된다.
④ 사역동사 make의 목적격 보어 자리에 원형부정사가 필요하므로 to go는 go로 고쳐 써야 한다.

해석 지난주에 나는 독감 때문에 아팠다. 아버지는 내가 재채기를 하고 기침하는 것을 들었을 때, 나의 침실 문을 열고 내게 무엇이 필요한지를 물어보셨다. 나는 아버지의 친절하고 배려하는 얼굴을 보면서 정말 행복했지만, 독감을 떨쳐내기 위해 아버지가 할 수 있는 것은 없었다.

정답 08 ④ 09 ① 10 ①

심화문제

01 다음 밑줄 친 부분 중 어법상 가장 적절한 것은?

Someone who ① <u>has been dwelled</u> in the auto industry since 1980s ② <u>must be quit</u> his job now that his job ③ <u>is now being done</u> more quickly by a robot. According to the technicians, the robot's memory volume ④ <u>can load</u> into 86 billion bits of information.

02 어법상 옳은 것은?

① This bill will be helped the young in our society.
② Their team was appropriately pursued the common value.
③ The number of experts has accounted for nearly 25% since last year.
④ A lot of special article now relates with the science field.

정답 및 해설

01 해설 ③ is being done은 진행시제의 수동태 구문으로 done뒤에 목적어가 없으므로 수동의 형태 being done의 사용은 어법상 적절하다.

① since 다음 과거표시부사(1980s)가 있으므로 현재완료시제의 사용은 어법상 적절하지만 dwell은 1형식 자동사이므로 수동이 불가하다. 따라서 has been dwelled를 has dwelled로 고쳐 써야 한다.

② quit의 목적어(job)가 뒤에 있으므로 능동의 형태가 필요하다. 따라서 must be quit는 must quit로 고쳐 써야 한다.

④ 타동사 load의 목적어가 없으므로 can load는 can be loaded로 고쳐 써야 한다.

해석 이제 인간의 일이 로봇에 의해 더욱 빠르게 행해지고 있기 때문에 자동차 산업에서 살아온 사람은 직장을 그만 두어야 한다. 기술자들에 따르면, 로봇의 기억용량은 8백6십억 비트의 정보를 수용할 수 있다.

01
auto 자동차
industry 산업; 업계
dwell in ~에서 살다, 거주하다
quit 그만두다, 멈추다
now that+S+V ~ : ~ 때문에
according to ~에 따르면, ~에 따라서
technician 기술자
volume 용량
load 싣다, 적재하다
billion 10억

02 해설 ③ 주어동사 수 일치(The number of → 단수동사 has)와 시제(since+과거표시 부사구 ~ 현재 완료 시제) 일치 모두 어법상 적절하고 또한 구동사 account for 뒤에 목적어 25%가 있으므로 능동의 형태 또한 어법상 옳다.

① help 뒤에 목적어(the young: 젊은이들)가 있으므로 수동의 형태는 어법상 적절하지 않다. 따라서 will be helped는 will help로 고쳐 써야 한다.

② 타동사 persue 뒤에 목적어(value)가 있으므로 수동의 형태는 어법상 적절하지 않다. 따라서 was appropriately pursued는 appropriately pursued로 고쳐 써야 한다.

④ 부분주어 A lot of 다음 단수명사 article이 있으므로 단수동사 relates는 어법상 적절하지만 relate 다음 목적어가 없으므로 relate는 수동의 형태(is now related)로 고쳐 써야 한다.

해석 ① 이 법안은 우리사회의 젊은이들을 도울 것이다.
② 그들의 팀은 적절하게 보편적 가치를 추구했다.
③ 전문가들의 수가 작년부터 거의 25%에 이르고 있다.
④ 많은 특별한 기사가 지금 과학 분야와 관련이 있다.

02
bill 법안
appropriately 적절하게, 적당하게
pursue 추구하다, 추적하다
account for ① 설명하다 ② ~에 이르다, ~을 차지하다
article (신문, 잡지의) 기사
relate 관계 (관련) 시키다
field ① 들, 밭 ② 분야

정답 01 ③ 02 ③

03 다음 밑줄 친 부분 중 어법상 틀린 것은?

> A gymnastic professor ① <u>examined</u> that starting a fitness routine would involve anything from taking a long walk after dinner to joining a full service health club. Her research could ② <u>rely</u> upon by many participants who are ③ <u>interested</u> in their health. According to her research, recently people hoping to get into shape have ④ <u>turned</u> programs developed by the US Armed Forces.

04 다음 중 어법상 옳은 것은?

① I was observed by him cross the street.
② The artistic techniques complimented on the press.
③ Local residents has angrily been reacted to the unintentional news.
④ The man who looked like a mugger was noticed to follow her closely.

정답 및 해설

어휘

03 해설 ② 구동사의 수동태(rely upon → be relied upon)를 묻고 있다. 'S+rely upon+목적어'를 수동태로 바꾸면 목적어가 수동의 자리로 나오고, rely upon은 be relied upon으로 바뀌며, S는 'by+S' 형태로 사용된다. 따라서 능동의 형태 rely는 수동의 형태 be relied로 고쳐 써야 한다.
① 타동사 examined 뒤의 목적어 자리에 명사절(that + S + V ~)이 있으므로 능동의 형태는 어법상 적절하다.
③ 감정표현동사 interest의 주체가 사람(participant)이므로 과거분사 interested의 사용은 어법상 옳다.
④ 타동사 turned 뒤에 목적어 programs가 있으므로 능동의 형태는 어법상 적절하다.

해석 한 체육학 교수가 식사 후 산책에서부터 헬스클럽에서의 완벽한 운동까지를 포함하는 일상의 운동에 대해서 연구했다. 그녀의 연구는 건강에 관심이 있는 많은 참가자들에게 의존했다. 그녀의 연구에 따르면 최근에 몸매를 가꾸고 싶어 하는 사람들은 미국 군대에 의해서 개발된 프로그램으로 방향을 바꾸고 있다.

03
gymnastic 체육의
examine 연구 (조사) 하다
fitness ① 건강 ② 운동
routine 일상
rely upon ~에 의존하다
participant 참가자
get into shape 몸매를 가꾸다

04 해설 ④ 지각동사 notice의 수동은 목적격 보어 자리에 원형부정사가 to ⓥ로 바뀌어야 하므로 목적격 보어 자리에 to follow의 사용은 어법상 옳다.
① 지각동사 observe의 수동은 목적격 보어 자리에 원형부정사가 to ⓥ로 바뀌어야 하므로 목적격 보어 자리에 원형부정사 cross는 to cross로 고쳐 써야 한다.
② compliment는 타동사로서 뒤에 목적어가 있어야 하는데 뒤에 목적어가 없으므로 수동의 형태가 필요하다. 따라서 complimented는 were complimented로 고쳐 써야 한다.
③ react to는 구동사이므로 전치사 to 다음 목적어가 있어야 하고 문맥상 news가 react to의 목적어 역할을 하므로 수동의 형태는 어법상 적절하지 않다. 따라서 been을 없애야 한다.

해석 ① 나는 그에 의해서 길을 건너는 것이 관찰되었다.
② 언론에서 그 예술적 기법을 칭찬했다.
③ 그 지역 주민들은 의도치 않은 그 소식에 화난 반응을 보였다.
④ 강도처럼 보이는 그 남자가 그녀를 가깝게 뒤따르는 것이 목격되었다.

04
observe 관찰하다; 지키다, 준수하다
compliment 칭찬하다 (=praise)
press 누르다; 압박; 언론
local 지역의
resident 거주민, 지역 주민
react to ~에 반응하다
unintentional 의도치 않은, 고의가 아닌
mugger 노상강도

정답 03 ② 04 ④

05 다음 중 어법상 가장 적절한 것은?

① One in ten of these deaths is said to have been accidental.

② The first toys were reached Alaska from the place where they were lost.

③ Hardly had the new recruits stopped training when all the mission granted to them.

④ Disagreements over the treaty emerges among the indigenous peoples of Africa.

06 다음 중 어법상 적절한 것은?

① This phenomenon has described so often as to need no more details.

② The organization was induced to be completed for small business bodies.

③ Several vehicles which were damaged in the crash tend in the garage.

④ The liver ailment has been vanished thanks to the newly invented vaccine.

정답 및 해설

05 해설 ① 'People say that one in ten of these deaths was accidental.'의 수동태 문장으로 주어 **one**과 단수동사 **is**의 수 일치 그리고 **of** 다음 복수명사(**these deaths**)의 사용 모두 어법상 적절하고 'is said to have been' 수동 구문 역시 어법상 옳다.

② 3형식 동사 **reach**의 수동태 **were reached** 뒤에 목적어 **Alaska**가 있으므로 **were reached**는 능동의 형태인 **reached**로 고쳐 써야 한다.

③ 부정어구 **Hardly**가 문두에 위치하여 주어 동사가 도치된 구조로 **Hardly** 다음 과거완료(**had stopped**)의 사용과 **when**절의 과거시제 **granted**의 사용 모두 어법상 적절하지만 **granted** 뒤에 목적어가 없으므로 **granted**는 **was granted**로 고쳐 써야 한다.

④ **emerge**는 1형식 자동사로 능동의 형태는 어법상 옳지만 주어가 복수(**Disagreements**)이므로 단수동사 **emerges**는 복수동사 **emerge**로 고쳐 써야 한다.

해석 ① 이 죽음의 열 개 중 한 개는 사고사였다.

② 그 장난감들은 분실된 곳에서 **Alaska**로 도달했다.

③ 신병들이 훈련을 끝내자마자 모든 임무가 그들에게 주어졌다.

④ 조약에 대한 반대가 아프리카 토착민들 사이에서 나타난다.

06 해설 ② 'induce(설득하다) + O + to부정사'의 수동 구문을 묻고 있다. 따라서 **induce**의 수동 형태 **was induced**와 바로 이어지는 보어 역할 하는 **to be**의 사용 모두 어법상 옳다.

① **describe**는 타동사로서 뒤에 목적어가 없으므로 수동의 형태가 필요하다. 따라서 **has described**는 **has been described**로 고쳐 써야 한다.

③ 주어가 복수명사이므로 복수동사 **tend**의 사용은 어법상 적절하지만 뒤에 목적어가 없으므로 **tend**는 수동의 형태(**are tended**)로 고쳐 써야 한다.

④ **vanish**는 1형식 자동사이므로 수동의 형태를 취할 수 없다. 따라서 수동의 형태 **has been vanished**는 능동의 형태 **has vanished**로 고쳐 써야 한다.

해석 ① 이 현상은 더 많은 세부사항이 필요 없을 만큼 아주 자주 묘사되었다.

② 작은 기업체들을 위해 그 조직은 완성되어야 한다고 설득하고 있다.

③ 충돌사고로 손상을 입은 몇몇 차량들이 차량정비소에서 돌보아지고 있다.

④ 간질환은 새롭게 발명된 백신 덕분에 지금 사라지고 있다.

정답 **05** ① **06** ②

07 다음 밑줄 친 부분 중 어법상 옳은 것은?

A swing vote is a vote that ① <u>sees as</u> potentially going to any of a number of candidates in an election, or, in a two-party system, may go to either of the two dominant political parties. Such votes ② <u>are come up with</u> in election campaigns, since they can play a big role in determining the outcome. A swing voter or floating voter is a voter who may not ③ <u>affiliate with</u> a particular political party(Independent) or who will vote across party lines. In American politics, many centrists, liberal Republicans, and conservative Democrats are considered swing voters since their voting patterns cannot ④ <u>forecast</u> with certainty.

08 다음 중 어법상 적절하지 않은 것은?

① I am personally informed that a tactical withdrawal is the best way to solve the problem.

② The student was notified that how uncomfortable wooden chairs were in the classroom.

③ The figure that was popular in Korea was believed to have killed himself all of a sudden.

④ Government officers promised and assured all the citizens that their policy won't cease.

정답 및 해설

07 해설 ② 주어가 votes(복수명사)이므로 복수동사 are의 사용은 어법상 적절하고 구동사 come up with 다음 목적어가 없으므로 수동의 형태 역시 어법상 옳다.
① 주격 관계대명사의 선행사가 a vote(단수명사)이므로 단수동사 sees는 어법상 적절하지만 sees의 목적어가 없으므로 sees의 수동의 형태가 필요하다. 따라서 sees as는 is seen as 로 고쳐 써야 한다.
③ 조동사 may 다음 동사원형 affiliate는 어법상 적절하지만 affiliate 다음 목적어가 없으므로 affiliate는 수동의 형태 be affiliated로 고쳐 써야 한다.
④ 조동사 cannot 다음 동사원형 forecast는 어법상 적절하지만 forecast 뒤에 목적어가 없으므로 forecast는 be forecasted로 고쳐 써야 한다.

해석 부동표는 선거에서 많은 입후보자 중에 어떤 특정 후보에게 잠재적으로 투표하거나 양당 체제에서 지배적인 한 당으로의 투표를 의미한다. 그러한 투표는 대체로 선거 운동 중에서 나타나는데 그 이유는 투표 결과를 결정하는 데 중요한 역할을 하기 때문이다. 부동표 유권자 또는 유동적인 유권자는 특정 정당과 제휴하지 않거나 그 정당 노선에 반대하는 쪽으로 투표하는 사람을 의미한다. 미국 정치에서는 많은 중도파나 진보적인 공화당원 및 보수적인 민주 당원들이 부동표 유권자로 여겨지는데 그 이유는 그들의 투표 패턴이 확실하게 예측될 수 없기 때문이다.

07
swing vote 부동표
potentially 잠재적으로
candidate 입후보자
political 정치적인
party 정당
come up with ~을 떠올리다, 생각해내다
seek 찾다, 구하다
election campaign 선거 운동
play a role 역할을 하다
determine 결정하다
outcome 결과
floating 유동적인
affiliate 제휴하다
centrist 중도파
liberal 진보적인, 자유로운
conservative 보수적인
certainty 확실(분명)함

08 해설 ④ promise와 assure는 4형식 동사로 사용될 때 that절을 직접목적어로 사용할 수 있으므로 간접목적어 all the citizens와 직접목적어 that절의 사용은 어법상 적절하지만 주절의 시제가 과거이므로 종속절에도 과거나 과거완료시제가 필요하다. 따라서 미래시제 won't는 과거시제 would not으로 고쳐 써야 한다.
① inform은 4형식 동사로 사용될 때 that절을 직접목적어로 사용할 수 있으므로 be informed 다음 바로 that절의 사용은 어법상 적절하다.
② notify는 4형식 동사이므로 수동태로 사용될 때 that절을 직접목적어로 사용할 수 있으므로 be notified 다음 바로 that절의 사용은 어법상 적절하다.
③ 'People believed that the figure ~ had killed ~'의 수동 구문으로 '믿었던' 시점보다 '자살한' 시점이 먼저 일어난 일이므로 to have killed의 사용은 어법상 옳다.

해석 ① 그들은 개인적으로 내게 전략적 철수가 그 문제를 해결하는 데 최고의 방법이라는 것을 알려주고 있다.
② 누군가가 그 학생에게 교실에 있는 나무의자들이 얼마나 불편한지 알게 해 주었다.
③ 한국에서 인기 있던 그 인물이 갑자기 자살했다고 사람들은 믿었다.
④ 정부 관료들은 자신들의 정책이 중단되지 않음을 시민들에게 약속했고 확신했다.

08
personally 개인적으로
tactical 전술적인
withdrawal ① 철수 ② 인출
figure ① 인물 ② 모습, 형상 ③ 숫자
all of a sudden 갑자기
officer 관료
cease 중단되다

정답 **07** ② **08** ④

09 다음 중 어법상 적절하지 않은 것은?

① The number of members of the board is able to range from six to eight depending on issue.

② The incident that you were involved in must have been embarrassed.

③ The vacation plan interesting in leaving for Chile was in vain.

④ The chauffeur who drove fast and long in the night looked tired.

10 다음 우리말을 영어로 옮긴 것 중 가장 적절한 것은?

① 그 회사는 직원들에게 야근을 하게 했다.

　→ The employees were made to work overtime by the company.

② 당신이 참여했던 그 설문조사의 결과가 틀림없이 혼란스러웠을 것이다.

　→ The result of survey you took part in must have been confused.

③ 신나는 축구경기 때문에 나는 어제 밤에 잠을 잘 못 갔다.

　→ Little did I sleep because of the soccer game excited last night.

④ 그 소설이 너무 감동적이어서 나는 한참을 울었다.

　→ The novel was so impressed that I cried for a long time.

정답 및 해설

09

해설 ② embarrass는 '당황하게 하다'의 뜻으로 감정표현동사이다. 따라서 주체가 사물(incident)이므로 과거분사 embarrassed는 현재분사 embarrassing으로 고쳐 써야한다.

① 'The number of + 복수명사 + 단수동사'는 어법상 적절하고 range는 자동사로서 항상 능동의 형태를 취해야 하므로 이 역시 어법상 옳다.

③ interset는 '흥미롭게 하다'의 뜻으로 감정표현동사이다. 따라서 주체가 사물(plan)이므로 현재분사 interesting은 어법상 적절하다.

④ tire는 '피곤하게 하다'의 뜻으로 감정표현동사이다. 따라서 주체가 사람(chauffeur)이므로 과거분사 tired의 사용은 어법상 적절하다.

해석 ① 그 이사회 구성원의 수는 사안에 따라 6명에서 8명에 이른다.

② 당신이 연루되었던 그 사건이 당황스러움에 틀림없었다.

③ 칠레로 떠나는 흥미로운 그의 여행계획은 허사였다.

④ 밤에 빠르게 오랫동안 운전했던 그 운전기사는 피곤해 보였다.

09
board 이사회
range from A to B A에서부터 B에 이르다
depending on ~에 따라(서)
perplex 당황하게 하다
speak of ~에 대해서 말하다
past 과거
incident 사건
involve ① 관계 (연관)시키다 ② 포함하다
embarrass 당황하게 하다
in vain 허사인
chauffeur (운전) 기사

10

해설 ① 사역동사 make의 수동태에서 be made 다음 목적격 보어 자리에 to부정사가 필요하므로 to work는 어법상 적절하다.

② confuse는 '혼란시키다'의 뜻으로 감정표현동사이다. 따라서 주체가 사물(result)이므로 과거분사 confused는 현재분사 confusing으로 고쳐 써야 한다.

③ excite는 '흥분시키다'의 뜻으로 감정표현동사이다. 따라서 주체가 사물(game)이므로 과거분사 excited는 현재분사 exciting으로 고쳐 써야 한다.

④ impress는 '감명을 주다'의 뜻으로 감정표현동사이다. 따라서 주체가 사물(novel)이므로 과거분사 impressing으로 고쳐 써야 한다.

10
employee 근로자, 피고용인
take part in ~에 참여하다

정답 **09** ② **10** ①

"합격의 시간"

김세현

영어

PART

02

준동사

준동사 기본 개념

English
Grammar

UNIT 01 준동사 한눈에 보기

📖 준동사 문법포인트

1. 자릿값
2. to ⓥ / ⓥ-ing 선택
3. ⓥ-ing / ⓥ-ed 선택
4. 준동사의 동사적 성질
5. 준동사의 관용적 용법

01 준동사 기본 개념

문장 구성의 기본 원칙은 주어 하나에 동사 하나만 존재해야 한다. 따라서 또 다른 동사의 변형은 준동사를 이용한다.

① 나는 멈추어야 한다 피아노 친다 영어 공부한다.

→ _____

② I must stop play the piano study English.

→ _____

👍 One Tip 준동사 이해하기

	형태 변화	기능	문장 내 역할
동사	to부정사(to ⓥ)	동사적 성질	명사, 형용사, 부사
	동명사(ⓥ-ing)	동사적 성질	명사
	분사 ┌ 현재분사(ⓥ-ing) └ 과거분사(ⓥ-ed)	동사적 성질	형용사, 부사(분사구문)

- Reading books is good. 독서는 유익하다.
- I want to go to the shopping mall everyday. 나는 매일 쇼핑몰에 가고 싶다.
- You have to look at the broken window. 당신은 그 깨진 창문을 보아야 한다.
- I went to the library to borrow some books. 나는 책 몇 권을 빌리러 도서관에 갔다.

👍 Two Tips 동사 자리 / 준동사 자리 확인(C+1=V)

- I know that the man who wants to be a doctor is smart.
  나는 의사가 되고 싶은 그 사람이 똑똑하다는 것을 안다.
- He thought his father tried giving him a medicine that tastes bitter.
  그는 그의 아버지가 쓴 약을 그에게 먹이려고 애썼다고 생각했다.

확인학습 문제

다음 문장을 읽고 옳으면 C(correct), 옳지 않으면 I(incorrect)로 표기하시오.

01 Rick liked playing with his friends. _____

02 The doctor tried give him the prescription. _____

03 The women walk down the street wear black jackets. _____

04 She finished doing her homework. _____

05 The lady wanted to kiss him a good-bye. _____

06 I would remember send the letter. _____

07 Give up old habit is very difficult. _____

08 Korean must be differ from English. _____

09 He said he was surprised hear the news. _____

10 The stove that is in the kitchen is effective to use. _____

---

01 **해설** like는 to ⓥ와 ⓥ-ing 둘 다를 목적어로 취할 수 있다. 따라서 옳다. __C__
    해석 Rick은 친구들과 노는 것을 좋아했다.

02 **해설** try는 to ⓥ와 ⓥ-ing를 목적어로 취할 수 있다. tried give를 tried to give 또는 tried giving으로 고쳐 써야
    한다. 하지만 to ⓥ는 '노력하다, 애쓰다'의 표현을 나타내고, 동명사(ⓥ-ing)는 '시험 삼아 (한번) 해보다'라는 뜻으
    로 둘의 뜻은 다르다. 문맥상 to ⓥ가 적절하다. __I__
    해석 그 의사는 그에게 그 처방을 시도해 봤다.
    어휘 prescription 처방(전)

03 **해설** 한 문장에 접속사 없이 두 개의 동사를 사용할 순 없다. **The women walking down the street wear black
    jacket**으로 고쳐 써야 한다. __I__
    해석 길을 건너는 숙녀들은 검은 자켓을 입고 있다(검은 자켓을 입은 숙녀들이 길을 건너고 있다).

04 **해설** finish는 ⓥ-ing를 목적어로 취한다. 따라서 이 문장은 옳다. __C__
    해석 그녀는 숙제하는 것을 끝냈다.

05 **해설** want는 to ⓥ만을 목적어로 취한다. 따라서 이 문장은 옳다. __C__
    해석 그 숙녀는 그에게 작별의 키스를 하고 싶었다.
    어휘 kiss sb a good-bye 작별의 키스를 하다

06 **해설** remember는 to부정사와 ⓥ-ing를 목적어로 취할 수 있다. 동사 **send**를 **to send** 또는 **sending**으로 고쳐 써야
    한다. 참고로 부정사는 해야 할 일, 동명사는 했었던 일을 나타내며 그 둘의 뜻이 다르다. __I__
    해석 나는 편지를 보내야 하는 것을 기억하고 있었다(or 나는 편지를 보냈던 것을 기억하고 있었다).

07 **해설** 주어는 명사(구,절)이어야만 한다. 따라서 **Give up**을 **Giving up** 또는 **To give up**으로 고쳐 써야 한다. 따라서
    이 문장은 옳지 않다. __I__
    해석 오랜 습관을 버리기란 매우 어렵다.
    어휘 give up ~을 포기하다

08 **해설** 한 문장에 세 개의 동사를 사용할 순 없다. 따라서 동사 **differ**를 형용사 **different**로 고쳐 써야 한다. __I__
    해석 한국어와 영어는 틀림없이 다르다.

09 **해설** 한 문장에 접속사 없이 두 개의 동사를 사용할 순 없다. 따라서 **hear**를 **to hear**로 고쳐 써야 한다. __I__
    해석 그는 그 소식을 듣고서 매우 놀랐다고 말했다.

10 **해설** 관계대명사를 이용해서 두 개의 동사를 사용한 이 문장은 적절하다. 따라서 이 문장은 옳다. __C__
    해석 부엌에 있는 가스레인지는 사용하기에 효율적이다.
    어휘 stove 가스레인지 effective 효율적인, 효과적인

to부정사

UNIT 01 to부정사의 용법

01 to부정사의 명사적 용법

V → 형태 변화 (to ⓥ) → 동사의 성질과 함께 명사로서의 역할을 한다.
                              └→ 주어 / 목적어 / 보어

① 정크 푸드를 먹는 것은 몸에 좋지 않다.

① To eat junk food is not healthful.
  → It is not healthful to eat junk food.

② 나는 사진기를 사고 싶다.

② I want to buy a camera.

③ 나는 컴퓨터 바이러스를 없애는 것이 어렵다는 것을 알게 됐다.

③ I found it hard to remove computer viruses.

④ 내가 뭐라고 말해야 할지 모르겠네요.

④ I don't know what to say.

⑤ 내 희망은 선생님이 되는 것이다.

⑤ My wish is to become a teacher.

⑥ 나는 그에게 사진기를 사주고 싶다.

⑥ I want him to buy a camera.

One Tip 가목적어 it

S+make / find / believe / think / consider + it + 목적격 보어 +⎡ to ⓥ ~
⎣ that S+V ~/wh의문사절

- Some people found it difficult to drive at night.
  몇몇 사람들은 밤에 운전하는 것이 어렵다는 것을 알았다.
- He made it quite clear that he had nothing to do with the matter.
  그는 그 문제에 대해 아무 관계가 없다는 것을 분명히 했다.
  어휘 have nothing to do with ~와 관계가 없다

Two Tips S+V+O+to ⓥ

소망동사	want, expect	
강요동사	force, urge, compel, get, drive, persuade, advise, cause	
명령(지시)동사	order, command, instruct, direct, lead	+O+to ⓥ
허가(금지)동사	allow, permit, forbid	
요구(요청)동사	ask, require, request, beg	
기타동사	enable, encourage	

- Tom expected me to see the movie together.
  Tom은 내가 함께 영화 보기를 기대했다.

- I advised you not to get close to him.
  나는 당신이 그와 가까워지지 않아야 한다고 충고했었다.

- Lack of information leads people to make very bad decisions.
  정보의 부족이 사람들로 하여금 나쁜 결정을 하게 한다.

- Using this product will allow you to cut fuel costs dramatically.
  이 상품을 사용하면 당신은 극적으로 연료비를 줄일 수 있을 것이다.

- His occupation requires him to travel a lot.
  그의 직업은 그가 많은 여행을 하도록 요구한다.

- This class will enable you to understand English grammar.
  이 수업은 당신이 영문법을 이해할 수 있게 해 줄 것이다.

확인학습 문제

Correct the error, if any.

01 Get a job is not easy these days.

02 I don't think it is wise eat fruit without peeling it.

03 I found easy to wake up early in the morning.

04 My daddy got my brother and me fix his car all day.

05 Parents should encourage their children exercising and playing outside.

06 Human activities also had the global temperature to rise.

07 Nothing can compel me doing such a thing.

---

01 해설 주어는 명사(구, 절)이어야만 한다. 따라서 동사 Get을 To get 또는 동명사 Getting으로 바꿔야 한다.
    해석 요즘 직업을 구하기란 쉽지가 않다.

02 해설 가주어 it은 to부정사나 that절이 진주어로 뒤따른다. 따라서 eat을 to eat으로 바꿔야 한다.
    해석 나는 과일을 껍질을 벗기지 않고 먹는 것은 현명하다고 생각하지 않는다.
    어휘 peel (껍질을) 벗기다, 깎다

03 해설 find는 가목적어 it을 사용하여 뒤에 to부정사나 that절을 진목적어로 취한다. 따라서 found 다음 it을 추가시켜
        야 한다.
    해석 나는 아침에 일찍 일어나는 것이 쉽다는 걸 알았다.

04 해설 강요동사 get은 to부정사를 목적격 보어로 사용한다. 따라서 fix를 to fix로 고쳐 써야 한다.
    해석 내 아버지는 내동생과 나를 하루 종일 그의 차를 고치게 했다.

05 해설 동사 encourage는 to부정사를 목적격 보어로 사용한다. 따라서 exercising and playing을 to exercise and
        play로 고쳐 써야 한다.
    해석 부모님들은 자녀들이 야외에서 운동하고 놀도록 북돋아야 한다.
    어휘 encourage 용기를 주다, 북돋우다

06 해설 사역동사 have는 동사원형을 목적격 보어로 취한다. 따라서 to rise를 rise로 바꿔야 한다.
    해석 인간 활동도 역시 지구 온도가 상승하게 만들고 있다.
    어휘 activity 활동, 행동 global 지구의, 세계의

07 해설 강요동사 compel은 목적격 보어 자리에 to부정사를 사용한다. 따라서 doing을 to do로 바꿔야 한다.
    해석 그 어떤 것도 내가 그런 일을 하도록 강요할 수는 없다.
    어휘 compel ~을 강요하다

02 to부정사의 형용사적 용법

V → 형태 변화 (to ⓥ) → 동사의 성질과 함께 <u>형용사로서의 역할</u>
　　　　　　　　　　　　　　　　　└→ 명사 수식, 보어

① I have a lot of homework to do.
　참고 This book is not easy to read.

② She needs a pen to write. (×)
　→ She needs a pen to write with. (○)

③ My hobby is to collect model plane.

④ They are to have a party this evening.

⑤ You are to finish this by seven.

① 나는 해야 할 숙제가 많다.
　참고 이 책은 읽기 어렵다.

② 그녀는 쓸 펜이 필요하다.

③ 내 취미는 모형 항공기를 수집하는 것이다.

④ 그들은 오늘 저녁에 파티를 열 것이다.

⑤ 당신은 7시까지 이것을 끝내야 한다.

👍 One Tip 　명사＋to ⓥ＋전치사

a cup to drink	→	a cup to drink with (마실 컵)
a paper to write	→	a paper to write on (쓸 종이)
a pen to write	→	a pen to write with (쓸 펜)
a chair to sit	→	a chair to sit on (앉을 의자)
a house to live	→	a house to live in (살 집)
a friend to talk	→	a friend to talk with (말할 친구)
a friend to hang out	→	a friend to hang out with (놀 친구)

확인학습 문제

다음 문장을 읽고 옳으면 C(correct), 옳지 않으면 I(incorrect)로 표기하시오.

01 We need a chair to sit on. _____

02 I have many friends to speak. _____

03 I want some water to drink with. _____

04 She needs someone to rely. _____

05 I have no way to account. _____

---

01 해설 명사(a chair)를 수식하는 to부정사(to sit) 뒤에 전치사 on의 사용은 적절하다. **C**
해석 우리는 앉을 수 있는 의자가 필요하다.

02 해설 명사(friends)를 수식하는 to부정사(to speak) 뒤에는 전치사 with나 to를 추가시켜야 한다. **I**
해석 나는 대화를 나눌 많은 친구가 있다.
어휘 speak with ~와 대화하다

03 해설 명사(water)를 수식하는 to부정사(to drink) 다음 전치사 with의 사용은 적절하지 않다. **I**
해석 나는 마실 물을 원한다.

04 해설 명사(someone)를 수식하는 to rely는 구동사로 사용해야 하므로 to rely on으로 고쳐 써야 한다. **I**
해석 그녀는 의지할 사람이 필요하다.
어휘 rely on ~에게 의지하다

05 해설 명사(way)를 수식하는 to account는 구동사로 사용해야 하므로 to account for로 고쳐 써야 한다. **I**
해석 나는 설명할 방도가 없다.
어휘 account for ~을 설명하다

03 to부정사의 부사적 용법

V → 형태변화 (to ⓥ) → 동사의 성질과 함께 **부사로서의 역할**
└→완성된 문장 다음에 위치한다.

① He came to Korea to see his best friends.

② He ran to catch the bus.
　= He ran so as to catch the bus.
　= He ran in order to catch the bus.

③ He was very surprised to hear the news.

④ You must be crazy to do such a thing.

⑤ He left home never to return.

⑥ He is old enough to vote.
　= He is so old that he can vote.

⑦ She is too old to do any work.
　= She is so old that she can't do any work.

① 그는 친한 친구들을 보러 한국에 왔다.

② 그는 버스를 잡기 위해 달렸다.

③ 그는 그 소식을 듣고 매우 놀랐다.

④ 그런 짓을 하다니 넌 미친 게 분명하다.

⑤ 그는 집을 떠나서 다시는 돌아오지 않았다.

⑥ 그는 투표하는 데 충분할 정도로 나이를 먹었다.
=그는 꽤 나이가 들어서 투표를 할 수 있다.

⑦ 그녀는 어떤 일을 하기에도 너무 나이가 많다.
=그녀는 너무 나이가 많아서 어떤 일도 할 수가 없다.

👍**One Tip** 형용사＋enough＋to ⓥ

• She is only sixteen. She is not enough old to get married. (×)
　→ She is only sixteen. She is not old enough to get married. (○)
　그녀는 단지 16세이다. 그녀는 결혼하기에 충분히 나이 들지 않았다.

• She needs food enough to eat. (○)
　그녀는 먹을 충분한 음식이 필요하다.

• She needs enough food to eat. (○)
　그녀는 먹을 충분한 음식이 필요하다.

확인학습 문제

밑줄 친 to부정사를 문맥에 맞게 우리말로 해석하시오

01 I went to the doctor <u>to check</u> up my health condition.

→ _____

02 I am pleased <u>to do</u> this project with you.

→ _____

03 He is strong enough <u>to lift</u> that box.

→ _____

04 He awoke <u>to find</u> her missing.

→ _____

05 You must be sick <u>to keep</u> coughing.

→ _____

06 Everyone would be shocked <u>to find</u> out that he is an alcoholic.

→ _____

---

01 해설 완전한 문장 다음에 **to**부정사가 위치하는 경우 대개 주어의 행위에 대한 목적, 이유의 뜻을 나타낸다.
해석 나는 건강 검진을 하러 의사에게 갔다.
어휘 check up 검사하다 health condition 건강 상태

02 해설 형용사(pleased) 다음에 **to**부정사가 위치하는 경우 이유, 원인, 판단의 기준 등의 뜻을 나타낸다.
해석 나는 이 계획을 너와 함께 하게 돼서 기쁘다.
어휘 pleased 기쁜 project 계획, 프로젝트

03 해설 부사(enough) 다음에 **to**부정사가 위치하는 경우 정도의 뜻을 나타낸다.
해석 그는 저 상자를 들어 올릴 수 있을 정도로 충분히 힘이 세다.

04 해설 완전 자동사(awake) 뒤에 위치하는 **to**부정사는 결과의 뜻을 나타낼 수 있다.
해석 그는 일어나서야 그녀가 사라진 것을 알게 되었다.

05 해설 형용사(sick) 다음에 **to**부정사가 위치하는 경우 이유, 원인, 판단의 기준 등의 뜻을 나타낸다.
해석 계속 기침을 하는 걸로 봐서 너는 아픈 게 틀림없다.
어휘 cough 기침하다

06 해설 형용사(shocked) 다음에 **to**부정사가 위치하는 경우 이유, 원인, 판단의 기준 등의 뜻을 나타낸다.
해석 그가 알코올 중독자라는 사실을 알게 되어서 모두가 다 충격을 받았다.
어휘 shocked 충격받은 alcoholic 알코올 중독자

UNIT 02 to부정사의 관용적 용법

01 to부정사의 관용적 표현

1 too ~ to ⓥ	너무 ~해서 ⓥ할 수 없다	**12** be able to ⓥ	ⓥ할 수 있다
2 enough to ⓥ	ⓥ할 만큼 충분하다	**13** be due to ⓥ	ⓥ할 예정이다
3 so ~ as to ⓥ	ⓥ할 만큼 그렇게 ~한	**14** be going(about) to ⓥ	ⓥ할 예정이다
4 so as(in order) to ⓥ	ⓥ하기 위하여	**15** be bound to ⓥ	ⓥ해야 한다
5 only to ⓥ	그러나 ⓥ하다	**16** be expected to ⓥ	ⓥ하기로 되어 있다
6 be afraid to ⓥ	ⓥ하는 것이 걱정되다	**17** be anxious to ⓥ	ⓥ하기를 갈망하다
7 be ready to ⓥ	ⓥ할 준비가 되어 있다	**18** be willing to ⓥ	기꺼이 ⓥ하다
8 be eager to ⓥ	ⓥ을 간절히 바라다	**19** happen to ⓥ	우연히 ⓥ하다
9 be likely to ⓥ	ⓥ인 것 같다	**20** appear(seem) to ⓥ	ⓥ인 것 같다
10 the last (man) to ⓥ	결코 ⓥ할 (사람)이 아닌	**21** come(get) to ⓥ	ⓥ하게끔 되다
11 the last ~ toHY중고딕	결코 ⓥ하지 않는	**22** be supposed to ⓥ	ⓥ하기로 되어 있다, ⓥ해야만 한다

① My youngest brother is too young to drive.

② His sister is not old enough to drive.

③ She studied so hard as to catch up with the others.

④ He wears glasses so as(= in order) to look intelligent.

⑤ He worked hard only to fail in the exam.

⑥ Any company will be afraid to see its stocks go down.

⑦ They are ready to fight for their country.

⑧ US is eager to improve trade relations with Korea.

⑨ He is likely to lose the game.

⑩ I think he is the last man to do such a thing.

⑪ The last thing you need to do is to lie.

① 내 남동생은 운전하기엔 너무 어리다(너무 어려서 운전을 할 수 없다).

② 그의 여동생은 운전할 정도로 충분히 나이가 들지 않았다.

③ 그녀는 다른 이들을 따라잡을 만큼 열심히 공부했다.
catch up with ~을 따라잡다

④ 그는 지적으로 보이려고 안경을 쓴다.
intelligent 지적인

⑤ 그는 열심히 공부했다. 그러나 그 시험에 실패했다.

⑥ 어떤 회사라도 회사의 주식이 떨어지는 것이 걱정될 것이다.
stock 주식

⑦ 그들은 조국을 위해 싸울 준비가 돼 있다.

⑧ 미국은 한국과 통상 관계를 증진하기를 열망한다.
eager 간절히 바라는, 열렬한

⑨ 그는 경기에 질 가능성이 높다.

⑩ 내 생각에 그는 결코 그런 일을 할 사람이 아니다.

⑪ 당신이 결코 하지 말아야 할 일은 거짓말이다.

⑫ 모든 이들이 **David**가 이 문제를 처리할 수 있을 거라고 생각한다.

⑬ 그는 오늘밤 연설할 예정이다.

⑭ 그 승객들이 비행기에 이제 막 탑승할 예정이다.

⑮ 너는 법적으로 이 질문에 대답해야만 한다.

⑯ 이 약물은 시장에 곧 출시될 예정이다.

⑰ 그는 간절히 결과를 알고 싶다.

⑱ 그 마을 사람들은 어려움에 처한 사람들에게 기꺼이 손을 내밀 의도가 있다.

⑲ 우리가 우연히 밖에 있었을 때 그녀를 길에서 만났다.

⑳ 이 마을 사람들은 통제된 삶을 사는 것처럼 보인다.

㉑ 그는 자동차 운전을 배우게끔 되었다.

㉒ 그는 **6**시에 도착할 예정이다. 내가 뭘 해야 하지**?**

---

⑫ Everyone thinks David will be able to deal with this problem.

⑬ He is due to speak tonight.

⑭ The passengers are going(= about) to board the plane.

⑮ You are legally bound to answer these questions.

⑯ The medicine is expected to come to market soon.

⑰ He is anxious to know the result.

⑱ The villagers are willing to give a hand to the people in trouble.

⑲ We happened to be out when we met her on the street.

⑳ The people in this town appear(= seem) to live in controlled lives.

㉑ He came to learn how to drive a car.

㉒ He is supposed to arrive at six.
What am I supposed to do?

👍 **One Tip** 독립부정사

to begin with 무엇보다도, 우선	not to mention 말할 것도 없이
to be sure 확실히	needless to say 말할 필요도 없이
to make matters worse 설상가상으로	strange to say 이상한 이야기지만
to tell the truth 사실을 말하자면	to be short 요약하면
to be honest with you 솔직히 말하자면	to make a long story short 요약하면
to be frank with you 솔직히 말하자면	to sum up 요약하면

• To begin with, I don't like his looks. 무엇보다도, 난 그의 외모가 좋지 않다.

• To make matters worse, it started to rain. 설상가상으로, 비가 오기 시작했다.

• Needless to say, she was extremely angry. 말할 필요도 없이, 그녀는 극도로 화가 났다.

• To be sure, this project is not for everyone.
확실히, 이 프로젝트는 모든 이를 위한 것은 아니다.

확인학습 문제

다음 빈칸에 적절한 표현을 넣어 문장을 완성하시오.

01 _____, my dog saved my life.
(이상한 이야기지만)

02 After graduating, she _____ get a job.
(~하기를 갈망하다)

03 This machnie has many unnecessary device, _____ is expensive.
(말할 필요도 없이)

04 _____ he got sick while I was gone.
(설상가상으로)

05 Don't _____ face criticism from other people.
(~하는 것이 걱정되다)

06 We waited for as many as three hours _____ get the tickets to the game.
(~하기 위해서)

07 She is competent _____ strike a deal with the company by herself.
(~하기 충분한)

08 He is _____ I'd trust with a secret.
(~할 사람이 아닌)

09 The judiciary authorities _____ punish violent demonstrations severely.
(기꺼이 ~하다)

10 He survived the crash _____ die in the hospital.
(그러나 ~하다)

---

01 해설 to부정사의 관용적 표현으로 Strange to say는 '이상한 얘기지만'이란 뜻으로 쓰인다.
해석 이상한 이야기지만, 나의 개가 내 목숨을 구했다.

02 해설 to부정사의 관용적 표현으로 be anxious to ⓥ은 '~하기를 갈망하다'는 표현으로 쓰인다.
해석 졸업 후에 그녀는 직업을 갖기를 갈망한다.

03 해설 to부정사의 관용적 표현인 not to mention(=needless to say)은 '말할 필요도 없이'라는 뜻으로 쓰인다.
해석 이 기계는 비싼 것은 말할 것도 없고 많은 불필요한 장치를 가지고 있다.

04 해설 to부정사의 관용적 표현으로 to make matters worse는 '설상가상으로'의 뜻을 나타낸다.
해석 설상가상으로 그는 내가 떠나있던 동안 병들었다.

05 해설 to부정사의 관용적 표현으로 be afraid to ⓥ '~하는 것이 걱정되다'의 뜻을 나타낸다.
해석 다른 사람들로부터의 비판을 대면하는 것을 걱정하지 마시오.
어휘 face 직면하다, 대하다 criticism 비판, 비평

06 해설 to부정사의 관용적 표현으로 so as to ⓥ 또는 in order to ⓥ는 '~하기 위해서'라는 뜻을 나타낸다.
해석 우리는 그 경기 표를 구하기 위해서 무려 3시간 정도를 기다렸다.
어휘 as many as ~ 무려 ~만큼

07 해설 to부정사의 관용적 표현으로 enough to ⓥ는 '~하기 충분한'이란 뜻을 나타낸다.
해석 그녀는 그녀 혼자서 그 회사와 타협을 보기에 충분히 유능하다.
어휘 competent 유능한, 능력 있는 strike a deal 타협을 보다

08 해설 to부정사의 관용적 표현으로 the last man to ⓥ '결코 ~할 사람이 아닌'의 뜻을 나타낸다.
해석 그는 내가 믿고 비밀을 말할 수 있는 사람이 결코 아니다.

09 해설 to부정사의 관용적 표현으로 be willing to ⓥ '기꺼이 ~하다'의 뜻을 나타낸다.
해석 사법 당국은 기꺼이 폭력적인 시위를 엄중하게 처벌한다.
어휘 judiciary 사법부 authority 권위; 당국, 관계자 punish 처벌하다, 벌주다 violent 폭력적인
demonstration 시위, 데모

10 해설 to부정사의 관용적 표현으로 only to ⓥ는 '그러나 (결국) ~하다'의 뜻을 나타낸다.
해석 그는 충돌 사고에서 살아났지만 결국 병원에서 죽었다.
어휘 survive 살아남다 crash (자동차, 비행기) 충돌(사고)

동명사

UNIT 01 동명사의 기능

01 동명사의 명사적 기능

V → 형태 변화 (ⓥ-ing) → 동사의 성질과 함께 <u>명사로서의 역할</u>
↳ 주어, 목적어, 보어

① 책을 읽는 것은 도움이 된다.

② 나는 매일 책 읽는 것을 즐긴다.

③ 무언가를 배우는 최선의 방법은 책을 읽는 것이다.

④ 나는 당신을 곧 만나길 기대하고 있다.
look forward to ⓥ-ing
~하기를 간절히 바라다

⑤ 그 소식을 나에게 말해 줘서 고마워.

① Reading a book is helpful.

② I enjoy reading books everyday.

③ The best way to learn something is reading books.

④ I look forward to seeing you soon.

⑤ Thank you for telling me the news.

👍 **One Tip** 동명사와 to부정사

❶ **to부정사를 목적어로 취하는 동사**
계획·결정·기대·소망·선택·약속 등을 의미하는 동사들은 to부정사를 목적어로 갖는다.

> want, hope, wish, expect, desire, decide, determine, choose, plan, promise, agree, seek, care, attempt, offer

❷ **동명사를 목적어로 취하는 동사**
동작의 중단이나 회피, 과거 지향적 동사들은 동명사를 목적어로 갖는다.

> mind, enjoy, give up, avoid, finish, escape, suggest, involve, deny, mention, postpone(= put off), practice, admit, appreciate, consider

👆Two Tips to부정사와 동명사에 따라 의미가 달라지는 동사

remember	to ⓥ	꼭 ⓥ해야 할 것을 기억하다
	ⓥ-ing	ⓥ했던 것을 기억하다
forget	to ⓥ	꼭 ⓥ해야 할 것을 잊다
	ⓥ-ing	ⓥ했던 것을 잊다
regret	to ⓥ	ⓥ해야 할 것을 유감으로 여기다
	ⓥ-ing	ⓥ했던 것을 후회하다
stop	to ⓥ	ⓥ하기 위해 멈추다
	ⓥ-ing	ⓥ하는 것을 그만두다
try	to ⓥ	ⓥ하려고 노력하다
	ⓥ-ing	시험 삼아 ⓥ해보다
mean	to ⓥ	ⓥ할 의도이다, 작정이다
	ⓥ-ing	ⓥ하는 것을 뜻하다

- I forgot to give you a message. 나는 당신에게 메시지를 전달해야 할 것을 잊었다.

- I didn't mean to be late. I'm sorry. 늦을 의도는 아니었습니다. 죄송합니다.

- I regret to say that I am unable to help you.
  당신을 도울 수 없다고 말씀드려야 할 것 같아 유감입니다.

- He tried putting on a new jacket. 그는 새로운 재킷을 시험 삼아 입어 보았다.

👆Three Tips 전치사+명사 vs. 전치사+동명사

'전치사＋명사' 다음에 또 다른 명사는 올 수 없다. 하지만 '전치사＋동명사' 다음에는 또 다른 명사(의미상 목적어)가 올 수 있다.

- I have to concentrate on the project. 나는 그 프로젝트에 집중해야 한다.

- I have to concentrate on doing the project. 나는 그 프로젝트에 집중해야 한다.

확인학습 문제

다음 [　] 안에서 어법상 알맞은 것을 고르시오.

01 We suggest [to use / using] the safe to protect money or important documents.

02 Let me think about [explanation / explaining] the problem.

03 We seek [to improve / improving] relations between two countries.

04 This dictionary will enable you [to understand / understanding] English words.

05 We thought long and hard about [decision / deciding] what to do.

06 I appreciate [to be / being] with us tonight.

07 The military force forbade anyone [to cross / crossing] the border line.

08 We determined [to fight / fighting] to the last.

09 Should we consider [to buy / buying] new mobile phones?

10 This book is [too / so] thick to put into a bag.

---

01 **해설** suggest는 동명사를 목적어로 취한다. 따라서 using이 어법상 적절하다.
　　해석 우리는 돈이나 중요한 서류를 보관하려면 금고를 사용하는 것을 제안한다.
　　어휘 safe 금고; 안전한　protect 보호하다　document 서류, 문서

02 **해설** 전치사(about)의 목적어로 명사 또는 동명사 둘 다 어법상 적절하다. 하지만 그 뒤에 또 다른 명사(의미상의 목적
　　　어)가 오게 될 경우에는 명사가 아닌 동명사가 필요하다. 따라서 동명사 explaining이 어법상 적절하다.
　　해석 이 문제를 설명하는 것에 대하여 생각 좀 해 봅시다.
　　어휘 explanation 설명　explain 설명하다

03 **해설** seek은 to부정사를 목적어로 취한다. 따라서 to improve가 어법상 적절하다.
　　해석 우리는 양국 간의 관계 증진을 추구하고 있다.
　　어휘 seek 찾다, 구하다　improve 증진시키다, 개선하다　relation(s) 관계

04 **해설** enable은 목적격 보어로 to부정사를 사용한다. 따라서 to understand가 어법상 적절하다.
　　해석 이 사전은 당신이 영단어를 이해하는 것을 가능하게 해 줄 것이다.

05 **해설** 전치사(about)의 목적어로 명사 또는 동명사 둘 다 어법상 적절하다. 하지만 그 뒤에 또 다른 명사(의미상의 목적
　　　어)가 오게 될 경우에는 명사가 아닌 동명사가 필요하다. 따라서 deciding이 어법상 적절하다.
　　해석 우리는 뭘 해야 할지를 결정하는 데 심사숙고했다.
　　어휘 decision 결정, 결심

06 **해설** appreciate는 동명사를 목적어로 취한다. 따라서 being이 어법상 적절하다.
　　해석 나는 오늘 밤 우리와 함께 해 준 것에 감사한다.

07 **해설** 금지동사 forbid는 목적격 보어로 to부정사를 사용한다. 따라서 to cross가 어법상 적절하다.
　　해석 그 군대는 누구도 그 국경선을 넘는 것을 금했다.
　　어휘 military 군(대)　cross 넘어가다　border 국경

08 **해설** determine은 to부정사를 목적어로 취한다. 따라서 to fight가 어법상 적절하다.
　　해석 우리는 최후까지 싸우기로 결심했다.
　　어휘 to the last 마지막까지, 최후까지

09 **해설** consider는 동명사를 목적어로 취한다. 따라서 buying이 어법상 적절하다.
　　해석 우리가 새 휴대폰 사는 것을 고려해야만 합니까?
　　어휘 mobile 이동하는, 움직임이 자유로운

10 **해설** too~to 구문을 묻고 있다. 뒤에 to부정사가 있으므로 too가 어법상 적절하다.
　　해석 이 책은 너무 두꺼워서 가방 안에 들어가지 않는다.
　　어휘 thick 두꺼운

UNIT 02 동명사의 관용적 용법

01 동명사의 관용적 표현

1 There is no ⓥ-ing ~할 수 없다

2 It goes without saying (that) ~ ~은 말할 것도 없다

3 It is no use ⓥ-ing ~해도 소용없다

4 have trouble[= difficulty, a hard time] (in) ⓥ-ing ~하는 데 어려움을 겪다

5 feel like ⓥ-ing ~하고 싶다

6 not(= never) … without ⓥ-ing …할 때마다 ~하다

7 keep (on) ⓥ-ing 계속 ~하다

8 be on the verge(point) of ⓥ-ing 막 ~하려고 하다

9 go on ⓥ-ing 계속 ~하다

10 spend 시간(돈) ⓥ-ing ~하는 데 시간(돈)을 쓰다

11 go ⓥ-ing ~하러 가다

12 make a point of ⓥ-ing 반드시 ~하다

13 be busy ⓥ-ing ~하느라 바쁘다

14 far from ⓥ-ing 결코 ~하지 않는

15 be worth ⓥ-ing ~할 만한 가치가 있다(= be worthy of ⓥ-ing)

16 end up ⓥ-ing 결국 ~하게 되다

① There is no telling when the rain will stop.

① 언제 비가 멈출지 말할 수 없다 (모르겠다).

② It goes without saying that she is beautiful.

② 그녀가 아름답다는 것은 말할 필요도 없다.

③ It is no use talking.

③ 말해 봤자 소용없다.

④ Students had trouble[= difficulty, a hard time] (in) doing their homework.

④ 학생들은 숙제하는 데 어려움을 겪었다.

⑤ I don't feel like going out tonight.

⑤ 오늘 밤 나는 외출하고 싶은 기분이 아니다.

⑥ 그들은 만나기만 하면 싸운다.
quarrel 논쟁하다, 말다툼하다

⑥ They never meet without quarreling.

⑦ 다른 무엇보다도 이것을 명심하세요. 계속 웃으세요!
have in mind 명심하다, 염두에 두다
first and foremost 다른 무엇보다도

⑦ Have this in mind first and foremost : Keep smiling!

⑧ 그는 막 집을 떠나려고 한다.

⑧ He is on the verge(point) of leaving home.

⑨ 그는 아무 말도 하지 않고 그저 계속 일만 했다.

⑨ He said nothing but just went on working.

⑩ 나는 새 차를 사는 데 **15,000**달러를 썼다.
나는 **TV**를 보며 저녁을 보냈다.

⑩ I spent $15,000 buying a new car.
I spend my evenings watching television.

⑪ 그들은 이번 주말에 낚시 하러 갈 것이다.

⑪ They will go fishing this weekend.

⑫ 그는 반드시 매일 걷는 잊지 않고 있다(습관으로 하다).

⑫ He makes a point of taking a walk everyday.

⑬ 그들은 시험 준비를 하느라 바쁘다.

⑬ They are busy preparing for the exam.

⑭ 열심히 공부하기는커녕 그는 책도 열어보지 않았다.

⑭ Far from studying hard, he didn't open the book.

⑮ 이 책은 읽을 가치가 있다.

⑮ This book is worth reading.
= This book is worthy of reading.

⑯ 그녀는 결국 모든 일을 다하게 되었다.

⑯ She ended up doing all the work.

👍 One Tip to ⓥ-ing 구문

look forward to ⓥ-ing   ~하기를 간절히 바라다
be opposed to ⓥ-ing   ~하는 것을 반대하다
object to ⓥ-ing   ~하는 것을 반대하다
devote(= dedicate) 목적어 to ⓥ-ing 목적어를 ~하는 데 몰두하다(헌신하다)
contribute to ⓥ-ing   ~하는 데 기여하다
be equal to ⓥ-ing   ~할 능력이 있다
with a view to ⓥ-ing   ~하기 위하여
when it comes to ⓥ-ing   ~에 관하여
from ⓥ-ing to ⓥ-ing   ~부터 …까지

① We are looking forward to meeting you again.

② They are very much opposed to going there.

③ They object to going there very much.

④ She wanted to devote(dedicate) her full attention to her business.

⑤ Fresh air contributes to maintaining good health.

⑥ Bill is equal to solving the problem.

⑦ He has bought land with a view to building a house.

⑧ Toddlers are very selfish when it comes to sharing toys.

⑨ This book ranges from speaking to listening English.

① 우리는 당신을 다시 만나기를 간절히 바랍니다.
② 그들은 거기에 가는 것을 아주 많이 반대한다.
③ 그들은 거기에 가는 것을 아주 많이 반대한다.
④ 그녀는 자신의 사업에만 몰두하기를 원했다.
⑤ 신선한 공기는 좋은 건강을 유지하는 데 기여했다.
⑥ Bill은 이 문제를 풀 수 있다.
⑦ 그는 집을 짓기 위해서 땅을 샀다.
⑧ 유아들은 장난감을 공유하는 데 관하여 아주 이기적이다.
⑨ 이 책은 영어 말하기에서 듣기까지 걸쳐 있다(다루고 있다).

확인학습 문제

다음 빈칸에 적절한 동명사 표현을 넣으시오.

01 _____ we are delighted about the new baby.
   (~은 말할 것도 없다)

02 You should _____ closing all the windows before leaving the house.
   (반드시 ~하다)

03 She always _____ adapting quickly to change.
   (~하는 데 어려움을 겪다)

04 He does not drink alcohol _____ gossiping about his co-workers.
   (~할 때마다 …하다)

05 I _____ leaving when the phone rang.
   (막 ~하려고 했다)

06 Working mothers _____ doing office work and house work at the same time.
   (~하느라 바쁘다)

07 The firm _____ a huge amount of money developing new products.
   (~하는 데 돈 쓰다)

08 Many workers _____ taking a vacation.
   (~하기를 간절히 바라다)

09 Some soldiers _____ following the unfair orders.
   (~하는 것을 반대하다)

10 This campaign _____ raising awareness of health issue.
   (~하는 데 기여한다)

11 He _____ pushing ahead with the project.
   (~할 능력이 있다)

12 Mr. Simpson is painting the house _____ selling it for a better price.
   (~하기 위하여)

01 **해설** 동명사의 관용적 표현으로 **It goes without saying (that)**은 '~는 말할 것도 없다'라는 뜻이다.
   해석 우리가 새 아기에 대해서 기쁘다는 것은 말할 것도 없다.
   어휘 delighted 기쁜, 즐거운

02 **해설** 동명사의 관용적 표현으로 **make a point of** ⓥ-ing는 '반드시 ~하다'라는 뜻이다.
   해석 당신은 집을 떠나기 전에 반드시 모든 창문을 닫아야 한다.

03 **해설** 동명사의 관용적 표현으로 **have trouble** ⓥ-ing는 '~하는 데 어려움을 겪다'라는 뜻이다.
   해석 그녀는 항상 변화에 빠르게 적응하는 데 어려움을 겪는다.
   어휘 adapt 적응하다

04 **해설** 동명사의 관용적 표현으로 **not(never)** ~ **without** ⓥ-ing는 '~할 때마다 (반드시) ⓥ하다'라는 뜻을 나타낸다.
   해석 그는 술을 마실 때마다 (반드시) 그의 동료 직원에 대해 험담을 한다.
   어휘 gossip 험담하다   co-worker 동료

05 **해설** 동명사의 관용적 표현으로 **be on the verge(point) of** ⓥ-ing는 '막 ~하려 하다'의 뜻을 나타낸다.
   해석 나는 전화가 울렸을 때 막 떠나려 했다.

06 **해설** 동명사의 관용적 표현으로 **be busy** ⓥ-ing는 '~하느라 바쁘다'는 뜻을 나타낸다.
   해석 일하는 어머니들은 동시에 회사 일과 집안일을 하느라 바쁘다.

07 **해설** 동명사의 관용적 표현으로 **spend** 시간/돈 ⓥ-ing는 '~하는 데 돈/시간을 쓰다'라는 뜻을 나타낸다.
   해석 그 회사는 새로운 상품을 개발하는 데 막대한 돈을 썼다.
   어휘 huge 막대한, 거대한

08 **해설** 동명사의 관용적 표현으로 **look forward to** ⓥ-ing는 '~하기를 간절히 바라다'라는 뜻을 나타낸다.
   해석 많은 일꾼들이 휴가 얻기를 간절히 바란다.
   어휘 take a vacation 휴가를 얻다

09 **해설** 동명사의 관용적 표현으로 **object to** ⓥ-ing 또는 **be opposed to** ⓥ-ing는 '~하는 것을 반대한다'라는 뜻을 나타낸다.
   해석 몇몇 군인들은 부당한 명령을 따르기를 반대한다.
   어휘 unfair 부당한, 불공정한   order 명령, 주문

10 **해설** 동명사의 관용적 표현으로 **contribute to** ⓥ-ing는 '~하는 데 기여한다'라는 뜻을 나타낸다.
   해석 이 캠페인은 건강문제에 관하여 자각하도록 기여한다.
   어휘 campaign 캠페인, 운동

11 **해설** 동명사의 관용적 표현으로 **be equal to** ⓥ-ing는 '~할 능력이 있다'라는 뜻을 나타낸다.
   해석 그는 이 계획을 밀어붙이는 능력이 있다.
   어휘 push ahead 밀어붙이다, 단호하게 나아가다

12 **해설** 동명사의 관용적 표현으로 **with a view to** ⓥ-ing는 '~하기 위하여'라는 뜻을 나타낸다.
   해석 Simpson 씨는 더 좋은 가격에 집을 팔기 위해 집을 칠하고 있다.

분 사

UNIT 01 분사의 기능

01 분사의 형용사적 용법

V → 형태변화(ⓥ–ing / ⓥ–ed) → 동사의 성질과 함께 <u>형용사로의 역할</u>
　　　　　　　　　　　　　　　　　　　　↳ 명사수식, 보어

① 당신은 이 결정된 합의를 따라야만 한다.

① You have to follow this decided agreement.

② 지친 운전수들은 대체로 반응이 느리다.
exhausted 지친, 탈진한
normally 대체로
reaction 반응

② Exhausted drivers normally have slow reactions.

③ 빨간 드레스를 입은 소녀가 내 여동생이다.

③ The girl wearing a red dress is my sister.

④ 모퉁이에 주차된 빨간 차가 내 것이다.

④ The red car parked on the corner is mine.

⑤ 더 많은 돈을 모금하려는 그의 계획은 당황스럽다.

⑤ His plan for raising more money sounds embarrassing.

⑥ 회의하는 동안 나는 내 차를 수리시켰다.

⑥ I had my car repaired during the meeting.

확인학습 문제

다음 [ ] 안에서 어법상 알맞은 것을 고르시오.

01   The [boring / bored] movie made me drowsy.

02   It is difficult to study animals [residing / resided] in the underwater.

03   The [wounding / wounded] soldiers were sent to the hospital for treatment.

04   The chairman who was heedful announced [disappointing / disappointed] results.

05   The combine resulted in a reduction in the labor [requiring / required] to harvest crops.

06   On behalf of our community, I really appreciate you for an achievement [done / doing] well.

---

01   해설 bore는 감정표현동사이고 수식하는 명사가 사물 (movie) 이므로 현재분사가 필요하다. 따라서 boring이 정답이 된다.
해석 그 지루한 영화는 나를 졸리게 했다.
어휘 bore 지루하게 하다   drowsy 졸린

02   해설 residing이 명사 animals를 후치수식하는 구조로 reside는 1형식 자동사이므로 능동의 형태가 필요하다. 따라서 residing이 정답이 된다.
해석 수중에 사는 동물을 연구하는 것은 어렵다.
어휘 reside in ~에서 살다   underwater 수중의

03   해설 wounded가 soldiers를 전치수식하는 구조로 의미구조가 필요하다. 문맥상 부상당한 병사이므로 wounded가 정답이 된다.
해석 부상당한 병사들이 치료를 위해 병원으로 보내졌다.
어휘 wound 부상시키다, 상처를 입히다

04   해설 disappoint는 감정표현동사이고 수식하는 명사가 사물(results)이므로 현재분사가 필요하다. 따라서 disappointing이 정답이 된다.
해석 신중한 그 의장은 실망스러운 결과를 알렸다.
어휘 chairman 의장   heedful 주의하는, 조심하는   announce 알리다, 공표하다   disappoint 실망시키다

05   해설 과거분사 required가 앞에 있는 명사 labor를 후치수식하는 구조로 뒤에 목적어가 없으므로 required가 정답이 된다.
해석 콤바인의 사용은 작물 수확에 필요한 노동력의 감소를 초래했다.
어휘 combine 콤바인(농기구)   result in 초래하다, 야기하다   reduction 감소, 감축   labor 노동력   harvest 수확(하다)

06   해설 과거분사 done이 뒤에서 앞에 있는 명사 (achievement) 를 후치수식하는 구조로 뒤에 목적어가 없으므로 done이 정답이 된다.
해석 우리 지역사회를 대신해서 나는 잘 이루어낸 성취에 대해 당신에게 진정으로 감사드립니다.
어휘 on behalf of ~을 대신해서   appreciate 감사하다   achievement 성취, 업적

02 분사구문

분사구문이란 분사를 이용해서 복문을 단문으로 바꾸는 문장 전환 기법이다.

① When I watched TV, I heard a strange sound.

→ Watching TV, I heard a strange sound.

② Because I was asked by him, I answered the question.

→ (Being) asked by him, I answered the question.

③ If you turn to the left, you will find the hospital.

→ Turning to the left, you will find the hospital.

④ Even though I have lost my money, I cannot give up buying the book.

→ Having lost my money, I cannot give up buying the book.

⑤ As I looked out the window, I thought about my English teacher.

→ Looking out the window, I thought about my English teacher.

⑥ He said that he loved her while he was wiping the tears.

→ He said that he loved her, (being) wiping the tears.

---

① 내가 TV를 보고 있을 때 나는 이상한 소리를 들었다.
→ TV를 보면서 나는 이상한 소리를 들었다.

② 나는 그에게 질문을 받았기 때문에 나는 그 질문에 답했다.
→ 그에게 질문을 받아서 나는 그 질문에 답했다.

③ 당신이 왼쪽으로 돌면, 당신은 병원을 보게 될 것이다.
→ 왼쪽으로 돌면, 당신은 병원을 보게 될 것이다.

④ 비록 나는 손해를 봤지만 그 책을 사는 것을 포기할 수 없다.
→ 손해를 봤지만 나는 그 책을 사는 것을 포기할 수 없다.

⑤ 내가 창밖을 보았을 때 나는 내 영어 선생님을 생각했다.
→ 창밖을 바라보면서 나는 내 영어 선생님을 생각했다.

⑥ 그는 그녀의 눈물을 닦으면서 그녀를 사랑한다고 말했다.
→ 그녀의 눈물을 닦으면서, 그는 그녀를 사랑한다고 말했다.

👍 One Tip 독립분사구문

주절과 종속절의 주어가 서로 다를 때 종속절의 주어를 그대로 남겨야 하는데 이를 독립분사구문이라 한다.

• As it was cold, we stayed at home.
→ It being cold, we stayed at home.

확인학습 문제

다음 문장을 분사구문으로 전환하시오.

01 As I knew what to do, I didn't ask for his advice.

→ _____

02 If they are read carelessly, some books will do more harm than good.

→ _____

03 Though they were born from the same parents, they bear no resemblance to each other.

→ _____

04 Because he lived on the seashore, he is able to swim.

→ _____

05 As we sang and danced together, we had a good time.

→ _____

06 He was sitting alone while he was folding his arms.

→ _____

07 If you sell the house now, you will lose some money.

→ _____

08 When I looked down into the pond, I saw a reflection of the round moon.

→ _____

09 If weather permits, the performance will take place outside.

→ _____

10 Because there was no class today, I went driving with my boyfriend.

→ _____

01 **정답** Knowing what to do, I didn't ask for his advice.
　　해설 부사절에서 접속사 As를 생략하고 주절과 주어가 동일하므로 I를 생략한다. 주절과 시제가 같으므로 동사 knew 를 현재분사로 고쳐 쓰면 분사구문이 완성된다.
　　해석 뭘 해야 할지를 알고 있었기 때문에 나는 그의 조언을 구하지 않았다.

02 **정답** (Being) Read carelessly, some books will do more harm than good.
　　해설 부사절에서 접속사 If를 생략하고 주절과 주어가 동일하므로 they(= books)를 생략한다. 주절과 시제가 같으므로 (시조부는 현미(시간이나 조건의 부사절에서는 현재가 미래시제를 대신해야 한다)) 동사 are를 현재분사로 고쳐 Being을 쓰면 분사구문이 완성된다. 이때 현재분사 Being은 생략이 가능하다.
　　해석 소홀히 읽히면 몇몇 책들은 이롭기보다는 더 해롭다.
　　어휘 carelessly 소홀히, 부주의하게　do harm 해를 끼치다, 악영향을 주다 (do good 이롭다)

03 **정답** (Having been) Born from the same parents, they bear no resemblance to each other.
　　해설 부사절에서 접속사 Though를 생략하고 주절과 주어가 동일하므로 they를 생략한다. 주절과 시제가 다르므로 were born을 Having been born으로 고쳐 쓰면 분사구문이 완성된다. 이때 Having been은 생략이 가능하다.
　　해석 같은 부모에게서 태어났어도, 그들은 서로 닮지 않았다.
　　어휘 bear (a) resemblance to ~과 닮다

04 **정답** Having lived on the seashore, he is able to swim.
　　해설 부사절에서 접속사 Because를 생략하고 주절과 주어가 동일하므로 he를 생략한다. 하지만 주절과 시제가 서로 다르기 때문에 lived를 having lived로 고쳐 써야 한다.
　　해석 바닷가에 살고 있어서 그는 수영을 할 수 있다.
　　어휘 seashore 바닷가, 해안(= beach, coastline, seaside)

05 **정답** Singing and dancing together, we had a good time.
　　해설 부사절에서 접속사 As를 생략하고 주절과 주어가 동일하므로 we를 생략한다. 주절과 시제가 같으므로 동사 sang and danced를 현재분사로 고쳐 쓰면 분사구문이 완성된다.
　　해석 노래하고 춤추며 우리는 함께 즐거운 시간을 보냈다.
　　어휘 have a good time 즐거운 시간을 보내다

06 **정답** He was sitting alone, (being) folding his arms.
　　해설 등위접속사 and를 생략하고 앞 문장과 주어가 동일하므로 he를 생략한다. 앞 문장과 시제가 같으므로 동사 was 를 현재분사로 고쳐 쓰면 분사구문이 완성된다. 이때 현재분사 being은 생략이 가능하다.
　　해석 그는 팔짱을 낀 채 홀로 앉아 있던 중이었다.
　　어휘 fold one's arms 팔짱을 끼다

07 **정답** Selling the house now, you will lose some money.
　　해설 부사절에서 접속사 If를 생략하고 주절과 주어가 동일하므로 you를 생략한다. 주절과 시제가 같으므로(시조부는 현미(시간이나 조건의 부사절에서는 현재가 미래시제를 대신해야 한다)) 동사 sell을 현재분사 selling으로 고쳐 쓰면 분사구문이 완성된다.
　　해석 만약 지금 그 집을 판다면, 너는 손해가 날 것이다.
　　어휘 lose money 손해가 나다, 돈을 잃다

08 **정답** Looking down into the pond, I saw a reflection of the round moon.
　　해설 부사절에서 접속사 When을 생략하고 주절과 주어가 동일하므로 I를 생략한다. 주절과 시제가 같으므로 동사 looked를 현재분사로 고쳐 쓰면 분사구문이 완성된다.
　　해석 연못 아래를 쳐다볼 때 나는 둥근달의 반사된 모습을 보았다.
　　어휘 pond 연못　reflection 반영, 반사

09 **정답** Weather permitting, the performance will take place outside.
　　해설 부사절에서 접속사 If를 생략하고 주절과 주어가 다르므로 weather를 생략할 수 없다. 주절과 시제가 같으므로(시조부는 현미(시간이나 조건의 부사절에서는 현재가 미래시제를 대신해야 한다)) permit을 현재분사로 고쳐 쓰면 분사구문이 완성된다.
　　해석 날씨만 허락한다면 그 공연은 야외에서 열릴 것이다.
　　어휘 permit 허락하다, 허가하다　performance 공연, 연주(회); 실적, 성과　take place 발생하다

10 **정답** There being no class today, I went driving with my boyfriend.
　　해설 부사절에서 접속사 Because를 생략하고 주절과 주어가 다르므로 no class를 생략할 수 없다. 주절과 시제가 같으므로 동사 was를 현재분사로 고쳐 쓰면 분사구문이 완성된다.
　　해석 수업이 없어서 나는 남자친구와 드라이브를 갔다.

UNIT 02 분사구문의 기타 용법

01 분사구문의 관용적 표현

1 generally speaking 일반적으로 말하자면
2 admitting (that) ~을 인정할지라도
3 granting(= granted) (that) ~을 인정할지라도
4 strictly speaking 엄격하게 말해서
5 frankly(= honestly) speaking 솔직히 말하자면
6 considering (that) ~임을 고려하면
7 given (that) ~임을 고려하면
8 speaking of ~에 관해 말하자면
9 judging from ~으로 판단하건데
10 provided (that) 만약 ~라면

① Generally speaking, coffee has more caffeine than tea.

② Admitting that he is honest, he cannot be trusted with money.

③ Granting(Granted) that it is true, you are still in the wrong.

④ Strictly speaking, spiders aren't insects.

⑤ Frankly speaking, I forgot his name.

⑥ Considering that he is a new actor, his acting wasn't that bad.

⑦ Given that she is interested in children, I am sure teaching is the right career for her.

⑧ Speaking of myself, I read books on the weekend.

⑨ Judging from what I have heard, he is a man of high birth.

⑩ Provided that you give me a discount, I'll buy the car right away.

① 일반적으로 말하자면, 커피는 차보다 카페인이 더 많다.

② 그가 정직한 것은 인정하더라도, 그는 돈에 있어서 믿을 수 없다.
admit 인정하다

③ 그게 사실이라 인정하더라도, 여전히 너는 잘못했다.
in the wrong (사고, 실수, 언쟁 등에서) 잘못을 한, 과실이 있는

④ 엄밀히 말해서, 거미는 곤충이 아니다.
insect 곤충

⑤ 솔직히 말하자면, 나는 그의 이름이 기억나지 않았다.

⑥ 그가 신인 배우인 것을 감안하면, 그의 연기는 그렇게 나쁘진 않다.

⑦ 그녀가 아이들에게 관심이 있는 것을 고려하면, 내가 확신하건 데 교직은 그녀에게 딱 맞는 직업이다.
teaching 교직 **career** 직업

⑧ 나에 관해 말하자면 나는 주말에 책을 읽는다.

⑨ 내가 들은 것으로 판단하건데, 그는 명문가 출신이다.
a man of (a) high birth 명문가 출신

⑩ 만약 당신이 나에게 할인을 해준 다면, 나는 이 차를 당장 사겠다.
right away 지금 당장

확인학습 문제

다음 빈칸에 적절한 분사구문 표현을 넣으시오.

01 _____ Tom is in his 70, this record is a remarkable achievement.
   (~임을 고려하면)

02 _____ your statement is true, that is no answer to the charge.
   (~을 인정할지라도)

03 _____ her accent, she is a foreigner.
   (~으로 판단하건데)

04 _____ the price right, we'll buy everything you produce.
   (만약 ~라면)

05 _____, the book is not a novel, but a short story.
   (엄격하게 말해서)

---

01 해설 분사구문의 관용적 표현으로 **considering that**(= given that)은 '~을 고려하면'이란 뜻을 나타낸다.
    해석 Tom이 70대인 것을 고려하면, 이 기록은 놀랄 만한 결과다.
    어휘 **record** 기록 **remarkable** 놀랄 만한, 기록할 만한 **achievement** 업적, 성취, 결과

02 해설 분사구문의 관용적 표현으로 **admitting that**(= granted that)은 '~을 인정할지라도'란 뜻을 나타낸다.
    해석 당신 말이 사실이라고 인정하더라도, 그것은 변명이 될 순 없다.
    어휘 **statement** 진술, 말 **charge** 책임; 비난

03 해설 분사구문의 관용적 표현으로 **judging from**은 '~으로 판단하건데'란 뜻을 나타낸다.
    해석 그녀의 억양으로 판단하건데, 그녀는 외국인이다.
    어휘 **accent** 억양, 강세 **foreigner** 외국인, 이방인

04 해설 분사구문의 관용적 표현으로 **provided (that)**은 '만약 ~라면'이란 뜻을 나타낸다.
    해석 가격이 적절하다면, 우리는 당신이 생산해 내는 모든 것을 살 것이다.
    어휘 **right** 적절한, 적당한; 권리 **produce** 생산하다; 농작물

05 해설 분사구문의 관용적 표현으로 **strictly speaking**은 '엄격하게 말해서'란 뜻을 나타낸다.
    해석 엄격하게 말해서, 그 책은 소설이 아니라 짧은 이야기 글이다.
    어휘 **novel** 소설; 새로운

02 현재분사 vs. 동명사 vs. 분사구문

구 분	동명사	현재분사
be동사 + ⓥ-ing	보어: ~하는 것 His job is singing in the bar.	진행 시제: ~하는 중이다 She is singing in the bar.

구 분	동명사	분사구문
문장 처음에 ⓥ-ing로 시작	① 중간에 ,(콤마)가 없다. ② 중간에 동사만 존재한다. Watching TV is interesting.	① 중간에 ,(콤마)가 있다. ② ,(콤마) 다음에 S+V가 있다. Watching TV, I heard the sound.

① Mike's favorite pastime is updating his blog.

② We are updating that database currently.

③ Having a meal together is the most important thing in human relations.

④ Having a meal together, they are going to talk about the issue.

① Mike가 가장 좋아하는 취미는 그의 블로그를 업데이트하는 것이다.
pastime 취미, 여가생활

② 우리는 현재 그 데이터베이스를 업데이트 중이다.
currently 현재

③ 함께 식사를 하는 것은 인간 관계에서 가장 중요한 일이다.
relation(s) 관계

④ 식사를 함께하며, 그들은 그 문제에 대하여 이야기 중이다.

준동사의 동사적 성질

English
Grammar

UNIT 01 준동사의 의미상의 주어

01 준동사의 동사적 성질

준동사는 동사에 준하기 때문에 동사적 성질을 갖는다. 따라서 준동사도 의미상의 주어가 있어야 하고 경우에 따라서는 의미상 목적어나 보어 또는 전치사구나 부사(구)가 뒤에 딸린 어구로 있어야 한다. 또한 준동사도 시제나 태의 원칙을 따른다.

① 그 의사가 나에게 방을 깨끗이 유지하라고 충고했다.

① The doctor advised me to keep my room clean.

② 우리는 당신의 아들이 우리 회사에 지원한 것에 대해 감사드립니다.

② We thank you for your son's applying for our company.

③ Bill Gates는 그 남자가 어제 길을 건너고 있는 것을 보았다.

③ Bill Gates saw him crossing the street yesterday.

02 준동사의 의미상의 주어

to부정사의 의미상의 주어는 그 격을 목적격으로 취하고 동명사의 의미상의 주어는 그 격을 소유격이나 목적격으로 취하며 분사의 의미상의 주어는 그 격을 주격이나 목적격으로 취한다.

① 나는 그가 그것을 하기를 원한다.

① I want him to do it.

② 나는 당신이 창문을 여는 것을 꺼려 한다.

② I minded your opening the window.

③ 비가 와서, 우리는 밖으로 나갈 수 없다.

③ The rain coming, we cannot go out.

03 준동사의 의미상의 주어 생략

준동사의 의미상의 주어와 문법상의 주어가 일치하는 경우에도 준동사의 의미상의 주어가 막연한 일반인일 때에는 의미상의 주어는 생략할 수 있다.

① I want to study English hard. (의미상의 주어 = I)

　참고　I want him to study English hard. (의미상의 주어 ≠ him)

① 나는 영어 공부를 열심히 하고 싶다.
　참고　나는 그가 영어공부를 열심히 하기를 원한다.

② It is not easy to break a bad habit. (의미상의 주어 = 막연한 일반인)

　참고　It is not easy for him to break a bad habit. (문법상 주어 = him)

② 나쁜 습관을 없애기는 쉽지 않다.
　참고　그가 나쁜 습관을 없애기는 쉽지 않다.

👍 One Tip for + 의미상의 주어 + to ⓥ

• I want him to do it. 나는 그가 그것을 하기를 원했다.

• It is difficult for him to do it. 그가 그것을 하기는 어렵다.

• I made a cake for him to eat. 나는 그가 먹을 케이크를 만들었다.

👍 Two Tips It is 인성형용사 + of + 목적격 + to ⓥ

인성형용사 : stupid(어리석은), kind(친절한), considerate(사려깊은), careless(부주의한), generous(관대한), nice(멋진), polite(공손한), clever(영리한), rude(무례한), cruel(잔인한)

• It is stupid of you to say so. 당신이 그렇게 말하는 것은 어리석다.

• It is kind of him to help me out. 그가 나를 도와주는 것은 친절하다.

확인학습 문제1

다음 준동사의 '의미상의 주어', '의미상의 목적어', '의미상의 보어'를 찾아 표시하시오.

01 Lucy pretended to know the answer to my question.

02 I look forward to your listening to the great music.

03 It was kind of you to lend me the money.

04 He went to the bookstore to buy some books.

05 It is usual for my sister to get up late in the morning.

---

01 **해설** 부정사 **to know**의 의미상의 주어는 **Lucy**이고 의미상의 목적어는 **the answer**이다.
   해석 Lucy는 나의 질문에 답을 아는 체했다.
   어휘 pretend to ⓥ ~인 체하다

02 **해설** 동명사 **listening**의 의미상의 주어는 **your**이고 의미상의 목적어는 **music**이다.
   해석 나는 당신이 그 위대한 음악을 듣기를 간절히 바란다.
   어휘 look forward to ⓥ-ing -하기를 바란다, 간절히 바라다

03 **해설** 부정사 **to lend**의 의미상의 주어는 **you**이고 의미상 간접 목적어는 **me**, 그리고 직접목적어는 **the money**이다.
   해석 당신이 나에게 돈을 빌려준 것은 매우 친절한 일이었다.

04 **해설** 부정사 **to buy**의 의미상의 주어는 **He**이고 의미상의 목적어는 **some books**이다.
   해석 그는 서점에 몇 권의 책을 사러 갔다.

05 **해설** 부정사 **to get up**의 의미상의 주어는 **my sister**이다.
   해석 아침에 내 여동생이 늦게 일어나는 것은 흔한 일이다.

확인학습 문제2

Correct the error, if any.

01 They went into the store of me to come through.

02 It was stupid for him to accept their offer.

03 My parents went outside me to study quietly at home.

04 It was generous for her to give me an advice.

05 It is disgraceful a newspaper to publish such lies.

---

01 **해설** to ⓥ의 의미상의 주어는 전치사 **for**를 이용한다. 따라서 **of me**를 **for me**로 고쳐 써야 한다.
   해석 그들은 내가 지나가도록 가게 안으로 들어갔다.
   어휘 come through 지나가다, 비켜 가다

02 **해설** to ⓥ의 의미상의 주어를 쓸 때, 사람의 인성을 나타낼 때에는 전치사 **of**를 사용한다. 따라서 **for him**을 **of him**으로 고쳐 써야 한다.
   해석 그가 그들의 제안을 받아들인 것은 어리석었다.

03 **해설** to ⓥ의 의미상의 주어의 격을 목적격으로 하기 위하여 **me** 앞에 전치사 **for**가 필요하다.
   해석 나의 부모님은 내가 집에서 조용히 공부할 수 있도록 외출하셨다.

04 **해설** 인성을 나타내는 형용사(**generous**) 다음 to ⓥ의 의미상의 주어는 전치사 **of**를 사용해야 한다. 따라서 **for**를 **of**로 고쳐 써야 한다.
   해석 그녀가 나에게 조언을 해 준 것은 관대한 일이다.

05 **해설** to ⓥ의 의미상의 주어의 격을 목적격으로 하기 위하여 **a newspaper** 앞에 전치사 **for**가 필요하다.
   해석 신문이 그런 거짓말을 게재한 것은 수치스러운 것이다.
   어휘 disgraceful 우아하지 못한, 수치스러운 publish 출판하다

UNIT 02 준동사의 시제와 태

01 준동사의 시제

준동사도 동사에 준하기 때문에 시제 일치가 필요하다. 주절의 시제와 준동사의 시제가 같으면 단순시제를 사용하며 주절의 시제보다 하나 앞서면 완료시제를 사용한다.

준동사		시제	단순시제	완료시제
to부정사			to ⓥ	to have p.p
동명사			ⓥ-ing	having p.p
분사	현재분사		ⓥ-ing	having p.p
	과거분사		ⓥ-ed	having been p.p

① It is said that elephants are clever.
  = Elephants are said to be clever.

① 코끼리는 영리하다고 전해진다.
   clever 영리한

② It is said that elephants were clever.
  = Elephants are said to have been clever.

② 코끼리는 영리했다고 전해진다.

③ He is proud that he has four sons.
  = He is proud of having four sons.

③ 그는 네 명의 아들을 둔 것이 자랑스럽다.

④ He was proud that he had won the game.
  = He was proud of having won the game.

④ 그는 그 경기에서 승리했던 것이 자랑스러웠다.

⑤ If you use the following clues, you can find the answer.
  = Using the following clues, you can find the answer.

⑤ 만약 당신이 다음 단서들을 사용한다면, 해답을 구할 수 있다.
   = 다음 단서들을 사용해서 당신은 해답을 구할 수 있다.

⑥ Although he failed three times, he doesn't give up.
  = Having failed three times, he doesn't give up.

⑥ 비록 그가 세 번이나 실패했지만, 그는 포기하지 않는다.
   = 세 번 실패했어도 그는 포기하지 않는다.

02 준동사의 태

준동사도 동사의 성질이 있기 때문에 태의 일치에 유의해야 한다. 준동사 뒤에 목적어가 있으면 능동의 형태(to ⓥ / ⓥ-ing)를 취해야 하고 목적어가 없으면 수동의 형태(to be p.p / ⓥ-ed)를 취해야 한다.

① 내 남동생은 너무 어려서 처벌 받지 않았다.

① My brother was too young [to punish / to be punished].

② 중간고사는 올해 있을 예정이다.

② A mid-term is scheduled [to arise / to be arisen] this year.

③ 나는 그를 알았던 것이 자랑스 럽다.

③ I am proud of [having known / having been known] him.

④ 그녀는 모욕당했던 것을 불평했다.
insult 모욕하다

④ She complained of [having insulted / having been insulted].

⑤ 그는 눈을 감은 채로 소파에 누 워 있었다.
couch 소파

⑤ He lay on the couch with his eyes [closing / closed]

⑥ 전에 그에게 속은 적이 있어서, 그녀는 그를 싫어한다.
deceive 속이다
hate 증오하다

⑥ [Having deceived / Deceived] by him before, she hates him.

👍**One Tip** 준동사의 부정

준동사의 부정은 준동사 바로 앞에 **not**이나 **never**를 사용한다.

• I locked the door for him not to get in. 나는 그가 들어오지 못하도록 문을 잠갔다.
   참고 I didn't lock the door for him to get in. 나는 그가 들어오도록 문을 잠그지 않았다.

• He was careful about not leaving any tracks. 그는 흔적을 남기지 않으려고 주의했다.
   참고 He was not careful about leaving any tracks.
        그는 흔적을 남기는 것에 대해 주의하지 않았다.

• Not knowing where to go, he got a taxi. 어디로 갈지 몰랐기 때문에 그는 택시를 탔다.

MEMO

기본문제

01 어법상 옳은 것은? 2022. 국가직 9급

① A horse should be fed according to its individual needs and the nature of its work.

② My hat was blown off by the wind while walking down a narrow street.

③ She has known primarily as a political cartoonist throughout her career.

④ Even young children like to be complimented for a job done good.

02 우리말을 영어로 잘못 옮긴 것을 고르시오. 2022. 국가직 9급

① 커피 세 잔을 마셨기 때문에, 그녀는 잠을 이룰 수 없다.
→ Having drunk three cups of coffee, she can't fall asleep.

② 친절한 사람이어서, 그녀는 모든 이에게 사랑받는다.
→ Being a kind person, she is loved by everyone.

③ 모든 점이 고려된다면, 그녀가 그 직위에 가장 적임인 사람이다.
→ All things considered, she is the best-qualified person for the position.

④ 다리를 꼰 채로 오랫동안 앉아 있는 것은 혈압을 상승시킬 수 있다.
→ Sitting with the legs crossing for a long period can raise blood pressure.

정답 및 해설

01 해설 ① feed의 수동태 be fed 뒤에 목적어가 없으므로 수동의 형태는 어법상 적절하고 전치사 according to 다음 명사의 사용과 horse를 대신하는 대명사 its 모두 어법상 적절하다.

② 접속사 while 다음 '(주어 + be동사)'가 생략될 때에는 문법상의 주어와 일치하거나 또는 접속사의 주어가 막연한 일반인일 때 생략가능한데 문법상의 주어(my hat)와 while 다음 주어가 문맥상 일치하지 않으므로 while walking의 사용은 어법상 적절하지 않다. 따라서 while walking은 while I was walking으로 고쳐 써야 한다.

③ 동사 has known의 목적어가 없으므로 수동의 형태가 필요하다. 따라서 has known은 has been known으로 고쳐 써야 한다.

④ 과거분사 done을 수식할 수 있는 것은 부사여야 하므로 형용사 good은 부사 well로 고쳐 써야 한다.

해석 ① 말은 개별적 욕구와 말이 하는 일의 특성에 따라 먹이를 줘야 한다.

② 좁은 길을 따라 걷고 있는 동안 내 모자가 바람에 날아갔다.

③ 그녀는 일하는 동안 주로 정치 풍자만화가로 알려져 왔다.

④ 심지어 어린 아이들조차도 잘한 일에 대해 칭찬받기를 좋아한다.

02 해설 ④ with A B 구문을 묻고 있다. 현재분사 crossing 다음 목적어가 없으므로 crossing은 crossed로 고쳐 써야 한다.

① 분사구문 Having drunk다음 목적어가 있으므로 능동의 형태는 어법상 적절하고 커피를 마신 시점이 지금 현재 잠을 잘 수 없다는 시점보다 한 시제 앞서기 때문에 having p.p(having drunk)의 사용 역시 어법상 옳다.

② 분사구문의 의미상 주어와 문법상의 주어가 서로 같으므로 Being의 사용은 어법상 적절하고 is loved 다음 목적어가 없으므로 수동의 형태 역시 어법상 옳다.

③ 분사구문 considered 다음 목적어가 없으므로 과거분사 considered의 사용은 어법상 옳고 분사구문의 의미상 주어와 문법상의 주어가 서로 다르기 때문에 All things의 사용 역시 어법상 적절하다.

01
feed ① 먹다 ② 먹이다
according to ~에 따라서, ~에 따르면
need 욕구
nature ① 본성, 특성 ② 자연
blow off ~을 날려버리다
narrow 좁은
primarily 주로
political 정치적인
cartoonist 만화가
throughout 도처에, ~동안, 쭉 내내
career ① 직업, 경력 ② 생활
compliment 칭찬하다

02
raise 올리다
blood pressure 혈압

03 어법상 옳은 것은?

2021. 지방직 9급

① My sweet-natured daughter suddenly became unpredictably.

② She attempted a new method, and needless to say had different results.

③ Upon arrived, he took full advantage of the new environment.

④ He felt enough comfortable to tell me about something he wanted to do.

04 어법상 옳지 않은 것은?

2021. 지방직 9급

① Fire following an earthquake is of special interest to the insurance industry.

② Word processors were considered to be the ultimate tool for a typist in the past.

③ Elements of income in a cash forecast will be vary according to the company's circumstances.

④ The world's first digital camera was created by Steve Sasson at Eastman Kodak in 1975.

정답 및 해설

03 해설 ② 부정사의 관용적 용법인 **needless to say**(말할 필요도 없이)의 사용과 접속사 **and**를 기준으로 동사 **attempted**와 **had**가 병렬을 이루는 구조 모두 어법상 적절하다. 참고로 **needless to say**는 부사구로서 뒤에 있는 동사 **had**를 수식하고 있다.
① 2형식 동사 **become** 뒤에는 형용사 보어가 필요하므로 부사 **unpredictably**는 형용사 **unpredictable**로 고쳐 써야 한다.
③ **upon**은 전치사이므로 뒤에 명사나 전치사가 위치해야 한다. 따라서 동사 **arrived**는 문맥상 **arriving**으로 고쳐 써야 한다.
④ **enough**가 형용사를 수식할 때에는 반드시 후치수식해야 하므로 **enough comfortable**는 **comfortable enough**로 고쳐 써야 한다.

해석 ① 나의 착한 딸이 갑자기 예측 불가능해졌다.
② 그녀는 새로운 방법을 시도했고, 말할 필요도 없이 다른 결과물을 얻었다.
③ 그는 도착하자마자, 새로운 환경을 충분히 활용했다.
④ 그는 자신이 하고 싶은 것에 대해 내게 말할 만큼 충분히 편안해 졌다.

03
sweet-natured 착한, 다정한
unpredictably 예측 불가능하게
attempt 시도하다
needless to say 말할 필요도 없이
upon (on) ~ **ing** ~ 하자마자
take advantage of ~ ~을 이용 (활용)하다
comfortable 편안한

04 해설 ③ 동사 **be**와 동사 **vary**는 겹쳐 사용할 수 없다. 따라서 **be vary**는 **be various**나 **vary**로 고쳐 써야 한다.
① 주어가 **Fire**이므로 단수동사 **is**의 사용은 어법상 적절하고 또한 **following** 뒤에 의미상 목적어(**earthquake**)가 있으므로 능동의 형태 역시 어법상 옳다. 또한 'of + 추상명사'는 형용사 역할을 하므로 **be**동사 뒤에 사용가능하다.
② 인지동사 **consider**의 수동태 구문으로 목적격 보어 자리에 **to**부정사의 사용은 어법상 적절하고 과거표시부사구 **in the past**가 있으므로 과거동사 **were**의 사용 역시 어법상 옳다.
④ 주어가 단수명사(**camera**)이므로 단수동사 **was**의 사용은 어법상 적절하고 뒤에 목적어가 없으므로 수동의 형태도 어법상 옳다. 또한 과거연도 **1975**년이 있으므로 과거시제의 사용 역시 어법상 적절하다.

해석 ① 지진 후에 따른 화재는 보험업계에 특별한 관심이 된다.
② 워드 프로세서는 과거에 키보드 사용자에게 최고의 도구로 여겨졌다.
③ 현금 예측의 소득 요인은 회사 상황에 따라 달라질 것이다.
④ 세계 최초의 디지털 카메라는 1975년 Eastman Kodak에서 Steve Sasson이 만들었다.

04
earthquake 지진
insurance 보험
industry 업계
ultimate 최고의, 궁극의
element 요소, 요인
forecast 예상, 예측
circumstance 상황

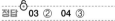

05 우리말을 영어로 잘못 옮긴 것은?

2020. 지방직 9급

① 나는 네 열쇠를 잃어버렸다고 네게 말한 것을 후회한다.

→ I regret to tell you that I lost your key.

② 그 병원에서의 그의 경험은 그녀의 경험보다 더 나빴다.

→ His experience at the hospital was worse than hers.

③ 그것은 내게 지난 **24**년의 기억을 상기시켜 준다.

→ It reminds me of the memories of the past 24 years.

④ 나는 대화할 때 내 눈을 보는 사람들을 좋아한다.

→ I like people who look me in the eye when I have a conversation.

06 밑줄 친 부분 중 어법상 옳지 않은 것을 고르시오.

2019. 국가직 9급

Domesticated animals are the earliest and most effective 'machines' ① <u>available</u> to humans. They take the strain off the human back and arms. ② <u>Utilizing</u> with other techniques, animals can raise human living standards very considerably, both as supplementary foodstuffs (protein in meat and milk) and as machines ③ <u>to carry</u> burdens, life water, and grind grain. Since they are so obviously ④ <u>of</u> great benefit, we might expect to find that over the centuries humans would increase the number and quality of the animals they kept. Surprisingly, this has not usually been the case.

정답 및 해설

05 **해설** ① regret 다음 to부정사는 '앞으로 할 일에 대한 유감'을 나타내므로 '과거사실에 대한 후회'를 나타내는 우리말은 적절한 영작이 될 수 없다. 따라서 주어진 우리말을 영어로 적절하게 옮기려면 to tell을 telling으로 고쳐 써야 한다.

② 비교대상의 명사(experience)를 반복해서 사용하지 않으므로 소유대명사 hers의 사용은 어법상 적절하다.

③ remind A of B 구문을 묻고 있다. 따라서 reminds me of의 사용은 어법상 적절하고 지난 24년간의 기억을 지금 현재 상기시켜 주는 것이기 때문에 현재시제의 사용 역시 어법상 옳다.

④ '보다/접촉동사 + 목적어 + 전치사 + the + 신체일부' 구문을 묻고 있다. 따라서 look me in the eye의 사용은 어법상 적절하다.

06 **해설** ② 자리값에 의해 준동사 자리이고 뒤에 목적어가 없으므로 utilizing은 utilized로 고쳐 써야 한다.

① 명사를 후치수식하는 형용사 available은 어법상 적절하다.

③ 명사를 후치수식하는 형용사 역할을 하는 to부정사(to carry)의 사용은 어법상 옳다.

④ of + 추상명사는 형용사(of benefit → beneficial)의 역할을 하므로 be동사의 보어 역할은 어법상 적절하고 이 형용사를 수식하는 부사 obviously의 사용 역시 어법상 옳다.

해석 길들여진 동물은 인간이 이용할 수 있는 가장 오래되고 효율적인 '기계'이다. 그들은 인간의 등과 팔의 긴장을 없애준다. 다른 기술들을 이용해서 고기와 우유에 있는 단백질을 제공하는 보조 음식으로서, 그리고 짐과 물을 나르고, 곡식을 가는 기계로서도 가축들은 인간의 생활 수준을 매우 크게 높일 수 있다. 가축들은 분명히 매우 이익이 되기 때문에, 우리는 수세기에 걸쳐 인간이 기르고 있는 동물의 수와 품질을 증가시켰을 것이라 기대할 것이다. 놀랍게도, 이것은 보통 그렇지 않았다.

06
domesticated 길들여진
available 이용 가능한
strain 긴장
utilize 이용하다, 활용하다
raise 올리다
living standard 생활 수준
considerably 상당히, 아주, 매우
supplementary 보조의
foodstuff 식품
protein 단백질
burden 짐, 부담
grind 갈다
grain 곡식, 곡물
obviously 분명히, 명백하게

07 다음 밑줄 친 부분 중 어법상 옳지 않은 것은?

2018. 국가직 9급

Focus means ① getting stuff done. A lot of people have great ideas but don't act on them. For me, the definition an entrepreneur, for instance, is someone who can combine innovation and ingenuity with the ability to execute that new idea. Some people think that the central dichotomy in life is whether you're positive or negative about the issues ② that interest or concern you. There's a lot of attention ③ paying to this question of whether it's better to have an optimistic or pessimistic lens. I think the better question to ask is whether you are going to do something about it or just ④ let life pass you by.

08 다음 우리말을 영어로 잘못 옮긴 것은?

2018. 지방직 9급

① 모든 정보는 거짓이었다.

→ All of the information was false.

② 토마스는 더 일찍 사과했어야 했다.

→ Thomas should have apologized earlier.

③ 우리가 도착했을 때 영화는 이미 시작했었다.

→ The movie had already started when we arrived.

④ 바깥 날씨가 추웠기 때문에 나는 차를 마시려 물을 끓였다.

→ Being cold outside, I boiled some water to have tea.

정답 및 해설

07 **해설** ③ 자릿값에 의해 준동사 자리는 어법상 적절하지만 **paying** 뒤에 목적어가 없으므로 **paying**은 **paid**로 고쳐 써야 한다.

① **mean+ⓥ-ing** 구문(ⓥ하는 것을 의미하다)과 수동의 형태 **done** 뒤에 목적어가 없으므로 어법상 적절하다.

② 관계대명사 **that** 뒤에 주어가 없고 선행사가 복수명사(**issues**)이므로 복수동사 **interest or concern**은 어법상 적절하고 동사 뒤에 목적어 **you**가 있으므로 능동의 형태 역시 어법상 옳다.

④ **do**와 **let**은 접속사 **or**를 기준으로 병렬을 이루고 있고 사역동사 **let** 다음 원형부정사 **pass**와 **pass by** 사이에 대명사 **you**의 위치 모두 어법상 적절하다.

해석 집중이란 어떤 일을 완성하는 것을 의미한다. 많은 사람들은 훌륭한 생각들은 가지고 있지만, 그것들을 실행에 옮기지는 않는다. 예를 들어, 나에게 기업가의 정의는 새로운 생각을 실행할 수 있는 능력과 혁신 그리고 독창성을 함께 갖추고 있는 사람이다. 몇몇 사람들은 인생의 중심적인 이분법적 생각은 '당신을 흥미 있게 하거나 걱정시키는 문제들에 대해서 당신이 긍정적이냐, 부정적이냐'에 관한 것이라고 생각한다. 낙관적인 관점을 갖는 것이 낫냐 아니면 회의적인 것이 낫냐에 대한 질문에 많은 관심이 쏠려 있다. 나는 우리가 무언가에 대해 어떤 것을 할 것이냐 혹은 인생이 그냥 당신을 지나치게 할 것이냐를 질문하는 것이 더 낫다고 생각한다.

07
entrepreneur 사업가, 기업가
innovation 혁신
ingenuity 기발함, 독창성
dichotomy 이분법
optimistic 낙천적인, 낙관적인
pessimistic 회의적인
pass by 통과하다, 지나치다

08 **해설** ④ 주절의 주어와 분사구문의 의미상의 주어가 서로 다르기 때문에 **Being cold outside**는 **It being cold outside**로 고쳐 써야 한다.

① **All of** 다음 정관사 **the**의 사용과 **information**은 절대불가산명사이므로 단수형태 모두 어법상 옳고 **All**이 사물을 지칭하므로 단수동사 **was** 역시 어법상 적절하다.

② **should have p.p**는 '~했어야 했는데 그렇지 못했다'의 뜻으로 **should have apologized**는 어법상 옳다.

③ 우리가 도착한 시점(**arrived**:과거)보다 영화가 시작한 것이 먼저이므로 과거완료시제 **had started**는 어법상 적절하다.

08
false 거짓의, 잘못된
apologize 사과하다
boil 끓다, 끓이다

09 다음 우리말을 영어로 옳게 옮긴 것은? 2018. 지방직 9급

① 그는 며칠 전에 친구를 배웅하기 위해 역으로 갔다.

→ He went to the station a few days ago to see off his friend.

② 버릇없는 그 소년은 아버지가 부르는 것을 못 들은 체했다.

→ The spoiled boy made it believe he didn't hear his father calling.

③ 나는 버팔로에 가본 적이 없어서 그곳에 가기를 고대하고 있다.

→ I have never been to Buffalo, so I am looking forward to go there.

④ 나는 아직 오늘 신문을 못 읽었어. 뭐 재미있는 것 있니?

→ I have not read today's newspaper yet. Is there anything interested in it?

10 다음 중 우리말을 영어로 잘못 옮긴 것을 고르시오. 2017. 국가직 9급

① 그 회의 후에야 그는 금융 위기의 심각성을 알아차렸다.

→ Only after the meeting did he recognize the seriousness of the financial crisis.

② 장관은 교통문제를 해결하기 위해 강 위에 다리를 건설해야 한다고 주장했다.

→ The minister insisted that a bridge be constructed over the river to solve the traffic problem.

③ 비록 그 일이 어려운 것이었지만, Linda는 그것을 끝내기 위해 최선을 다했다.

→ As difficult a task as it was, Linda did her best to complete it.

④ 그는 문자 메시지에 너무 정신이 팔려서 제한속도보다 빠르게 달리고 있다는 것을 몰랐다.

→ He was so distracted by a text message to know that he was going over the speed limit.

184 Part 02 준동사

정답 및 해설

PART · 02

09 해설 ① 과거표시부사 ago가 있으므로 과거시제 went는 어법상 적절하고 완성된 문장 다음 부사 역할을 하는 to부정사 to see off(배웅하다) 역시 어법상 옳다.

② 지각동사 hear 다음 calling 뒤에 목적어가 없으므로 목적격 보어 역할을 하는 calling은 수동의 형태 called로 고쳐 써야 한다.

③ look forward to 다음에는 동명사나 명사가 위치해야 하므로 go는 going으로 고쳐 써야 한다.

④ interest는 감정표현동사이므로 사물이 주체일 때에는 ⓥ-ing가 필요하다. interest의 주체가 anything(사물)이므로 interested는 interesting으로 고쳐 써야 한다.

09
see off 배웅하다
spoiled ① 버릇없는 ② 망친
make believe (that) ~인 체하다
look forward to ⓥ-ing ~를 학수고대하다

10 해설 ④ 준동사의 부정은 준동사 바로 앞에 not을 사용해야 하는데 to know 앞에 부정어가 존재하지 않는다. 따라서 so를 too로 고쳐 써야(too ~ to ⓥ : 너무 ~해서 ⓥ할 수 없다) 어법상 적절하다.

① Only+시간·장소 개념이 문두에 위치하므로 뒤에 주어 동사는 도치되어야 한다. 따라서 어법상 옳다.

② 주요명제동사 다음 that절에 꼭 해야 할 일이므로 should가 생략된 동사원형 be는 어법상 적절하다.

③ '애형아(as+형용사+a+명사)' 구문을 묻고 있다. 또한 뒤에 이어지는 as는 '비록 ~일지라도'의 의미를 지닌 양보 접속사이고 as가 양보 접속사로 사용될 때 반드시 동사 다음 보어로 사용되는 명사나 형용사가 접속사 as 앞에 위치(양보절 도치구문)해야 하므로 적절한 영작이 된다.

10
recognize 인식하다
seriousness ① 심각성 ② 진지함
financial 재정적인
crisis 위기
construct 건설하다
complete 끝내다, 완성하다
distract 산만하게[흩어지게] 하다
speed limit 제한 속도

심화문제

01 다음 밑줄 친 부분 중 어법상 옳지 않은 것은?

> Most countries denied exiles' ① coming and failed ② to welcome them after the war, which drove the refugees ③ to deport and considered ④ to scatter elsewhere.

02 다음 밑줄 친 부분 중 어법상 적절하지 않은 것은?

> Since I ① finished reading the newspaper, I have begun ② to ponder what happened in our environment. In that respect, it was an proper determination ③ to put off ④ to construct the new hospital.

03 다음 중 어법상 적절하지 않은 것은?

① We appreciate you to let us know your problem.
② The teacher induced his students to turn the music down.
③ A number of students were studying very hard only to fail the exam.
④ The country is a small one with the three quarters of the land surrounded by the sea.

정답 및 해설

01 해설 ④ consider는 동명사를 목적어로 취해야 하므로 to scatter는 scattering으로 고쳐 써야 한다.
① deny는 뒤에 동명사를 목적어로 취해야 하므로 coming의 사용은 어법상 적절하다.
② fail은 뒤에 to부정사를 목적어로 취해야 하므로 to welcome의 사용은 어법상 옳다.
③ drive는 to부정사를 목적격 보어 자리에 취해야 하므로 to deport의 사용은 어법상 적절하다.

해석 대부분의 나라들은 전쟁 후에 난민들이 오는 것을 거부했고 그들을 환영하지도 않았다. 그로 인해 그 난민들은 추방됐고 도처에 흩어질 것을 고려했다.

어휘

01
exile ① 망명 ② 망명자(=refugee)
deport 추방하다
scatter 흩어지다

02 해설 ④ put off는 동명사를 목적어로 취해야 하기 때문에 to construct는 constructing으로 고쳐 써야 한다.
① since 다음 과거시제 finished는 어법상 적절하고, finish 다음 동명사 reading의 사용 역시 어법상 옳다.
② begin 다음에는 to ⓥ나 동명사 둘 다 가능하므로 to ponder는 어법상 적절하다.
③ 가주어·진주어 구문을 묻고 있다. 따라서 to postpone의 사용은 어법상 옳다.

해석 내가 그 신문을 읽은 후 계속해서 우리 환경에 무슨 일이 일어났는지 생각하기 시작했다. 그런 관점에서 새로운 병원을 짓는 것을 연기하는 것은 적절한 결정이었다.

02
ponder 곰곰이 생각하다, 심사숙고하다
proper 적절한, 적당한
respect ① 존경(하다) ② 관점, 측면
determination 결정, 결심
postpone 연기하다, 미루다
construct 건설하다, 짓다

03 해설 ① appreciate은 동명사를 목적어로 취해야 하므로 to let은 letting으로 고쳐 써야 한다.
② induced는 목적격 보어 자리에 to ⓥ를 사용해야 하므로 어법상 적절하다.
③ a number of+복수명사가 주어일 때 동사는 복수동사를 사용해야 하므로 어법상 적절하고 또한 only to부정사의 사용 역시 어법상 옳다.
④ 자릿값에 의해 surrounded는 준동사 자리이고 뒤에 목적어가 없으므로 수동의 형태는 어법상 적절하다.

해석 ① 우리는 당신이 당신의 문제를 알려주시면 고맙겠습니다.
② 그 선생님은 아이들이 음악 소리를 줄이라고 유도했다.
③ 많은 학생들이 열심히 공부했지만 시험에 떨어졌다.
④ 그 나라는 국토의 3/4이 바다로 둘러싸여 있는 작은 나라이다.

03
induce 설득하다, 유도하다
only to ⓥ하지만 ⓥ하다
surround 둘러싸다, 에워싸다

정답 01 ④ 02 ④ 03 ①

04 다음 중 우리말을 영어로 잘못 옮긴 것은?

① 그는 마치 살 집이 없는 것처럼 행동했다.

→ He acted as if he had no place to live in.

② 많은 피고용인들이 휴가 가기를 간절히 바란다.

→ Many an employee looks forward to taking a vacation.

③ 그 여성은 보험에 들지 않고 차를 운행했음을 인정했다.

→ The woman admitted having driven the car without insurance.

④ 그 컴퓨터는 너무 구식이라서 수리할 가치가 없다.

→ The computer is not worth repairing it because it is too out of date.

05 다음 중 어법상 잘못된 것은?

① He has bought land with an eye to building a house.

② I spent my evenings watching television when I was young.

③ Using this product will advise you cutting fuel costs dramatically.

④ Given that she is interested in children, she has to do many things.

06 다음 중 우리말을 영어로 적절하게 옮긴 것은?

① 그가 그들의 제안을 받아들였다니 경솔했다.

→ It was careless for him to accept their offer.

② 날씨가 허락한다면 그 공연은 야외에서 열릴 것이다.

→ Weather permitting, the performance will take place outside.

③ 그는 산책할 지점을 매일 정한다.

→ He makes a point of taking a walk everyday.

④ 일하는 엄마들은 직장과 가정에서 동시에 일 하느라 바쁘다.

→ Working mothers are busy to do office and house work at the same time.

정답 및 해설

04 해설 ④ be worth ~ing구문에서 be동사의 주어와 ~ing뒤의 의미상 목적어가 서로 같으면 의미상 목적어는 생략해야 하므로 repairing다음 it을 없애야 한다.
① '살 집'을 영어로 표현하면 place to live in이므로 적절한 영작이다.
② Many an employee 다음에 오는 동사 looks(단수)는 어법상 적절하고 look forward to ⓥ-ing 구문도 어법상 옳다.
③ admit다음에는 동명사를 목적어로 취해야 하므로 having driven의 사용은 어법상 적절하다.

04
employee 피고용인
admit 인정하다, 시인하다
out of date 구식의

05 해설 ③ advise+목적어+to ⓥ 구문을 묻고 있다. 따라서 cutting은 to cut으로 고쳐 써야 한다.
① with a view to ⓥ-ing 구문을 묻고 있다. 따라서 building의 사용은 어법상 옳다.
② spend+목적어+ⓥ-ing 구문을 묻고 있다. 따라서 어법상 적절하다.
④ 독립분사구문 given that은 '~임을 고려해 보면'의 의미를 갖는다. 따라서 어법상 옳다.

해석 ① 그는 집을 짓기 위하여 땅을 샀다.
② 나는 어렸을 때 TV를 보면서 저녁시간을 보냈다.
③ 이 물건을 사용하면 연료비를 많이 절감할 것이다.
④ 그녀가 아이들에 관심이 있는 것을 고려해 보면, 그녀는 많은 일을 해야만 한다.

05
with a(n) eye (view) to ⓥ-ing
ⓥ할 목적으로, ⓥ하기 위하여
cut fuel cost 연료비를 절감하다
dramatically 극적으로

06 해설 ② permit은 시간이나 날씨가 주어 자리에 오면 자동사로 사용되므로 Weather permitting은 문법적으로 하자가 없다.
① 경솔했다는 시점보다 그런 일을 한 것이 먼저이기 때문에 to have accepted는 적절하지만 careless(경솔한)는 인성을 나타내는 형용사이므로 전치사 for 대신 of를 사용해야 한다.
③ make a point of ⓥ-ing는 '반드시 ~하다'의 뜻이므로 주어진 제시문과 영어 문장은 내용상 서로 일치하지 않는다.
④ be busy ⓥ-ing 구문을 묻고 있다. 따라서 to do를 doing으로 바꿔야 한다.

06
accept 받아들이다
careless 부주의한, 경솔한
permit 허락하다
performance 공연
take place 일어나다, 발생하다

정답 04 ④ 05 ③ 06 ②

07 다음 우리말을 영어로 가장 적절히 옮긴 것은?

① 그는 그 상자를 들 만큼 충분히 강하다.

   → He is enough strong to lift the box.

② 그는 지적으로 보이려고 항상 안경을 쓴다.

   → He always puts on glasses so as to look intelligently.

③ 정치가들이 이 문제들에 대해 법적으로 대답할 의무는 없다.

   → Politicians are legally bound to answer these questions.

④ 이 마을에 사는 사람들은 통제된 삶 속에서 사는 것 같다.

   → The people in this town appear to live in controlled lives.

08 다음 우리말을 영어로 가장 적절히 옮긴 것은?

① 비록 그는 원했지만 엄지손가락을 잘라도 소용이 없었다.

   → It was no use to cut his thumb off even if he wanted to.

② 나는 껍질을 벗기지 않고 과일을 먹는 것이 현명하다고 생각하지 않는다.

   → I don't think it is wise eat fruit without peeling it.

③ 예, 내가 그를 알지요. 그가 마지막으로 그 물건을 훔쳤어요.

   → Yes, I know him. He is the last man to steal things.

④ 그녀가 학교에 올 때까지는 아무 말도 할 수 없다.

   → There is no saying anything until she comes to school.

정답·및·해설

어휘

07 해설 ④ appear to ⓥ은 '~처럼 보이다'라는 표현으로 적절한 영작이다.
① 부사 enough는 형용사 다음에 위치한다. 따라서 enough strong을 strong enough로 바꿔야 한다.
② so as to ⓥ는 '~하려고'라는 뜻을 지닌 관용적 표현으로 적절한 영작이다. 하지만 2형식 동사 look은 형용사를 보어로 취한다. 따라서 부사 intelligently를 intelligent로 바꿔야 한다.
③ be bound to ⓥ은 '~해야만 한다'라는 관용적 표현이다. 부사 legally의 위치도 적절하다. 하지만 제시문은 '의무가 없다'라고 했으므로 are 다음에 not이 있어야 한다. 따라서 적절한 영작이 될 수 없다.

08 해설 ④ there is no saying은 '~할 수 없다'는 뜻을 가진 동명사의 관용적 표현이다. 따라서 적절한 영작이다.
① it is no use ~ing구문을 묻고 있다. 따라서 to cut은 cutting으로 고쳐 써야 한다.
② 가주어/진주어 구문을 묻고 있다. 따라서 진주어 eat를 to eat로 고쳐 써야 한다.
③ the last man to ⓥ는 '결코 ~하지 않을 사람'이란 관용적 표현이다. 따라서 적절한 영작이 될 수 없다.

08
thumb 엄지손가락
peel 껍질(을 벗기다)

09 다음 우리말을 영어로 옮긴 것 중 가장 적절한 것은?

① 그 남자는 머리를 흩날리며 나에게 뛰어왔다.
→ With his hair flying in the wind, he ran to me.

② 그 여자는 서울에 있을 때 아주 부자였다고 한다.
→ The woman is said to be very rich while in Seoul.

③ 이번 학기에 등록한 학생 숫자가 감소했다.
→ The number of students registering this semester has decreased.

④ 컴퓨터를 켜 보니 편지함에 새로운 메일이 와 있었다.
→ After turning on the computer, a new mail was found in the mailbox.

10 다음 중 어법상 틀린 것은?

① The man leaning against the car is waiting for his wife.
② She is competent enough to strike a deal with the company.
③ Having not studied hard in the university, he has lots of troubles.
④ Renovating the entire buildings cost over a million dollars those days.

정답 및 해설

09
register 등록하다
semester 학기

09 해설 ① fly는 자동사이므로 능동의 형태 **flying**은 적절하다. 따라서 적절한 영작이다.

② 부자였던 시점과 사람들이 말하는 시점이 서로 다르기 때문에(부자였던 시점이 말하는 시점 보다 한 시제 앞서기 때문에) **to be**는 **to have been**으로 고쳐 써야 한다.

③ **the number of** ~는 단수동사를 사용해야 하므로 단수동사 **has**의 사용은 어법상 적절하지만 register는 타동사이므로 뒤에 목적어가 있어야 한다. 따라서 **registering**을 **registered**로 고쳐 써야 한다.

④ **turning on**의 주어와 주절의 주어 **a new mail**이 일치하지 않기 때문에 어법상 옳지 않다. 따라서 종속절을 **After he turned on** ~으로 고쳐 써야 한다.

10
lean against[on] ~에 기대다
competent 능력 있는
strike a deal with ~와 거래하다
renovate 개조하다
entire ① 전체의 ② 완전한

10 해설 ③ 준동사의 부정은 준동사 바로 앞에 **not**이나 **never**를 붙인다. 따라서 **Having** 뒤에 **not**은 적절하지 않다. **Having** 앞에 **not**을 사용해야 한다.

① lean은 '~에 기대다'의 뜻으로 자동사이다. 따라서 능동의 형태 **leaning**의 사용은 어법상 옳다.

② enough는 형용사 뒤에 위치해서 후치수식해야 하므로 **competent enough**의 사용은 어법상 적절하다.

④ 주어가 **Renovating**(동명사)이므로 동사는 단수동사가 필요하다. 하지만 문장 제일 마지막에 **those days**(과거표시부사구)가 있으므로 동사 **cost**는 현재시제가 아니라 과거시제로 사용되었다. **cost**는 과거나 과거분사 모두 **cost**이다. 따라서 어법상 옳다.

해석 ① 차에 기대 있는 그가 그의 아내를 기다리고 있다.

② 그녀는 그 회사와 거래를 할 만큼 충분히 능력이 있다.

③ 대학에서 열심히 공부하지 않았기 때문에, 그는 많은 어려움을 가지고 있다.

④ 그 당시에 전체 건물들을 개조하는데 백만 불 이상의 비용이 들었다.

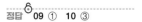
정답 09 ① 10 ③

박문각
공무원

"합격의 시간"

김세현

영어

연결사

CHAPTER 01 관계사

English
Grammar

UNIT 01 관계대명사의 정의와 종류

01 관계대명사의 정의

'접속사(and) + 대명사'로서 공통된 명사가 있는 서로 다른 두 문장을 한 문장으로 연결할 때 사용되는 연결사를 관계대명사라 한다.

① 당신은 그 소녀를 알고 있습니까? + 그녀(그 소녀)는 어제 이곳에 왔다.
→ 당신은 어제 이곳에 온 그 소녀를 알고 있습니까?

① Do you know the girl? + The girl(= she) came here yesterday.
  → Do you know the girl and The girl(= she) came here yesterday?
  → Do you know the girl who came here yesterday?

② 나는 그 시계를 잃어버렸다. + 내 아버지가 그것(그 시계)을 나에게 사 줬다.
→ 나는 아버지가 나에게 사 준 그 시계를 잃어버렸다.

② I have lost the watch. + My father bought the watch(= it) for me.
  → I have lost the watch and my father bought the watch(= it) for me.
  → I have lost the watch which my father bought for me.

③ 나는 그 여자 분을 알고 있다. + 그녀(그 여자 분)의 아들이 이 차를 빌려갔다.
→ 나는 이 차를 빌려간 아들을 둔 여자 분을 알고 있다.

③ I know the lady. + The lady's(= her) son borrowed this car.
  → I know the lady and The lady's(= her) son borrowed this car.
  → I know the lady whose son borrowed this car.

👍 One **Tip** 관계대명사의 종류

선행사 \ 격	주격	소유격	목적격	문장에서의 역할
사람	who	whose	who(m)	형용사절(선행사 수식)
사물	which	whose / of which	which	형용사절(선행사 수식)
사람, 동물, 사물	that	×	that	형용사절(선행사 수식)
×	what	×	what	명사절(주어, 목적어, 보어)

확인학습 문제

다음 두 문장을 한 문장으로 연결하시오.

01   I have a friend. + He lives in Australia.

→ _____

02   The woman sells flowers. + She is sick today.

→ _____

03   Korea has many mountains. + Their advantages are various.

→ _____

04   I want you to give me the thing + I need the thing.

→ _____

→ _____

---

01   정답 I have a friend who lives in Australia.
해설 두 문장의 공통된 명사 a friend와 He를 이용하여 두 문장을 관계대명사로 연결시키면 된다. 선행사가 사람(a friend)이므로 주격 관계대명사 who(that)를 사용하여 완성한다.
해석 나는 호주에 살고 있는 친구가 한 명 있다.

02   정답 The woman who is sick today sells flowers.
해설 두 문장의 공통된 명사 woman과 She를 주격 관계대명사인 who를 사용하여 두 문장을 연결시키면 된다.
해석 오늘 몸이 아픈 저 여성이 꽃을 팔고 있다.

03   정답 Korea has many mountains of which[whose] advantages are various.
해설 두 문장의 공통된 명사 mountains와 Their를 소유격 관계대명사인 of which 또는 whose를 사용하여 두 문장을 연결시키면 된다.
해석 한국에는 다양한 이점들을 가진 많은 산이 있다.
어휘 advantage 이익, 장점   various 다양한

04   정답 I want you to give me the thing (which[that]) I need.
      → I want you to give me what I need.
해설 두 문장의 공통된 명사 the thing을 목적격 관계대명사인 which[that]을 사용하여 두 문장을 연결시키면 된다. 목적격 관계대명사는 생략할 수 있다.
해석 나는 당신이 나에게 내가 필요한 것을 주길 바란다.

02 관계대명사 who, whose, who(m)

- 사람 명사+who(주격 관계대명사)　　　　∥ +동사　　　　　　　　　〈주어가 없다〉
- 사람 명사+who(m)(목적격 관계대명사)　∥ +S+V　　　　　　　　　〈목적어가 없다〉
- 사람 명사+whose(소유격 관계대명사)　　∥ +무관사 명사+V + C/O　　〈관사가 없다〉
　　　　　　　　　　　　　　　　　　　　　↳ 소유격(×) / 지시형용사(×)

① 그가 (바로) 유리창을 깬 그 소년이다.

② 춤을 추고 있는 그 소녀가 내 여동생이다.

③ 그가 (바로) 내가 어제 만났던 소년이다.

④ 나는 그 책을 빌려 간 아들을 둔 그 선생님을 알고 있다.

① He is the boy who broke the window.

② The girl who is dancing is my sister.

③ He is the boy (who(m)) I met yesterday.

④ I know the teacher whose son borrowed the book.

👍 One Tip 관계사절에서의 수 일치

선행사 + who(주격 관계대명사) + 동사
└──────── 수 일치 ────────┘

- Look at the women who were beautiful.
  아름다웠던 저 여인을 봐라.
- The children who were in the school were all happy.
  학교에 있었던 아이들은 모두 행복했다.

확인학습 문제

Correct the error, if any.

01 This is the lady whose her son stands on the hill.

02 I don't want to marry that girl which is not pretty.

03 I met a friend who I hated him too much.

04 The boy whom is handsome is really smart and nice.

05 The victims of the crime who was innocent were all dead.

---

01 해설 관계대명사 whose 다음에 소유격은 사용할 수 없으므로 her를 생략해야 한다.
해석 이 사람이 (바로) 저 언덕 위에 서 있는 아들을 둔 부인이다.

02 해설 선행사가 사람(that girl)이므로 사물을 나타내는 관계대명사 which를 who 또는 that으로 고쳐 써야 한다.
해석 나는 예쁘지 않은 저 여자와 결혼하고 싶지 않다.

03 해설 관계대명사는 명사 역할(주어, 목적어, 보어)을 한다. 따라서 관계대명사가 이끄는 문장은 명사 한 자리가 반드시 비어 있는 불완전한 문장이어야 한다. 관계대명사(who)가 이끄는 절 안에 주어, 목적어 자리가 모두 자리를 차지하고 있는 완전한 문장이므로 him을 생략해야 한다.
해석 나는 내가 매우 싫어하는 친구를 만났다.

04 해설 관계대명사 whom은 선행사가 사람이고 뒤따르는 절 안에서 목적어의 역할을 해야 한다. 따라서 whom을 주격 관계대명사 who로 고쳐 써야 한다.
해석 잘생긴 그 소년은 정말로 똑똑하고 친절하다.

05 해설 관계대명사 who의 선행사가 복수명사 victims이므로 단수동사 was는 were로 고쳐 써야 한다.
해석 그 범죄의 무고한 희생자들 모두가 죽었다.

03 관계대명사 which, whose

- 사물 명사+which (주격 관계대명사) ‖ +동사 　　　　　〈주어가 없다〉
- 사물 명사+which (목적격 관계대명사) ‖ +S+V 　　　　〈목적어가 없다〉
- 사물 명사+whose (소유격 관계대명사) ‖ +무관사 명사+V+C/O 　〈관사가 없다〉
　　　　　　　　　　　　　　└→ 소유격(×) / 지시형용사(×)

① 그는 매우 비싼 집을 소유하고
　 있다.

② 나는 빨갛고 파란 색을 지닌
　 가방이 있다.
　 참고 나는 영화배우인 여동생을
　 둔 그 소녀를 알고 있다.

③ 이것이 우리 모두가 원하는
　 책 중에 하나다.

① He has the house which is very expensive.

② I have the bag whose color is red and blue.
　 참고 I know the girl whose sister is a movie star.

③ This is one of the books (which) we all want.

확인학습 문제

Correct the error, if any.

01 He met many people which are famous to the public.

02 I have the watch whose the band is made of leather.

03 He loves three women which don't love him any more.

04 The professor gave us the solution we want to know it.

05 You must explain the examples which is easy to us.

---

01 해설 선행사가 사람(people)이므로 관계대명사 which를 who로 고쳐 써야 한다.
　 해석 그는 대중에게 유명한 많은 사람들을 만났다.
　 어휘 public 대중(적인); 공개적인

02 해설 소유격 관계대명사 whose 뒤에는 무관사 명사가 있어야 하므로 정관사 the는 생략해야 한다.
　 해석 나는 가죽 끈을 가진 손목시계가 있다.
　 어휘 band 줄, 끈, 띠　leather 가죽

03 해설 선행사가 사람(three women)이므로 관계대명사 which를 who로 고쳐 써야 한다.
　 해석 그는 그를 더 이상 사랑하지 않는 세 여인을 사랑하고 있다.

04 해설 solution 다음 목적격 관계대명사가 생략된 구조로 solution 다음 문장구조가 완전하므로 문맥상 it을 없애야 한다.
　 해석 그 교수님이 우리가 알고 싶은 해결책을 주었다.
　 어휘 solution 해결책, 대책

05 해설 관계대명사 which의 선행사가 examples이므로 관계사절의 동사 is는 are로 고쳐 써야 한다.
　 해석 당신은 우리에게 쉬운 예시들은 설명해야만 한다.

04 관계대명사 that

• 사람 · 사물명사+that (주격 관계대명사)   ‖ +동사   〈주어가 없다〉
• 사람 · 사물명사+that (목적격 관계대명사) ‖ +S+V   〈목적어가 없다〉

① Where is the letter that came to him yesterday?

② Look at the girl and her cat that are running toward us.

③ He didn't say anything (that) I wanted to hear.

① 어제 그에게 온 편지가 어디에 있습니까?

② 우리를 향해 뛰어오고 있는 그 여자아이와 고양이를 봐라.
toward ~를 향하여

③ 그는 내가 듣고 싶어 하는 어떤 것도 말하지 않다.

👍 **One Tip** 반드시 관계대명사 that을 사용하는 경우

❶ 사람과 동물(사물) 둘이 동시에 선행사인 경우는 반드시 관계대명사 that을 사용한다.
  • Look at the picture of men and horses that are crossing the river.
    강을 건너고 있는 사람들과 말의 사진을 보아라.

❷ all이 선행사 또는 선행사에 포함된 경우에는 반드시 관계대명사 that을 사용한다.
  • The teacher said all that glitters is not gold.
    선생님께서 반짝인다고 다 금은 아니라고 말씀하셨다.

❸ the only, the very, the same, the next 등이 선행사에 포함되어 있는 경우에는 반드시 관계대명사 that을 사용한다.
  • Man is the only animal that is able to think.
    인간은 생각할 수 있는 유일한 동물이다.

❹ 선행사가 형용사의 최상급이나 서수로 수식을 받는 경우에는 반드시 관계대명사 that을 사용한다.
  • The elephant is the largest animal that I have ever seen.
    코끼리는 내가 봤던 가장 큰 동물이다.

❺ 선행사가 의문사인 경우 반드시 관계대명사 that을 사용한다.
  • Who that has common sense would do such a thing?
    상식이 있는 사람이라면 누가 그런 짓을 했겠는가?

👍 **Two Tips** 관계대명사 that을 사용하지 않는 경우

❶ ,(comma) 다음에는 관계대명사 that을 사용할 수 없다.
  • Everybody likes the toy, <u>that</u> is very expensive. (×)
                                    → which (○)
    모든 이가 아주 비싼 그 장난감을 좋아한다.

❷ 전치사 다음에는 관계대명사 that을 사용할 수 없다.
  • This is the boy for <u>that</u> I was looking. (×)
                              → whom (○)
    이 아이가 내가 찾고 있는 소년이다.

확인학습 문제

Correct the error, if any.

01 I saw the boy and his dog which are taking a walk together.

02 She spent all the money which she had yesterday.

03 She is the very woman who I have wanted to marry.

04 This is the oldest building which I have ever seen.

05 Every boy and girl that I know like me too much.

06 This is the house for that I am looking all the way.

07 There are many theories, that I'm interested in.

---

01 해설 사람(boy)과 동물(dog)이 동시에 선행사인 경우 관계대명사 that을 사용해야 한다. 따라서 which를 that으로 고쳐 써야 한다.
해석 나는 함께 산책하는 그 소년과 개를 보았다.

02 해설 선행사에 all이 포함되어 있다. 따라서 관계대명사 which를 that으로 고쳐 써야 한다.
해석 그녀는 어제 그녀가 가지고 있던 모든 돈을 써버렸다.

03 해설 선행사가 the very의 수식을 받고 있다. 따라서 관계대명사 who를 that으로 고쳐 써야 한다.
해석 그녀가 내가 결혼하길 원했던 바로 그 여자다.

04 해설 선행사가 최상급(the oldest)의 수식을 받고 있으므로 관계대명사 which를 that으로 고쳐 써야 한다.
해석 이것은 내가 봤던 것 중 가장 오래된 건물이다.

05 해설 선행사에 사람이 있으므로 관계사 that의 사용은 적절하지만 주어가 every로 시작하므로 동사 like를 likes로 바꿔야 한다.
해석 내가 알고 있는 모든 소년 소녀들이 나를 굉장히 좋아한다.

06 해설 '전치사＋관계대명사'의 구조에서 관계대명사 that은 사용할 수 없다. 따라서 that을 which로 고쳐 써야 한다.
해석 이 집이 (바로) 내가 시종일관 찾고 있는 집이다.
어휘 all the way 시종일관, 내내

07 해설 ,(콤마) 다음 관계대명사 that을 사용할 수 없으므로 that은 which로 고쳐 써야 한다.
해석 내가 관심을 갖는 이론들은 많다.
어휘 theory 이론

05 관계대명사 what

- 선행사(×)＋what (주격 관계대명사)　∥ ＋동사　〈주어가 없다〉
- 선행사(×)＋what (목적격 관계대명사) ∥ S＋V　　〈목적어가 없다〉

① I don't know what happened on the crosswalk.

② I couldn't understand what she was saying.

③ Tell me about what you have already known.

① 나는 횡단보도에서 발생한 일을 (무슨 일이 일어났는지) 모른다.

② 나는 그녀가 말했던 것을(무슨 말을 하고 있는지) 이해할 수 없었다.

③ 당신이 이미 알고 있던 것(무엇을 이미 알고 있었는지)에 대하여 나에게 말해 주세요.

👍 One Tip　전치사＋관계대명사

전치사＋whom ∥ 완전한 문장	전치사＋which ∥ 완전한 문장
전치사＋what ∥ 불완전한 문장	전치사＋that （×）

- Tom is the student of whom Jack is proud.
  Tom은 Jack이 자랑스러워하는 학생이다.

- This is the bag into which I put my book.
  이것은 내가 책을 넣어 둔 가방이다.

- He is interested in what we offered at that time.
  그는 그때 우리가 제공했던 것에 흥미를 갖는다.

👍 Two Tips　,(comma) 다음 부정대명사＋of which(whom) ∥ 불완전한 문장

all, both, some, many, much, any, several, half, the rest, the last, most, either, each, one ＋ of which(whom) ＋ 불완전한 문장

- The company employs ten graphic artists, all of [which/whom] [is/are] men.
  그 회사는 열 명의 그래픽 아티스트를 채용하는데, 모두 남자들이다.

- She had five books, some of [which/whom] [is/are] really useful to me.
  그녀는 책이 5권 있었는데, 그것들 중 몇 권은 내게 정말로 유용하다.

👍 Three Tips　삽입절

관계대명사＋S＋V＋(S)＋V ～
　　　　　　↳ think, believe, say, know, feel, hope, guess

- The man who I thought was honest told me a lie.
  내가 생각하기에 정직했던 그 남자가 거짓말을 했다.

- He is the officer who I felt was smart and nice.
  내가 느끼기에 그는 명석하고 멋진 관료이다.

확인학습 문제

다음 [   ] 안에서 알맞은 것을 고르시오.

01 I don't really know the thing [which / what] she is saying.

02 He is the second runner [who / that] I met in the race.

03 I picked the man [who / whom] I believed was honest.

04 Let me think about [what / which] you proposed to me.

05 This is the bike of [which / that] I spoke in the class.

06 Let me explain some themes, the last of [which / whom] [is / are] important.

---

01 해설 선행사가 사물(the thing)이므로 관계대명사 which가 적절하다.
    해석 나는 그녀가 말하고 있는 내용을 정말 모르겠다.

02 해설 선행사가 서수(the second)를 포함하고 있을 경우에는 관계대명사 that을 사용해야 한다.
    해석 그는 내가 경주에서 만났던 두 번째 주자이다.

03 해설 삽입절 I believed 다음에 동사가 바로 나오므로 주어가 생략되었다. 따라서 주격 관계대명사 who가 적절하다.
    해석 나는 내가 정직하다고 생각하는 그 남자를 선택했다.

04 해설 관계대명사 앞에 선행사가 없다. 따라서 선행사를 포함하고 있는 관계대명사 what이 적절하다.
    해석 당신이 내게 제안했던 것에 대하여 생각을 좀 해 보겠습니다.
    어휘 propose 제안하다

05 해설 '전치사＋관계대명사' 다음에는 완전한 문장이 와야 한다. 또한 이 경우에 관계사 that은 사용할 수 없다. 따라서 which가 적절하다.
    해석 이것이 내가 교실에서 언급했던 (바로) 그 자전거다.
    어휘 bike 자전거, 오토바이크   speak of ~에 대해 말하다

06 해설 themes가 사물이므로 which가 필요하고 the last가 단수이므로 동사는 is가 있어야 한다.
    해석 몇 개의 주제를 설명하겠는데, 그 중 마지막이 중요하다.
    어휘 theme 주제

UNIT 02 | 관계부사

☞ 관계부사 문법포인트

1. 관계부사 when
2. 관계부사 where
3. 관계부사 why
4. 관계부사 how
5. 복합관계사

01 관계부사의 정의와 종류

전치사＋관계대명사로서 공통된 명사가 있는 서로 다른 두 문장을 한 문장으로 연결할 때 사용되는 연결사를 관계부사라 한다.

① I know the quiet place. ＋ We can talk at it(＝ the place).
　→ I know the quiet place and we can talk at it(＝ the place).
　→ I know the quiet place which we can talk at.
　→ I know the quiet place at which we can talk.
　→ I know the quiet place where we can talk.

① 나는 조용한 장소를 알고 있다.
＋ 우리는 그곳(그 장소)에서 대화를 나눌 수 있다.
→ 나는 조용한 장소를 알고 있고 우리는 그곳(그 장소)에서 대화를 나눌 수 있다.
→ 나는 우리가 대화를 나눌 수 있는 조용한 장소를 알고 있다.

👍 One Tip 관계부사의 종류

선행사	관계부사	전치사 + 관계대명사
시간을 나타내는 명사	when＋S＋V	on / at / in＋which
장소를 나타내는 명사	where＋S＋V	on / at / in＋which
reason, cause	why＋S＋V	for＋which
way, method	how＋S＋V	in＋which

🎯 확인학습 문제

다음 두 문장을 한 문장으로 연결하시오.

01 Tell me the day. ＋ Your parents will come back on the day.

　→ _____

　→ _____

　→ _____

02 I forgot the name of the hotel. ＋ My parents are staying in the hotel.

　→ _____

　→ _____

　→ _____

03 She knew the reason. + My parents wanted her to come for the reason.

→ _____

→ _____

→ _____

04 I don't like the way + My parents treat me in front of her in the way.

→ _____

→ _____

→ _____

→ _____

---

01 정답 → Tell me the day which your parents will come back on.
     → Tell me the day on which your parents will come back.
     → Tell me the day when your parents will come back.
  해설 앞 문장의 the day와 뒤 문장의 부사구 안에 the day가 공통된 명사이다. 따라서 시간을 나타내는 '전치사＋관계대명사(on which)'나 관계부사(when)을 사용해서 두 문장을 연결하면 된다.
  해석 당신 부모님이 돌아오실 날을 나에게 알려 주시오.

02 정답 → I forgot the name of the hotel which my parents are staying in.
     → I forgot the name of the hotel in which my parents are staying.
     → I forgot the name of the hotel where my parents are staying.
  해설 앞 문장의 the hotel과 뒤 문장의 부사구 안에 the hotel이 공통된 명사이다. 따라서 장소를 나타내는 '전치사＋관계대명사(in which)'나 관계부사(where)을 사용해서 두 문장을 연결하면 된다.
  해석 나는 부모님이 머물고 있는 호텔의 이름을 잊어버렸다.

03 정답 → She knew the reason which my parents wanted her to come for.
     → She knew the reason for which my parents wanted her to come.
     → She knew the reason why my parents wanted her to come.
  해설 앞 문장의 the reason과 뒤 문장의 부사구 안에 the reason이 공통된 명사이다. 따라서 이유를 나타내는 '전치사＋관계대명사(for which)'나 관계부사(why)을 사용해서 두 문장을 연결하면 된다.
  해석 그녀는 나의 부모님이 그녀가 오기를 바라는 이유를 알고 있었다.

04 정답 → I don't like the way which my parents treat me in front of her in.
     → I don't like the way in which my parents treat me in front of her.
     → I don't like how my parents treat me in front of her.
     → I don't like the way my parents treat me in front of her.
  해설 앞 문장의 the way와 뒤 문장의 부사구 안에 the way가 공통된 명사이다. 따라서 방법을 나타내는 '전치사＋관계대명사(in which)'나 관계부사(why)을 사용해서 두 문장을 연결하면 된다. 단, 선행사 the way와 관계부사 how는 같이 사용할 수 없다. 따라서 둘 중 하나만 사용해야 한다.
  해석 나는 나의 부모님이 그녀 앞에서 나를 대하는 방법이 맘에 들지 않는다.

02 관계부사의 주의할 용법

관계대명사 다음의 문장 구조는 불완전하지만 관계부사 다음의 문장 구조는 완전하다. 관계부사도 관계대명사처럼 생략이 가능하다.

① This is the book which I have chosen.
　참고 This is the book where I found much information.

② This is the place I met a friend of mine.

③ He explained (the way) (how) we could get lower transportation costs.

① 이 책이 (바로) 내가 고른 그 책이다.
　참고 이것이 (바로) 내가 많은 정보를 찾아낸 그 책이다.

② 여기가 (바로) 내가 내 친구 중 한 명을 만났던 장소이다.

③ 그는 우리가 더 저렴한 운송 비용을 들일 수 있는 방법을 설명했다.
lower 더 낮은; 아래쪽에 있는
transportation 운송, 수송
cost 비용

확인학습 문제

[　] 안에 알맞은 것을 고르시오.

01　I remember the way [in which / how] you solve the problem.

02　They spotted a shark in the sea [which / where] they were invited.

03　I forgot the day [which / when] we first met him.

04　This is the reason [why / which] he wants to live here.

05　I would like to live in a community [which / where] there are parks.

01　해설 선행사 **the way**는 관계부사 **how**와 같이 사용할 수 없다. 따라서 **in which**가 적절하다.
　　해석 나는 당신이 그 문제를 해결한 방법을 기억한다.

02　해설 관계사 뒤 문장은 완전한 절이다. 따라서 관계부사(**where**)가 적절하다.
　　해석 그들은 그들이 초대된 바다에서 상어 한 마리를 목격했다.
　　어휘 **spot** 목격하다

03　해설 관계사 뒤 문장은 완전한 절이다. 따라서 관계부사(**when**)가 적절하다.
　　해석 나는 우리가 그를 처음 만났던 날을 잊었다.

04　해설 관계사 뒤 문장은 완전한 절이다. 따라서 관계부사(**why**)가 적절하다.
　　해석 이게 바로 그가 이곳에 살고 싶은 이유다.

05　해설 관계사 뒤 문장은 완전한 절이다. 따라서 관계부사(**where**)가 적절하다.
　　해석 나는 공원이 있는 지역[이웃]에 살기를 바란다.

03 복합관계대명사와 복합관계부사

복합관계대명사는 '관계대명사+ever'이고, 복합관계부사는 '관계부사+ever'이다.

① 나는 티켓을 원하는 누구에게라도 그 티켓을 주겠다.

① I'll give the ticket to whoever wants it.

② 당신은 당신이 원하는 무엇이든지 할 수 있다.

② You can do whatever you want.

③ 그녀가 곤경에 빠질 때마다, 그녀는 나에게 도움을 청한다.

③ Whenever she is in trouble, she asks me for help.

④ 그녀가 어디에 가던지 그녀를 보려고 기다리는 많은 사람들이 있다.

④ There are many people waiting to see her wherever she goes.

👍 **One Tip** 복합관계대명사와 복합관계부사의 의미

복합관계대명사	의미	복합관계부사	의미
who(m)ever = no matter who(m)	~하는 사람은 누구든지 = 비록 누가 ~한다 하더라도	however = no matter how	비록 ~일지라도 = ~하는 것이면 어떻 게든지
whatever = no matter what	~하는 것이면 무엇이 든지 = 비록 무엇이 ~한다 하더라도	whenever = no matter when	~할 때마다 = ~할 때면 언제든지
whichever = no matter which	~하는 것이면 무엇이 든지 = 비록 무엇이 ~한다 하더라도	wherever = no matter where	~하는 곳이면 어디든지

👆Two Tips 복합관계사 다음 문장구조

복합관계대명사	다음 문장 구조	복합관계부사	다음 문장 구조
who(m)ever whatever whichever	불완전한 문장	however whenever wherever	완전한 문장

복합관계대명사나 복합관계부사는 선행사를 필요로 하지 않는다.

- You may have whatever information you ask for.
  당신은 당신이 요구하는 정보는 무엇이든지 가질 수 있다.

- Whichever happens to you does not matter.
  당신에게 무슨 일이 일어나는지는 중요치 않다.

- I'll see him whenever he visits us.
  나는 그가 우리를 방문할 때마다 그를 볼 것이다.

- However stupid she is, she won't believe it.
  비록 그녀가 어리석다 하더라도 그녀는 그것을 믿지 않을 것이다.

확인학습 문제 1

[   ] 안에서 알맞은 것을 고르시오.

01 I'll take [whoever / whenever] wants to go with me.

02 [Whatever / Whenever] you may visit him, you'll find him reading something.

03 [Whichever / Wherever] road you may take, you'll come to the same place.

04 She leaves the window open, [however / whoever] cold it is outside.

05 I'll give the ticket to [whoever / whomever] you recommend.

06 However [rich he may be / he may be rich], he is never happy.

---

01 해설 복합관계대명사 다음의 문장 구조는 불완전해야 한다. 따라서 **whoever**가 적절하다.
    해석 나와 가고 싶은 사람은 누구든지 내가 데려갈 것이다.

02 해설 복합관계부사 다음에 뒤따르는 문장은 완전하다. 따라서 **Whenever**가 적절하다.
    해석 당신이 그를 방문할 때마다, 당신은 그가 뭔가 읽고 있는 것을 보게 될 것이다.

03 해설 복합관계대명사는 명사를 수식할 수 있다. 따라서 **road**를 수식하는 **whichever**가 필요하다.
    해석 어떤 길을 당신이 선택하더라도, 당신은 같은 곳으로 가게 될 것이다.

04 해설 복합관계부사는 형용사를 수식할 수 있다. 따라서 **cold**를 수식하는 **however**가 적절하다.
    해석 그녀는 창문을 열어 두었는데, 바깥이 얼마나 춥든지 상관없었다.

05 해설 복합관계대명사의 격을 묻고 있다. 뒤의 문장에서 **recommend**의 목적어가 없으므로 목적격(**whomever**)이 필요하다.
    해석 나는 당신이 추천한 누구에게나 그 티켓을 주겠다.

06 해설 복합관계부사 **However**는 be동사의 보어가 바로 뒤에 위치해야 하므로 **However rich he may be**가 적절하다.
    해석 얼마나 그가 부유한지 몰라도 그는 절대로 행복하지 않다.

확인학습 문제2

01 다음 빈칸에 들어갈 말로 가장 적절한 것은?

> The sales industry is one _____ constant interaction is required, so good social skills are a must.

① whatever   ② in which
③ those which   ④ which

02 다음 빈칸에 들어갈 말로 가장 적절한 것은?

> In the aircraft I saw a man _____ I thought was a criminal.

① whom   ② whoever
③ whomever   ④ who

03 다음 빈칸에 들어갈 말로 가장 적절한 것은?

> If you were here, you could eat all the eggplants on the table of this store _____ fresh.

① which was   ② that was
③ which were   ④ that were

04 다음 빈칸에 들어갈 내용으로 가장 적절한 것은?

> The corporation employed 10 air maintenance mechanics, _____ a master's degree.

① all of which gets   ② all of whom get
③ some of which get   ④ some of whom gets

01 해설 빈칸 다음에 오는 문장 구조는 완전하므로 빈칸에는 관계부사 또는 전치사＋관계대명사가 필요하다. 관계부사는
    선택지에 없으므로 ②가 정답이 된다.
    해석 영업의 세계란 지속적인 상호작용이 요구되는 곳이다. 따라서 능숙한 사교 능력은 필수적이다.
    어휘 **sales industry** 영업(세계) **constant** 지속적인 **interaction** 상호작용 **social** 사회의; 사교적인
    must 필수적인 것, 필수품

02 해설 삽입절 I thought 다음에 이어지는 문장에서 주어 자리가 비어 있으므로 빈칸에는 주격 관계대명사 **who**의 사용
    이 적절하다. 따라서 정답은 ④가 된다.
    해석 비행기에서 나는 (내 생각에) 범인 같은 사람을 보았다.
    어휘 **aircraft** 비행기, 항공기 **criminal** 범죄자

03 해설 빈칸에 있는 관계사의 선행사는 **eggplants**이고 선행사 앞에 **all**이 있으므로 일단 관계대명사는 **that**이 필요하고
    수 일치는 **eggplants**(복수)이므로 복수동사가 필요하다. 따라서 ④가 정답이 된다.
    해석 만약 당신이 여기에 있다면 이 가게 탁자 위에 있는 신선한 가지를 모두 먹을 수 있을 텐데.
    어휘 **eggplant** (채소) 가지

04 해설 ② 선행사가 **mechanic**(정비공 → 사람)이므로 관계대명사 **whom**은 적절하고 **all**이 사람을 대신하므로 복수동사
    get 또한 적절하다. 따라서 ②가 정답이 된다.
    해석 그 회사는 열 명의 항공기 정비사를 고용했는데 이들 모두는 석사 학위를 가지고 있다.
    어휘 **corporation** 회사, 법인 **maintenance** 유지, 관리; 보수, 정비 **mechanic** 기계공, 정비사, 수리공
    master's degree 석사학위

정답 **1** ② **2** ④ **3** ④ **4** ②

PART · 03

기본문제

01 밑줄 친 부분 중 어법상 가장 적절한 것은?

> Among the few things certain about the next century ① <u>that</u> it will be wired, networked and global ② <u>is</u> our dilemma. Because national borders will be able to block the flow of information and innovation, the societies ③ <u>what</u> thrive will become those which ④ <u>is</u> uncomfortable with openness and with the free flow of services, goods and ideas.

02 우리말을 영어로 옮긴 것 중 가장 적절한 것은?

① 그녀는 돌봐야 하는 자폐증을 가진 아들이 있다.

　→ She has a kid with autism which I should take care of.

② 바다에 지금 현존하는 가장 영리한 동물이 고래이다.

　→ The most clever animals in the sea that is now existent are whales.

③ 꿀은 유방암을 줄이는데 도움이 되는 항산화제를 포함하고 있다.

　→ Honey contains an antioxidant, which helps reducing the breast cancer.

④ 그 회의를 구성하는 여성 대표의 비율은 5% 미만이다.

　→ The proportion of the female representative who consists of the conference is below 5%.

정답 및 해설

01　해설　② 문두에 장소를 나타내는 전치사구(Among ~)가 위치하고 1형식 동사 is가 있으므로 주어 동사가 도치된 구조로 주어가 단수명사 dilemma이므로 단수동사 is의 사용은 어법상 적절하다.

① 관계대명사 that 다음 문장구조가 완전하므로 that의 사용은 어법상 적절하지 않다. 따라서 문맥상 that은 관계부사 when으로 고쳐 써야 한다.

③ 관계대명사 what앞에 선행사 societies가 있으므로 어법상 적절하지 않다. 따라서 what은 which나 that으로 고쳐 써야 한다.

④ which의 선행사가 those(복수대명사)이므로 주격 관계대명사의 동사는 복수동사여야 한다. 따라서 is는 are로 고쳐 써야 한다.

　해석　선이 깔리고, 망처럼 연결되고, 세계화될 것이라는 다음 세기에 관한 확실한 몇 가지 중에 우리의 딜레마가 있다. 국경선이 정보와 혁신의 흐름을 봉쇄할 수 있기 때문에, 번창하는 사회란 개방성 그리고 서비스, 상품 그리고 아이디어의 자유로운 흐름이 불편해지는 사회가 될 것이다.

01

wire ① 철사, 선 ② 연결하다
border 국경
block 차단하다
thrive 번성(번창)하다
flow 흐름, 흐르다
goods 상품

02　해설　④ 관계대명사 who의 선행사가 사람(representative)이므로 관계대명사 who의 사용은 어법상 적절하고 주격 관계대명사 who 다음 단수동사 consists의 사용 역시 (선행사가 단수명사 representative이다) 어법상 옳다. 또한 주어가 단수명사(proportion)이므로 단수동사 is의 사용 모두 어법상 적절하다.

① 관계대명사 which의 선행사가 autism(사물명사)이 아닌 kid(사람명사)이므로 관계대명사 which는 who로 고쳐 써야 한다.

② 관계대명사 that의 선행사가 문맥상 animals이므로 that절의 동사는 복수동사여야 한다. 따라서 is는 복수동사 are로 고쳐 써야 한다.

③ 동사 help다음 목적어나 목적격 보어 자리에는 동사원형이나 to부정사가 위치해야 하므로 reducing의 사용은 어법상 적절하지 않다. 따라서 reducing은 (to) reduce로 고쳐 써야 한다.

02

mammal 포유류
clever 영리한
existent 존재하는
antioxidant 항산화제
reduce 줄이다
breast cancer 유방암
proportion 비율
representative 대표자; 대표
consist of ~로 구성되다
conference 회의

03 다음 밑줄 친 부분 중 어법상 적절하지 않은 것은?

Books ① <u>which</u> are gateways into other minds and other people are valuable to us. Through them we can escape from the narrow little world ② <u>which</u> we reside and from fruitless brooding over our own selves. An evening spent reading great books for our mind is like ③ <u>what</u> a holiday in the mountains does for our bodies. We come down from the mountains stronger, we need our lungs and our mind which are cleansed of all impurities, and we prepare the courage ④ <u>that</u> we have to face on the plains of daily life.

04 밑줄 친 부분 중 어법상 옳지 않은 것은?   2022. 국가직 9급

To find a good starting point, one must return to the year 1800 during ① <u>which</u> the first modern electric battery was developed. Italian Alessandro Volta found that a combination of silver, copper, and zinc ② <u>were</u> ideal for producing an electrical current. The enhanced design, ③ <u>called</u> a Voltaic pile, was made by stacking some discs made from these metals between discs made of cardboard soaked in sea water. There was ④ <u>such</u> talk about Volta's work that he was requested to conduct a demonstration before the Emperor Napoleon himself.

정답 및 해설

03 해설 ② 선행사가 사물(world)이므로 관계대명사 which는 어법상 적절하지만 뒤에 문장구조가 완전(주어가 있고 동사가 자동사)하므로 which는 관계부사 where로 고쳐 써야 한다.

① 선행사가 사물(books)이므로 관계대명사 which는 어법상 적절하고 또한 뒤에 문장구조가 불완전(주어어가 없다)하므로 관계대명사 which는 어법상 적절하다.

③ 선행사가 없고 뒤에 문장구조가 불완전(동사 does의 목적어가 없다)하므로 전치사 + 관계대명사(like what)의 사용은 어법상 옳다.

④ 선행사가 사물(courage)이고 또한 뒤에 문장구조가 불완전(동사 face의 목적어가 없다)하므로 관계대명사 that의 사용은 어법상 적절하다.

해석 책은 다른 사람의 마음으로 통하는 우리의 통로이다. 책들을 통해 우리는 우리만이 사는 좁은 세상과 혼자서는 아무리 노력해도 풀리지 않는 마음앓이에서 벗어날 수 있다. 우리의 마음을 위해 저녁에 좋은 책을 읽는 것은 휴일에 산에 올라가는 것이 몸에 좋은 작용을 하는 것과 마찬가지이다. 우리는 산에서 내려오면서 더 튼튼해지고 우리의 폐나 마음은 더러운 것에서 씻겨지며 평범한 일상생활의 대처할 수 있는 용기를 준비한다.

03
gateway 통로
escape from ~로부터 벗어나다
narrow 좁은
fruitless 결실 없는
brood over 되씹다, 곱씹다
lung 폐
cleanse 깨끗이 하다
impurity 불순함
battle 전쟁, 전투
on the plains of 평범한

04 해설 ② 주어가 단수명사 combination이므로 복수동사 were는 단수동사 was로 고쳐 써야 한다.

① 앞에 사물명사 the year 1800이 있고 전치사 during which 다음 문장구조가 완전하므로 관계대명사 which의 사용은 어법상 적절하다.

③ 자릿값에 의해 준동사 자리이고 뒤에 목적어가 없으므로 수동의 형태 called는 어법상 옳다. 참고로 a Voltaic pile은 called의 목적격 보어로 사용되었다.

④ such ~ that 구문의 사용은 어법상 적절하고 또한 such 다음 명사(talk)의 사용 역시 어법상 적절하다.

해석 좋은 출발점을 찾기 위해 우리는 최초의 현대식 전기 배터리가 개발된 1800년으로 돌아가야 한다. 이탈리아의 Alessandro Volta는 은, 구리 그리고 아연의 결합이 전류를 만들어내는 데 이상적이라는 것을 알아냈다. 볼타파일이라 불리어지는 그 강화된 디자인은 바닷물에 적셔진 골판지로 만든 디스크 사이에 이러한 금속으로 만들어진 몇몇 디스크를 쌓아올려 만들어졌다. 볼타의 작업에 대한 이야기가 있어서 그는 Napoleon 황제 앞에서 직접 시연을 수행하라는 요청을 받았다.

04
copper 구리, 동
zinc 아연
ideal 이상적인
electrical current 전류
* current 흐름
enhance 강화시키다
stack 쌓아 올리다, 쌓다
cardboard 골판지
soak 적시다, 담그다
conduct 수행하다
demonstration 시연

05 밑줄 친 부분 중 어법상 옳지 않은 것은?

2021. 국가직 9급

> Urban agriculture (UA) has long been dismissed as a fringe activity that has no place in cities; however, its potential is beginning to ① be realized. In fact, UA is about food self-reliance: it involves ② creating work and is a reaction to food insecurity, particularly for the poor. Contrary to ③ which many believe, UA is found in every city, where it is sometimes hidden, sometimes obvious. If one looks carefully, few spaces in a major city are unused. Valuable vacant land rarely sits idle and is often taken over— either formally, or informally—and made ④ productive.

06 우리말을 영어로 잘못 옮긴 것은?

2020. 지방직 9급

① 보증이 만료되어서 수리는 무료가 아니었다.

→ Since the warranty had expired, the repairs were not free of charge.

② 설문지를 완성하는 누구에게나 선물카드가 주어질 예정이다.

→ A gift card will be given to whomever completes the questionnaire.

③ 지난달 내가 휴가를 요청했더라면 지금 하와이에 있을 텐데.

→ If I had asked for a vacation last month, I would be in Hawaii now.

④ 그의 아버지가 갑자기 작년에 돌아가셨고, 설상가상으로 그의 어머니도 병에 걸리셨다.

→ His father suddenly passed away last year and what was worse, his mother became sick.

정답 및 해설

05 **해설** ③ which 다음 문장구조는 불완전(believe 뒤에 목적어가 없다)하지만 which앞에 선행사가 없으므로 관계대명사 which는 what으로 고쳐 써야 한다.
① be realized 뒤에 목적어가 없으므로 수동의 형태는 어법상 적절하다.
② 자릿값에 의해 준동사 자리이고 involve는 동명사를 목적어로 취하는 동사이므로 creating 의 사용은 어법상 옳다.
④ 접속사 and를 기준으로 taken과 made가 병렬을 이루고 있고 make는 5형식 동사이므로 목적격 보어 자리에 형용사가 위치해야 하므로 is made 다음에도 형용사가 필요하다. 따라서 productive의 사용은 어법상 적절하다.

해석 도시농업 (UA) 은 오랫동안 도시와 어울리지 않는 주변 활동으로 무시되어왔지만 그것의 잠재력을 깨닫기 시작하고 있다. 사실, UA는 식량의 자급자족에 관한 것인데, 그것은 일자리를 만들어내는 것을 포함하며, 특히 가난한 사람들을 위한 식량 불안정에 대한 반응이다. 많은 사람들이 믿는 것과는 반대로, UA는 모든 도시에서 발견되는데, 그곳에서 때로는 눈에 띄지 않고 때로는 분명하다. 만약 우리가 주의 깊게 살펴보면, 대도시에는 사용되지 않는 공간은 거의 없다. 가치 있는 빈 땅은 거의 방치되지 않으며 종종 공식적으로나 비공식적으로 양도되어 생산적이기도 하다.

06 **해설** ② 복합관계대명사는 뒤의 문장구조가 불완전해야 하는데 whomever 다음에는 주어가 없고 동사가 바로 위치해 있기 때문에 주어가 없는 불완전한 문장이다. 따라서 목적격 whomever 는 주격 whoever로 고쳐 써야 한다. 참고로 whoever절은 전치사 to의 목적어 역할을 하는 명사절로 사용되었다.
① expire는 자동사이므로 능동의 형태는 어법상 적절하고 보증이 만료된 것(had expired)이 수리 되는 것(were)보다 먼저 일어난 일이므로 시제관계 역시 어법상 적절하다. 또한 '무료로' 라는 영어표현인 free of charge의 사용도 어법상 옳다.
③ 혼합가정법(if절에 had + p.p ~ / 주절에 과거시제 + now)의 사용은 어법상 적절하다.
④ 과거 표시 부사구 last year가 있으므로 과거시제 passed의 사용은 어법상 적절하고 '돌아가셨다'의 영어표현인 pass away와 '설상가상으로'의 영어표현인 what was worse의 사용 모두 어법상 옳다.

어휘

05
urban 도시의
dismiss ① 해고하다 ② 무시하다
fringe ① (실을 꼬아 장식으로 만든) 술 ② 주변부, 변두리 ③ 비주류
potential ① 잠재력 ② 잠재적인
self-reliance 자기의존, 자급자족
involve 포함하다
insecurity 불안정
contrary to ~ 와는 반대로
obvious 분명한
vacant 텅 빈
rarely 거의 ~ 않는
idle ① 게으른, 나태한 ② 방치된, 놀고 있는
take over 인수하다, 양도하다
formally 공식적으로
↔informally 비공식적으로
productive 생산적인

06
expire 만료되다
free of charge 무료로
complete 완성하다
questionnaire 설문지
ask for 요청하다
pass away 죽다
what was worse 설상가상으로

07 밑줄 친 부분 중 어법상 옳지 않은 것은?

2018. 지방직 9급

I am writing in response to your request for a reference for Mrs. Ferrer. She has worked as my secretary ① <u>for the last three years</u> and has been an excellent employee. I believe that she meets all the requirements ② <u>mentioned</u> in your job description and indeed exceeds them in many ways. I have never had reason ③ <u>to doubt</u> her complete integrity. I would, therefore, recommend Mrs. Ferrer for the post ④ <u>what</u> you advertise.

08 밑줄 친 부분 중 어법상 가장 옳지 않은 것은?

2018. 서울시 9급

I'm ① <u>pleased</u> that I have enough clothes with me. American men are generally bigger than Japanese men so ② <u>it's</u> very difficult to find clothes in Chicago that ③ <u>fits</u> me. ④ <u>What</u> is a medium size in Japan is a small size here.

Vol.1 Grammar

정답 및 해설

07 해설 ④ 관계대명사 what 앞에 선행사 post가 있으므로 what은 어법상 적절하지 않다. 따라서 관계대명사 what은 which나 that으로 고쳐 써야 한다.
① '현재완료시제+for the last(past)+시간' 구조를 묻고 있다. 따라서 has worked 다음 for the last three years는 어법상 적절하다.
② mentioned는 자릿값에 의해 준동사 자리(앞에 동사 meets가 있다)이고 뒤에 목적어가 없으므로 과거분사(수동)의 형태는 어법상 옳다.
③ to doubt은 자릿값에 의해 준동사 자리(앞에 동사 had가 있다)이고 이때 have 동사는 '가지다'의 의미로 사역동사가 아니므로 뒤에 to ⓥ(to doubt)는 어법상 적절하다.

해석 저는 당신의 요청에 따라 Mrs. Ferrer에 대한 추천서를 쓰고 있습니다. 그녀는 지난 3년 동안 저의 비서로서 일해오고 있으며 뛰어난 근로자입니다. 저는 그녀가 당신의 직무분석표에 언급된 모든 요구사항들을 충족시키고 실제로 여러 면에서 그것들을 초월한다고 믿습니다. 저는 결코 그녀의 완전한 진실성을 의심해 본 적이 없습니다. 그러므로 저는 Mrs. Ferrer를 당신이 광고한 자리에 추천합니다.

08 해설 ③ 주격 관계대명사 다음 동사는 선행사와 수 일치시켜야 한다. 문맥상 선행사는 Chicago가 아니라 clothes(복수명사)이므로 단수동사 fits는 복수동사 fit으로 고쳐 써야 한다.
① 감정표현동사 please는 사람이 주체이면 과거분사를 사용해야 하므로 pleased는 어법상 적절하다.
② 가주어 it은 뒤에 진주어 to find clothes~를 대신하므로 어법상 옳다.
④ 관계대명사 what 앞에 선행사가 없고 what 다음 문장구조가 불완전(주어가 없다)하므로 what의 사용은 어법상 적절하다.

해석 나에게 충분한 옷이 있어서 나는 기쁘다. 미국 사람들은 일반적으로 일본사람들보다 커서 내게 맞는 옷을 시카고에서 찾는 것은 어렵다. 일본에서 미디엄은 여기에선 스몰 사이즈이다.

어휘

07
in response to ~에 대한 응답으로
*response ① 응답, 대답 ② 반응
request 요구, 요청
secretary 비서
employee 근로자, 피고용인
mention 언급하다
job description 직무분석표
indeed 실제로
exceed 능가하다, 초월하다
doubt 의심(하다)
integrity 진실성
recommend 추천하다, 권하다

PART · 03

08
please 기쁘게 하다
clothes 옷
fit ① 맞다 ② 맞추다

정답 07 ④ 08 ③

Chapter 01 기본 문제 **219**

09 다음 중 어법상 옳지 않은 것은?

2017. 지방직 9급

① You might think that just eating a lot of vegetables will keep you perfectly healthy.

② Academic knowledge isn't always that leads you to make right decisions.

③ The fear of getting hurt didn't prevent him from engaging in reckless behaviors.

④ Julie's doctor told her to stop eating so many processed foods.

10 밑줄 친 부분 중 어법상 가장 옳지 않은 것은?

2017. 서울시 7급

Even before the supposed Angles, Saxons, and Jutes arrived in England bringing their Germanic dialects that gave rise to English, they ① had borrowed some Latin vocabulary. However, as far as we know, this amounted to only a few dozen words, and thus Old English vocabulary was overwhelmingly Germanic. Old English contained very few loanwords, ② contrasting with the situation in Middle English and Modern English, ③ which loans proliferate. One estimate is that 3 percent of Old English vocabulary consisted of loanwords, whereas 70 percent of today's English consists of loanwords. This difference is of great importance in explaining how the English language ④ has changed over time.

정답 및 해설

09 **해설** ② 주격 관계대명사 that(뒤에 주어가 없는 불완전한 문장)은 선행사가 있어야 하는데 선행사가 없으므로 that을 관계대명사 what으로 고쳐 써야 한다.
① 5형식 동사 keep 다음 목적격 보어 자리에 형용사 healthy의 사용은 어법상 적절하다.
③ prevent A from ⓥ-ing 구문과 구동사 engage in의 사용 모두 어법상 옳다.
④ tell(지시하다)+목적어+to ⓥ 구문과 문맥상 stop ⓥ-ing(ⓥ하는 것을 그만두다)의 사용 모두 어법상 적절하다.

해석 ① 당신은 많은 채소를 먹는 것이 당신을 완벽히 건강하게 할 거라고 생각할 수 있다.
② 학문적 지식이 항상 당신으로 하여금 옳은 결정을 할 수 있게 해주는 것은 아니다.
③ 상처 받는 것에 대한 두려움이 그로 하여금 무모한 행동을 하는 것을 막지는 못했다.
④ Julie의 의사선생님은 그녀에게 많은 가공식품을 먹지 말 것을 지시했다.

09
decision 결정, 결심
engage in ~에 참여하다
reckless 무모한
processed foods 가공 식품

10 **해설** ③ 관계대명사 which 다음에는 불완전한 문장이 와야 하는데 which 다음 완전한 문장구조가(주어가 있고 동사가 자동사)있으므로 관계대명사 which는 관계부사 where로 고쳐 써야 한다.
① borrow는 3형식 동사로 뒤에 목적어(vocabulary)가 있으므로 능동의 형태는 어법상 적절하고 종속절의 시제 arrived보다 먼저 일어난 일이므로 과거완료(대과거)의 사용 역시 어법상 옳다.
② contrast with는 구동사이므로 현재분사(능동)의 사용은 어법상 적절하다.
④ 주어가 language(단수)이므로 단수동사 has는 어법상 적절하고 뒤에 시간의 영속성(over time)이 있으므로 현재완료시제 또한 어법상 옳다.

해석 소위 앵글족, 색슨족 그리고 주트족이 결국 영어가 된 게르만족의 방언을 가지고 영국에 도착하기 전에도 그들은 이미 몇몇 라틴어 어휘를 차용해 왔다. 그러나 우리가 아는 한 이 라틴어는 단지 수십 개밖에는 안되었고 그래서 고대 영어 어휘는 게르만어가 압도적이었다. 고대 영어는 차용어가 급증했던 중세나 현대의 영어와는 달리 차용어가 거의 없었다. 고대 영어는 차용어가 3%에 불과하고 반면에 오늘날은 차용어가 70%로 구성되었다고 사람들은 추정한다. 이 차이가 어떻게 영어가 시간이 흐르면서 변화했는지를 설명하는 데 있어서 아주 중요하다.

10
supposed (명사 앞에서) 소위, 이른바
dialect 방언
give rise to ~을 초래하다
borrow 빌리다
amount to ~에 이르다
overwhelmingly 압도적으로
loanword 차용어
contrast with ~와 대조를 이루다
consist of ~로 구성되다

PART · 03

심화문제

01 다음 밑줄 친 부분 중 어법상 틀린 것은?

Approximately majority of the African bees ① <u>which</u> ② <u>inhabit</u> a tropical swamp that is an area of very wet land with wild plants ③ <u>growing</u> ④ <u>has roamed</u> to the southeast by 100 miles.

02 다음 밑줄 친 곳 중 어법상 잘못된 것은?

Bananas contain resistant starch ① <u>which</u> people ② <u>know</u> ③ <u>blocks</u> conversion of some carbohydrates into fuel, ④ <u>that</u> boosts fat burning.

정답 및 해설

01 해설 ④ 부분 주어 majority of 다음에 이어지는 명사(bees)가 복수명사이므로 has를 have로 고
쳐 써야 한다.
① 앞에 선행사 bees가 있고 which 다음에 주어가 없으므로 관계대명사 which는 어법상 적
절하다.
② inhabit의 주어는 bees이므로 복수동사는 적절하고, 또한 inhabit은 타동사이므로 바로 뒤
에 목적어(swamp)의 사용은 어법상 옳다.
③ with A B 구문에서 B자리에 growing은 자동사이므로 능동의 형태는 어법상 적절하다.

해석 대략 야생식물이 자라는 아주 축축한 땅의 지역인 열대 늪지에서 사는 아프리카 벌의 대다수
는 약 100마일까지 남서쪽으로 배회한다.

01
approximately 대략, 약
majority 다수, 대다수
tropical 열대의
swamp 늪, 습지
roam 배회하다

PART · 03

02 해설 ④ 관계대명사 that 앞에 ,(콤마)가 있으므로 관계대명사 that은 which로 고쳐 써야 한다.
① which의 선행사가 starch(단수명사)이므로 단수동사 blocks의 사용은 어법상 적절하다.
② people know는 삽입절이고 주어가 복수명사(people)이므로 know의 사용은 어법상 옳다.
③ which의 선행사가 starch(단수명사)이므로 단수동사 blocks의 사용은 어법상 적절하다.

해석 바나나는 사람들이 알고 있는 것처럼 탄수화물이 에너지로 전환되는 것을 막는 저항전분을 함
유하고 있는데 이것이 지방연소를 가속시킨다.

02
contain 포함하다
resistant 저항성의
starch 전분
block 막다, 방해하다
conversion 전환
carbohydrate 탄수화물
fuel 연료, 에너지
boost 가속화하다
fat 지방

정답 **01** ④ **02** ④

03 다음 중 어법상 올바른 것은?

① This is the book for which I am looking all the way.

② This is the mother whose her son stands on the hill.

③ This is the reason why prevented me from attending the party.

④ She had ten books, some of which is really useful to my project.

04 다음 중 우리말을 영어로 적절하게 옮긴 것은?

① 그 당시에 내가 생각했던 그는 정말 멋지고 훌륭했다.

  → The man whom I thought in that situation was really smart and nice.

② 교수님께서 문제 해결의 접근이 흥미로운 해결책을 우리에게 주셨다.

  → The professor gave us the solution of which the approach is interested.

③ 공황 발작은 사람들이 극심한 불안을 경험하는 불안장애의 증상들이다.

  → Panic attacks are symptoms of anxiety disorders which individuals experience intense anxiety.

④ 미국 대통령의 전용 별장인 캠프 데이비드는 철저한 보안이 있는 지역에 위치해 있었다.

  → Camp David, the official retreat of U.S. presidents, situated in a district where there is thorough security.

정답 및 해설

03 해설 ① 전치사+관계대명사 다음의 문장 구조는 완전해야 한다. 따라서 이 문장은 적절하다.

② 관계대명사 소유격 whose 다음에는 지시어(관사나 소유격)가 올 수 없다. 따라서 her를 없애야 한다.

③ 관계부사 why 다음의 문장 구조는 완전해야 하는데 why 다음에 주어가 없으므로 why를 관계대명사 which나 that으로 고쳐 써야 한다.

④ which 다음 동사의 수 일치가 적절하지 않다. some이 부분 주어이므로 of 다음 명사에 의해서 수 일치가 정해지는데 여기에서 which는 10 books(복수)를 대신하므로 동사 is는 are로 고쳐 써야 한다.

해석 ① 이것이 바로 내가 시종일관 찾아 다녔던 그 책이다.

② 언덕 위에 서 있는 아들의 엄마가 바로 이 분이다.

③ 이것이 바로 내가 그 파티에 가는 것을 막는 이유이다.

④ 그녀는 책이 10권 있었는데, 그중 몇 권은 나의 프로젝트에 정말 유용하다.

03
look for 찾다, 구하다
all the way 내내, 시종일관
attend 참석하다

04 해설 ① thought 다음 목적어가 없으므로 관계대명사 whom의 사용은 어법상 옳다.

② 전치사+관계대명사 다음의 문장 구조가 완전하므로 어법상 적절하지만 감정표현동사 interest의 주체가 사물(approach)이므로 interested는 interesting으로 고쳐 써야 한다.

③ 관계대명사 which 다음 문장 구조가 완전하므로 관계대명사 which는 관계부사 where로 고쳐 써야 한다.

④ 관계부사 where 다음 문장 구조가 완전하므로 어법상 적절하지만 situate는 타동사이고 뒤에 목적어가 없으므로 situated는 was situated로 고쳐 써야 한다.

04
panic attack 공황 발작
symptom 증상
disorder 장애
intense 극심한, 강렬한
anxiety 불안, 걱정
official 공식적인
retreat 휴양지, 별장
situate 위치시키다(=locate)
district 지역
thorough 철저한, 완전한
security 안전, 보안

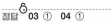

05 밑줄 친 부분 중, 어법상 틀린 것은?

Of something certain about the following century in ① <u>which</u> it will be connected one another ② <u>exists</u> the plight. Because national borders will be able to block the flow of information and innovation, the most convenient societies ③ <u>which</u> thrive will become those ④ <u>which</u> are complex with openness and with the free flow of services, goods and ideas.

06 다음 중 어법상 적절하지 않은 것은?

① She resides in the two-story building whose roof is blue.
② He will finish the task which his brother was supposed to do.
③ I met a friend of mine who I had made fun of in school days.
④ I have seen the man whom I guess at the conference room was a scholar.

정답 및 해설

05 해설 ③ 선행사에 최상급(the most convenient)이 있으므로 관계대명사 which는 관계대명사 that으로 고쳐 써야 한다.

① 전치사(in) + 관계대명사(which) 다음 문장구조가 완전하므로 in which의 사용은 어법상 적절하다.

② 문두에 장소를 나타내는 전치사구(Of ~)가 위치하고 1형식 동사 exist가 있으므로 주어 동사가 도치된 구조로 주어가 plight이므로 단수동사 exists의 사용은 어법상 옳다.

④ which의 선행사가 사물(those)이고 뒤의 문장구조가 불완전(주어가 없다)하므로 관계대명사 which의 사용은 어법상 적절하다.

해석 서로서로 연결될 다음 세기에 관한 확실한 몇 가지 중에 우리의 문제점이 있다. 국경선이 정보와 혁신의 흐름을 봉쇄할 수 있기 때문에, 번창하는 가장 편리한 사회가 개방성 그리고 서비스, 상품 그리고 아이디어의 자유로운 흐름으로 복잡한 사회가 될 것이다.

06 해설 ④ 관계대명사 whom 다음 I guess는 삽입절이므로 was의 주어인 주격 관계대명사가 필요하다. 따라서 whom은 who로 고쳐 써야한다.

① 소유격 관계대명사 whose 다음 무관사 명사 roof의 사용은 어법상 적절하다.

② 관계대명사 which 앞의 선행사가 사물(the task)이므로 which의 사용은 어법상 옳고 또한 which 다음 문장 구조가 불완전(to do의 의미상 목적어가 없다)하므로 이 역시 어법상 적절하다.

③ 선행사가 사람이므로 관계대명사 who의 사용은 어법상 적절하고 who 다음 문장구조가 불완전(전치사 of 다음 목적어가 없다)하므로 이 역시 어법상 옳다.

해석 ① 그녀는 저 파란 지붕의 2층 집에 산다.
② 그는 그의 형이 해야 할 일을 끝낼 것이다.
③ 학창시절 내가 늘 놀렸던 친구 한명을 만났다.
④ 내가 추측하기에 학자였던 그 사람을 회의장에서 본적이 있다.

어휘

05
border 국경
block 차단하다
thrive 번성 (번창) 하다
complex 복잡한
flow 흐름, 흐르다
goods 상품

06
story 이야기, 소설; (건물의) 층
roof 지붕
be supposed to ⓥ ① ⓥ 하기로 되어있다 ② ⓥ 해야만 한다
make fun of ~을 조롱하다, 놀리다
conference 회의

PART · 03

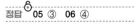

07 밑줄 친 부분 중, 어법상 틀린 것은?

Mr. Becket employs ten graphic illustrators, all of ① <u>whom consist</u> of women. One of them ② <u>has</u> a lot of professional books, some of ③ <u>which are</u> really useful to Mr. Becket. So, he also hires a few private security detectives, half of ④ <u>whom has</u> an eye out for the valuables.

08 다음 중 어법상 가장 적절한 것은?

① I forgot the name of the attraction in which they visited.

② Tom moved to Chicago, which he worked for Louis Sullivan.

③ The students are interested in what their professor expounded the formula then.

④ Mary Simson dwelled in that three-story building from whose rooftop she could look at the whole town.

정답 및 해설

07 해설 ④ whom앞에 선행사가 사람(detective)이므로 관계대명사 whom은 어법상 적절하지만 half 가 부분주어이고 전치사 of 다음 whom이 지칭하는 명사가 detectives(복수명사)이므로 has 는 복수동사 have로 고쳐 써야 한다.

① whom앞에 선행사가 사람(illustrator)이므로 관계대명사 whom은 어법상 적절하고 all이 사람을 지칭하므로 복수동사 consist의 사용 역시 어법상 옳다.

② 주어가 단수명사(one)이므로 단수동사 has는 어법상 적절하다.

③ which앞에 선행사가 사물(book)이므로 관계대명사 which는 어법상 적절하고 some이 부 분주어이고 전치사 of 다음 which가 지칭하는 명사가 books(복수명사)이므로 복수동사 are 는 어법상 옳다.

해석 Mr. Becket는 10명의 그래픽 삽화가들을 고용하고 그들 모두 여성이다. 그들 중 한명은 많은 전문서적을 가지고 있는데 그 책들 중 일부는 Mr. Becket에게 아주 소중하다. 그래서 그는 또한 몇몇 사설 경호원들을 고용하는데, 그들 중 절반이 그 소중한 책들을 감시한다.

08 해설 ④ 전치사 + 소유격 관계대명사(whose) + 무관사명사(roof) 다음 문장구조는 완전(주어 she가 있고 구동사 look at 다음 목적어 the whole town이 있다)해야 하므로 어법상 적절하다.

① 전치사 + 관계대명사 which 다음 문장구조는 완전해야 한다. 하지만 in which 다음 불완 전(visited의 목적어가 없다)한 문장이 이어지고 있으므로 어법상 적절하지 않다. 따라서 in을 없애야 한다.

② 관계대명사 which다음 문장 구조는 불완전해야 하는데 which다음 문장 구조가 완전(주어 he와 자동사 worked가 있다)하므로 어법상 적절하지 않다. 따라서 which를 관계부사 where 나 in which로 고쳐 써야 한다.

③ 전치사 + 관계대명사 what 다음 문장구조는 불완전해야 하는데 뒤의 문장구조가 완전하 므로 어법상 적절하지 않다. 원문은 다음과 같다. "The students are interested in the formula which their professor expounded then."

해석 ① 나는 그들이 방문했던 그 관광명소의 이름을 잊어버렸다.

② Tom은 시카고로 이사를 했다, 거기에서 그는 Louis Sullivan을 위해 일했다.

③ 학생들은 그 당시 교수님이 자세히 설명했던 그 공식에 관심이 있다.

④ Mary Simson은 그 3층 건물에서 살았는데 그 건물의 옥상에서 마을 전체를 볼 수 있었다.

어휘

07
illustrator 삽화가
consist of ~로 구성되다
hire 고용하다
private-security detective 사설 경호원
have an eye out for ~을 감시 하다

08
attraction ① 매력, 매혹
②(관광) 명소
expound 자세히 설명하다
formula 공식
dwell in ~에서 살다
story ①이야기, 소설 ②(건물의) 층
rooftop 옥상

PART · 03

09 다음 우리말을 영어로 옮긴 것 중 적절하지 않은 것은?

① 아름다운 해안이 있는 마을이 그 지역에 있다.
→ There is a beautiful coast in the region, where lies the town.

② 나는 20대 초반에 살았던 파리에서 그를 처음 만났다.
→ I first saw him in Paris, where I inhabited in the early twenties.

③ 재활용 종이를 사용하면, 공기를 정화시키는 숲 속의 나무를 보존하게 될 것이다.
→ If you use recycled paper, you'll preserve trees in the forests in which they can purify the air.

④ 그 지도자가 그 계획을 드러냈던 상황은 상당히 당황스러웠다.
→ The circumstances when the leader revealed the scheme were quite embarrassing.

10 다음 중 어법상 적절하지 않은 것은?

① Internet users grant access to whomever they offer and recommend from here.

② I can give you whatever book you want but you cannot give me whichever I want.

③ The aspiring singer who does whatever it takes to land a career will portray the quality.

④ In the modern world, no culture, however it is primitive and remote, remains isolated.

정답 및 해설

09

해설 ② inhabit은 3형식 타동사이므로 바로 뒤에 목적어가 와야 한다. 따라서 전치사 in을 없애야 한다.

① 장소를 나타내는 관계부사 where 다음 주어(the town)와 동사(lies)가 도치되었다. 따라서 어법상 적절하다.

③ 시조부는 현미도 어법상 적절하고 또한 in which 앞에 선행사 forests가 있고 in which 다음 문장구조가 완전(주어가 있고 동사 purify의 목적어가 있다)하므로 이 역시 어법상 적절하다.

④ 관계부사 when과 감정표현동사 embarrass의 주체가 사물(circumstances)이므로 현재분사 embarrassing의 사용 모두 어법상 적절하다.

09
coast 해안
region 지역
lie ① ~에 있다 ② 눕다 ③ 거짓말 하다
inhabit ~에 살다, 거주하다
preserve 보존하다
purify 정화시키다, 순수하게 하다
circumstance 상황
reveal 드러내다, 노출시키다
scheme 계획
embarrass 당황하게 하다

10

해설 ④ however 다음 형용사나 부사가 먼저 오고 뒤에 주어 동사가 이어져야 하므로 however it is primitive and remote는 however primitive and remote it is로 고쳐 써야 한다.

① whomever 다음 문장 구조가 불완전하므로 복합관계대명사 whomever의 사용은 어법상 적절하다.

② 'whatever+명사+S+V~'나 'whichever+불완전한 문장' 구조 모두 어법상 옳다.

③ 사람 선행사 다음 주격 관계대명사 who의 사용과 whatever 다음 불완전한 문장 모두 어법상 적절하다.

해석 ① 인터넷 사용자들은 그들이 제공하고 권하는 사람들은 누구든지 여기에서 접근 권한을 부여한다.

② 나는 당신이 원하는 책이면 무엇이든지 줄 수 있지만 당신은 내가 원하는 것을 줄 수 없다.

③ 그 갈망하는 가수지망생은 경력을 쌓기 위해 필요한 것이라면 무엇이든지 그 특징을 묘사할 것이다.

④ 현대 세계에서는 어떤 문화가 아무리 원시적이고 멀리 떨어져 있어도 고립되어 있지는 않다.

10
grant 부여하다, 주다
access 접근(권한)
aspiring 갈망하는, 열망하는
land a career 경력을 쌓다
portray 묘사하다
quality ① 품질 ② 특성
primitive 원시적인
remote 거리가 먼
isolated 고립된

정답 09 ② 10 ④

CHAPTER
02

병렬 구조

UNIT 01 등위(대등)접속사

01 등위(대등)접속사 병렬

대등접속사(and, or, but, so)를 기준으로 동일한 문법 구조가 나열되는 것을 병렬 구조라 한다.

📖 병렬 구조 문법포인트

1. 등위(대등)접속사 병렬
2. 상관접속사 병렬
3. 비교급 병렬

① 그는 공책과 책을 가지고 있다.

② 내 영어 선생님은 잘생기고 친절하다.

③ 의사의 (진료) 기록은 쉽고 안전하게 보관되어야만 한다.

④ 그 버스는 **9**시에 출발해서 **10**시에 도착한다.

⑤ 그들은 우리에게 조용히 있다가 가라고 경고했다.

⑥ 나는 운동이 싫다. 나는 독서나 영화 감상을 선호한다.

⑦ 당신은 연필 몇 자루를 책상 위나 상자 안에서 찾을 수 있다.

⑧ 그는 부유하지만 나는 가난하다.

⑨ 그녀는 예쁘다 그래서 그녀는 인기가 있다.

① He has a <u>notebook</u> and a <u>book</u>. (명사)

② My English teacher is <u>handsome</u> and <u>nice</u>. (형용사)

③ The doctor's records must be kept <u>easily</u> and <u>safely</u>. (부사)

④ The bus <u>leaves</u> at 9 o'clock and <u>arrives</u> at 10 o'clock. (동사)

⑤ They warned us <u>to stay</u> quiet or <u>to leave</u>. (부정사)

⑥ I don't like sports. I prefer <u>reading</u> or <u>watching</u> movies. (동명사)

⑦ You can find some pencils <u>on the desk</u> or <u>in the box</u>. (전치사구)

⑧ <u>He is rich</u> but <u>I'm poor</u>. (절)

⑨ <u>She is beautiful</u> so <u>she is popular</u>. (절)

One Tip 병렬 구조를 보는 과정

A, B		C
A, B, C	and, or	D
A, B, C, D		E

❶ 우선 **and, or** 다음에 어떤 형태의 문법 요소가 있는지 확인한다.
❷ 앞에 **comma(,)**가 있으면 마찬가지로 **comma(,)** 다음에 어떤 문법 요소가 있는지 확인해서 병렬의 시작점(**A**)을 찾는다.
❸ 그리고 그 (**A**)를 찾았으면 (**A**)가 무엇과 연결됐는지 확인한다.

• He likes to hike, to swim and to jog.
그는 하이킹, 수영 그리고 조깅을 좋아한다.

• She must talk and explain the problem to her parents.
그녀는 부모님에게 그 문제를 말하고 설명해야 한다.

• He loves hiking, swimming, jogging, fishing and shopping.
그는 하이킹, 수영, 조깅, 낚시 그리고 쇼핑을 사랑한다.

확인학습 문제 1

다음 문장을 보고 병렬의 짝을 찾아 밑줄 그으시오.

01 He discussed the problem with the nurse and the doctor.
02 They could survive by catching some insects or picking up fruit.
03 To hear, to speak, and to write good English require constant practice.
04 There are meetings in the morning, in the afternoon, in the evening and at night.
05 She went on winning contest and singing on concert tours so she became a world-famous solo singer.

---

01 해설 대등접속사 and 다음에 명사 the doctor가 있으므로 병렬의 짝은 the nurse이다.
해석 그는 그 문제에 관하여 간호사랑 의사와 논의했다.
02 해설 대등접속사 or 다음에 동명사 picking이 있으므로 병렬의 짝은 catching이다.
해석 그들은 곤충을 잡고 과일을 채집해서 살아남을 수 있었다.
어휘 insect 곤충
03 해설 대등접속사 and 다음에 to부정사 to write가 있으므로 앞에 있는 To hear, to speak가 병렬의 짝이다.
해석 영어를 잘 듣고, 말하고 쓰려면 지속적인 연습이 필요하다.
어휘 constant 지속적인 practice 연습, 훈련; 관행
04 해설 대등접속사 and 다음에 전치사구 at night가 있다. 따라서 접속사 and 앞에 있는 in the morning, in the afternoon, in the evening이 병렬의 짝을 이룬다.
해석 아침, 점심, 저녁, 그리고 밤에 회의가 있다.
05 해설 대등접속사 and 다음에 동명사 singing이 있다. 따라서 접속사 and 앞에 있는 winning이 병렬의 짝을 이룬다.
해석 그녀는 계속해서 대회에서 승리하고 콘서트에서 노래를 해서 결국 그녀는 세계적으로 유명한 솔로 가수가 되었다.

확인학습 문제2

Correct the error, if any.

01   Jane is young, devoted and talent.

02   The work is complete and skillfully done.

03   My English teacher is handsome, thorough and decently.

04   The patient's symptoms were fever, dizziness and nauseous.

05   We learned what to do, when to do and how we should do.

06   He stopped playing tennis, making cakes and swim in the pool.

07   The man went to the library, turned to page 720 and seeing the list of the greatest baseball players.

---

01 해설 대등접속사 and 앞에 병렬의 짝을 이루는 young, devoted가 형용사이다. 따라서 명사 talent를 형용사(과거분사) talented로 고쳐 써야 한다.
    해석 Jane은 젊고 헌신적이며 재능이 있다.
    어휘 devoted 헌신적인   talent 재능 (talented 재능 있는)

02 해설 대등접속사 and 뒤에 부사(skillfully)와 형용사(done)가 이어진다. 따라서 형용사(done)를 skillfully와 함께 수식할 수 있는 부사가 필요하므로 형용사 complete를 부사 completely로 고쳐 써야 한다.
    해석 그 일은 완벽하고 능숙하게 처리되었다.
    어휘 complete 완벽한, 철저한 *completely 완벽하게, 철저하게   skillfully 능숙하게, 교묘하게

03 해설 대등접속사 and 앞에 병렬을 이루는 두 단어 handsome, through의 품사가 형용사이다. 따라서 and 다음의 부사 decently를 형용사 decent로 고쳐 써야 한다.
    해석 내 영어 선생님은 잘생기고, 철저하고, 품위가 있다.
    어휘 thorough 철저한, 완전한   decent 품위 있는, 예의 바른; 괜찮은, 적절한 *decently 점잖게, 단정히; 꽤

04 해설 대등접속사 and 앞에 fever와 dizziness가 명사로 병렬의 짝을 이루고 있다. 따라서 and 다음의 품사도 명사이어야 하므로 형용사 nauseous를 명사 nausea로 고쳐 써야 한다.
    해석 그 환자의 증상은 고열과 어지러움 그리고 메스꺼움이었다.
    어휘 symptom 증상   fever 열(병)   dizziness 어지러움   nausea 메스꺼움 *nauseous 메스꺼운

05 해설 대등접속사 and 앞에 의문사구 what to do, when to do가 병렬의 짝을 이루고 있다. 따라서 and 뒤의 의문사절을 의문사구 how to do로 고쳐 써야 한다.
    해석 우리는 무엇을 해야 할지, 언제 해야 할지 그리고 어떻게 해야 할지를 배웠다.

06 해설 대등접속사 and 앞에 동명사 playing과 making이 병렬의 짝을 이루고 있다. 따라서 and 뒤에 동사 swim을 동명사 swimming으로 고쳐 써야 한다.
    해석 그는 테니스를 치고, 케이크를 만들고 풀장에서 수영하는 것을 모두 중단했다.

07 해설 대등접속사 and 앞에 과거동사 went, turned가 병렬의 짝을 이루고 있다. 따라서 and 뒤에 동명사 seeing을 saw로 고쳐 써야 한다.
    해석 그 남자는 도서관으로 가서 720쪽을 찾아 가장 위대한 야구선수의 명단을 보았다.

UNIT 02 | 상관접속사

01 상관접속사 병렬

둘 이상의 단어가 항상 커플로 다니며 연결어의 역할을 하는 상관접속사는 접속사의 짝이 동일한 문법 구조를 갖추고 있어야 한다.

---

1 not only A but (also) B A뿐만 아니라 B 역시
2 either A or B A, B 둘 중 하나
3 neither A nor B A, B 둘 다 아니다
4 both A and B A, B 둘 다
5 between A and B A와 B 사이에서
6 not A but B A가 아니라 B다
7 no longer A but B 더 이상 A가 아니라 B다
8 not because A but (because) B A 때문이 아니라 B 때문이다
9 neither (not) A nor B but C A도 B도 아닌 C이다

---

① He not only helped her cook but (also) did the dishes.

② She should either take the responsibility or leave the company.

③ This novel is neither interesting nor informative.

④ He is experienced both in theory and in practice.

⑤ There is much difference between what he said and what he did.

⑥ It is not you but me that she really cares for.

⑦ He is no longer a child but an adult.

⑧ She quit her job not because she wanted but (because) she was forced.

⑨ The creature is neither carnivorous nor herbivorous but omnivorous.

① 그는 그녀가 요리하는 것을 도왔을 뿐만 아니라 접시도 닦아줬다.

② 그녀는 그 책임을 지든지 이 회사를 떠나든지 해야 합니다.

③ 이 소설은 재미도 없고 교훈도 없다.

④ 그는 이론과 실행 둘 다에 경험이 많다.

⑤ 그가 했던 말과 그가 했던 행동에는 큰 차이가 있다.

⑥ 그녀가 정말 좋아하는 사람은 당신이 아니라 나다.

⑦ 그는 더 이상 어린아이가 아니라 다 큰 어른이다.

⑧ 그녀가 일을 관둔 이유는 그녀가 원해서가 아니라 강요받아서였다.

⑨ 그 생물은 육식도 초식도 아닌 잡식성이다.
carnivorous 육식(성)의
herbivorous 초식(성)의
omnivorous 잡식(성)의

One Tip 비교급 병렬

비교 대상도 서로 병렬을 이룬다.

- People are more interested in passion than true love.

확인학습 문제 1

다음 문장에서 무엇과 무엇이 병렬을 이루고 있는지 찾아서 밑줄을 그으시오.

01   The author's last name is either Raymond or Rachel.

02   Both the winner and the loser were satisfied with the game.

03   He not only read the book, but remembered what he had read.

04   He can neither write nor read English, but he can understand it.

05   I hate Thai food not because of its taste but because of its smell.

---

01 해설 상관접속사 either A or B의 구조이다. Raymond와 Rachel이 서로 병렬의 짝을 이룬다.
      해석 그 작가의 성은 Raymond가 아니면 Rachel 둘 중에 하나이다.
      어휘 author 작가 last name 성(씨)

02 해설 상관접속사 both A and B의 구조이다. the winner와 the loser가 서로 병렬의 짝을 이룬다.
      해석 승자와 패자 둘 모두 그 경기에 만족했다.

03 해설 상관접속사 not only A but (also) B의 구조이다. 과거동사 read와 remembered가 병렬의 짝이다.
      해석 그는 책을 읽었을 뿐만 아니라 그가 읽었던 것을 기억했다.

04 해설 상관접속사 neither A nor B의 구조이다. 동사 write와 read가 병렬의 짝이다. 또 대등접속사 but 앞의 문장
         He can ~과 뒤의 문장 he can ~도 역시 병렬의 짝을 이룬다.
      해석 그는 영어를 쓸 줄도 읽을 줄도 모르지만 이해는 할 수 있다.

05 해설 상관접속사 not because A but (because) B의 구조이다. because of its taste와 because of its smell이
         병렬의 짝이다.
      해석 나는 태국 음식을 그것의 맛 때문이 아니라 그것의 향 때문에 싫어한다.
      어휘 Thai 태국(= Thailand) taste 맛

확인학습 문제2

[   ] 안에서 알맞은 것을 고르시오.

01 Respecting privacy, sharing household chores, and [take / taking] turns in using the telephone [is / are] major rules in living together.

02 He preferred to play baseball, go to the movies or [spent / spend] his time in the street with other boys.

03 She could either do the homework or [play / played] video game.

04 The system involves anything from taking a long walk after dinner to [join / joining] a full service health club.

05 Writing a poem is as difficult as [to finish / finishing] a 400 page novel.

06 To arrive correctly is more important than [going / to go] quickly.

---

01 해설 대등접속사 and 앞에 동명사 Respecting, sharing이 있으므로 and 다음에 taking이 적절하다. 또 앞에 있는 동명사의 병렬의 짝들이 주어를 이루고 있으므로 동사는 are가 적절하다.
해석 사생활을 존중하고 집안일을 분담하며 전화 사용을 번갈아 하는 것이 함께 사는 데 있어서 중요한 규칙들이다.
어휘 privacy 사생활 household 가사 chore 허드렛일 take turns 순서를 바꾸다 major 중요한

02 해설 대등접속사 or 앞에 play와 go가 있으므로 or 다음에 동사원형 spend가 적절하다.
해석 그는 다른 친구들과 야구하거나 영화를 보러 가거나 길에서 빈둥거리는 것을 선호한다.
어휘 prefer to ⓥ 하기를 선호하다(좋아한다) spend time in the street 빈둥거리다

03 해설 상관접속사 either A or B의 구조이다. 따라서 do와 병렬의 짝인 play가 적절하다.
해석 그녀는 숙제를 하든지 비디오 게임을 하든지 둘 중 하나를 할 수 있다.
어휘 do the homework 숙제를 하다

04 해설 from A to B의 구조이다. 동명사 taking과 병렬의 짝을 이루는 joining이 적절하다.
해석 그 시스템은 저녁 식사 후 한참을 산책하는 것으로부터 풀서비스로 제공되는 헬스클럽에 가입하는 것에 이르기까지 어떤 것이든 포함된다.
어휘 involve 포함하다 take a walk 산책하다

05 해설 A as ~ as B의 구조이다. 따라서 동명사 Writing과 병렬의 짝을 이루는 finishing이 적절하다.
해석 시를 쓰는 것은 400페이지짜리 소설을 완성하는 것만큼이나 어려운 일이다.

06 해설 A more than B의 구조이다. 따라서 to부정사인 to arrive와 병렬의 짝을 이루는 to go가 적절하다.
해석 올바르게 도착하는 것이 빨리 가는 것보다 더 중요하다.
어휘 correctly 올바르게, 바르게

확인학습 문제3

다음 빈칸에 들어갈 말로 가장 적절한 것은?

> Children who live in another country must learn their mother language in order not to forget it and _____ proud of it.

① to be
② being
③ be
④ to being

해설 and 뒤에 빈칸과 병렬을 이룰 수 있는 내용은 learn과 to forget 두 개이므로 정답의 가능성은 ①과 ③이 될 수 있다. 문맥상 '모국어에 대해 자부심을 가져야 한다'이므로 앞에 must와 연결되는 동사원형 be가 필요하다. 따라서 정답은 ③이 된다.
해석 외국에 사는 아이들은 모국어를 잊지 않기 위해서 모국어를 배워야 하고 모국어에 자부심을 가져야 한다.
어휘 in order to ⓥ ~하기 위해서

정답 ③

접속사

UNIT 01 명사절을 이끄는 접속사

01 명사절을 이끄는 접속사

접속사+S+V를 갖춘 절이 문장에서 주어, 목적어, 보어 역할을 하면 명사절이 된다.

S	+	V	+	O	or	C
접속사 S+V				접속사 S+V		접속사 S+V
명사절(주어)				명사절(목적어)		명사절(보어)

① 그가 우리와 함께하고 싶다는 것은 진실이다.
→ 그가 우리와 함께하고 싶다는 것은 진실이었다.

② 나는 John이 집에 있는지 (없는지) 모른다.

③ 문제는 내가 컴퓨터를 사야 할지 말지다.

① That he wants to join us is true.
→ It was true that he wants to join us.

② I don't know if John is at home.

③ The question is whether I should buy a new computer.

👍 One Tip 명사절이 만들어지는 과정

	접속사 선택	어순
Sentence+의문사 있는 의문문	의문사	S+V
Sentence+의문사 없는 의문문	if, whether	S+V
Sentence+평서문	that	S+V

• I don't know + Where is she? 나는 모른다 + 그녀는 어디에 있지?
= I don't know where she is. 나는 그녀가 어디에 있는지 모른다.

• He asks me. + Are you tired? 그는 내게 묻는다 + 당신 피곤해?
= He asks me if(whether) I'm tired. 그는 내게 피곤한지 묻는다.

• I told him. + It was raining outside. 나는 그에게 말했다 + 밖에 비가 왔었다.
= I told him that it was raining outside. 나는 그에게 밖에 비가 왔었다고 말했다.

👍 Two Tips 동격의 접속사 that

• They have the belief that economy will soon get better.
그들은 경제가 곧 회복될 거라는 믿음을 가지고 있다.

• We heard the news that our team had won.
우리는 우리 팀이 이겼다는 소식을 들었다.

확인학습 문제 1

다음 문장을 연결하여 다시 쓰시오.

01 I cannot ensure. + He will keep his word.

→ _____

02 I was wondering. + Did you send flowers to her?

→ _____

03 He has to decide. + Does he add another color to the painting or leave it as it is?

→ _____

04 She is certain. + Dick will stay in Busan for a long time.

→ _____

05 I don't know + When will you begin to write songs together?

→ _____

06 He didn't tell me. + What was he doing at that moment?

→ _____

---

01 정답 I cannot ensure that he will keep his word.
해설 타동사 ensure 뒤에 평서문이 있으므로 접속사 that을 사용하여 두 문장을 연결할 수 있다.
해석 나는 그가 그의 말을 지킬 것(약속을 지킬 것)이라고 확신할 수 없다.

02 정답 I was wondering if you sent flowers to her.
해설 타동사 wonder 뒤에 의문사가 없는 의문문이 있으므로 접속사 if나 whether를 사용하여 두 문장을 연결할 수 있다.
해석 나는 당신이 그녀에게 꽃을 보냈는지 궁금해하고 있었다.

03 정답 He has to decide if he adds another color to the painting or leaves it as it is.
해설 타동사 decide 뒤에 의문사가 없는 의문문이 있으므로 접속사 if나 whether를 사용하여 두 문장을 연결할 수 있다.
해석 그는 그 그림에 다른 색을 더해야 할지 그냥 놔둘지 결정해야만 한다.

04 정답 She is certain that Dick will stay in Busan for a long time.
해설 She is certain 다음 평서문이 있으므로 접속사 that을 사용하여 두 문장을 연결할 수 있다.
해석 그녀는 Dick이 오랫동안 부산에 머무를 거라고 확신한다.

05 정답 I don't know when you will begin to write songs together.
해설 타동사 know 뒤에 의문사가 있는 의문문이 있으므로 의문사를 접속사로 이용하고 간접의문문의 어순(의문사+S+V 어순)으로 하여 두 문장을 연결시킬 수 있다.
해석 나는 언제 당신이 함께 작곡을 했는지 모른다.

06 정답 He didn't tell me what he was doing at that moment.
해설 tell 뒤에 의문사가 있는 의문문이 있으므로 의문사를 접속사로 이용하고 간접의문문 어순으로 하면 두 문장을 연결시킬 수 있다.
해석 그는 나에게 그가 그 순간 무엇에 대해 하고 있었는지에 대해 말해 주지 않았다.

확인학습 문제2

Correct the error, if any.

01 I never knew the fact which he was a liar.

02 If he will succeed is doubtful in that situation.

03 He was afraid of that he didn't know the truth.

04 I don't know if he will come to the party or not.

05 She asked me that she was allowed to go home now.

06 Man differ from animals in that he can think and talk.

07 Let me ask her about if she will attend the meeting.

08 I don't know how much money do they have.

---

01 해설 which 다음에 문장이 완전하므로 관계대명사 which를 동격의 접속사 that으로 고쳐 써야 한다.
  해석 나는 그가 거짓말쟁이라는 사실을 절대로 모르고 있었다.

02 해설 If가 명사절을 이끄는 접속사로 쓰이려면 목적어나 보어의 역할만 해야 한다. 즉 주어 역할로는 사용할 수 없다.
  따라서 주어 자리에 있는 If를 Whether로 고쳐 써야 한다.
  해석 그가 성공할지 못할지는 그런 상황에서는 의심스럽다.

03 해설 접속사 that절 앞에 전치사는 사용할 수 없다. 따라서 of를 삭제해야 한다.
  해석 그는 그가 진실을 몰랐던 것에 대해 걱정했다.

04 해설 명사절을 유도하는 접속사 if는 or not과 함께 사용할 수 없다. 따라서 if를 whether로 바꿔야 한다.
  해석 나는 그가 파티에 올지 안 올지 모른다.

05 해설 ask는 4형식 동사로 직접목적어 자리에 that절을 사용할 수 없으므로 접속사 that은 if나 whether로 고쳐 써야
  한다.
  해석 그녀는 내게 그녀가 지금 집에 가도 되는지에 대해 물었다.

06 해설 원칙적으로 전치사 다음 that절의 사용은 불가능하나 관용적으로 in that S+V(~하는 점에 있어서)는 사용이
  가능하다. 원래 in the fact that 또는 in the point that의 축약형으로 동격의 접속사 that으로 이해해도 무방하
  다. 이 문장의 틀린 부분은 수 일치이다. Man이 단수이므로 differ는 differs로 고쳐 써야 한다.
  해석 인간은 생각하고 말하는 점에 있어서 동물과 다르다.

07 해설 명사절을 유도하는 접속사 if는 전치사와 함께 사용할 수 없으므로 if를 whether로 고치든지 아니면 전치사 about
  을 없애야 한다.
  해석 그녀가 회의에 참석할지 내가 물어보겠다.

08 해설 명사절을 유도하는 의문사 how much money 다음 주어+동사 어순이 필요하므로 do they have는 they
  have로 고쳐 써야 한다.
  해석 나는 그들이 얼마나 많은 돈을 가지고 있는지 모른다.

02 명사절을 유도하는 접속사 that의 생략

접속사 that(목적어, 보어 역할을 하는 that절)은 언제나 생략이 가능하다.

$$
\left[\begin{array}{l} S + V \\ S + be동사 + 형용사 \end{array} \right] + (that)\ S + V
$$

① I think (that) he comes from Japan.

② The trouble is (that) my father is ill in bed.

③ I am certain (that) my English teacher will be angry.

① 내 생각엔 그는 일본 출신인 것 같다.

② 문제는 내 아버지가 병상에 계시다는 것이다.

③ 나는 내 영어 선생님이 화가 날 거라 확신한다.

확인학습 문제

다음 문장에서 that이 생략된 곳을 찾아 V 표시하시오.

01 You cannot deny you are nothing in this infinite space.

02 My hope is I will marry John someday.

03 The trouble is we are short of money.

04 We forget chewing gum is not good for our teeth.

05 I am sure you will succeed in the future.

---

01 해설 타동사 deny가 목적어 역할을 하는 명사절이 필요하다. deny와 you 사이에 that이 생략되었다.
    해석 당신은 이 무한한 우주에서 아무것도 아니라는 사실을 부인할 수 없다.
    어휘 deny ~을 부인하다, 부정하다 infinite 무한한, 끝없는 space 우주, 공간

02 해설 동사 is 다음에 주격 보어 역할을 하는 명사절이 필요하다. is와 I 사이에 that이 생략되었다.
    해석 내 소원은 언젠가 내가 John과 결혼하는 것이다.

03 해설 동사 is 다음에 주격 보어 역할을 하는 명사절이 필요하다. is와 we 사이에 that이 생략되었다.
    해석 문제는 우리가 돈이 부족하다는 거다.
    어휘 short of ~이 부족한

04 해설 타동사 forget의 목적어 역할을 하는 명사절이 필요하다. forget과 chewing 사이에 that이 생략되었다.
    해석 우리는 껌을 씹는 것이 치아에 좋지 않다는 것을 잊고 있다.
    어휘 chew 씹다 gum 껌; 잇몸

05 해설 I am sure와 you 사이에 접속사 that이 생략되었다.
    해석 나는 당신이 미래에 성공할 것이라고 확신한다.

UNIT 02 부사절을 이끄는 접속사

01 부사절을 이끄는 접속사

접속사+S+V를 갖춘 절이 문장에서 부사 역할을 하면 부사절이 된다.

시간	when(~할 때), as(~할 때, ~하면서), since(~ 이래로), while(~ 동안에), before(~전에), after(~후에), by the time(~할 무렵에, ~할 때까지), until(~할 때까지) as soon as(~하자마자), the moment(~하자마자), the instant(~하자마자) hardly[= scarcely] ~ when[before](~하자마자 …하다) no sooner ~ than (~하자마자 …하다) whenever(~할 때마다), every time(~할 때마다)
이유·원인	because, as, since, now that (~ 때문에) so+형용사+that ~, such a(n)+명사+that, so that ~ (너무 ~해서 그 결과 …하다)
조건	if(만약 ~라면), once(일단 ~하면), unless(만약 ~이 아니라면)
양보	although, though, as, even though, even if (비록 ~일지라도) no matter how, however (아무리 ~지라도)
목적	so that ~ may[can], in order that ~ may[can] (~하기 위하여)
양태	as, as though, as if (마치 ~처럼)
범위, 정도	as(so) far as, as(so) long as ~ (~하는 한, ~이기만 한다면)

1 시간

① 내가 일을 마치면, 너한테 전화
할게.

① When I have finished my work, I will telephone you.

② 그녀가 외출하려던 때에, 전화가
울렸다.

② As she was going out, the telephone rang.

③ 나는 그녀를 그녀가 어렸을 때
부터 알고 있다.

③ I have known her since she was child.

④ 근무 중일 때 나한테 전화하지
마세요.

④ Don't telephone me while I'm at the office.

⑤ 태양이 뜰 때까지 이곳에 있어.

⑤ Stay here until the sun rises.

⑥ 양방향 모두를 보고서 길을
건너세요.

⑥ Look both ways before you cross the road.

⑦ After the train had left, I arrived at the station.

⑧ By the time the storm stopped, they didn't go home.

⑨ As soon as he came home, he went to bed.

⑩ The moment[instant] he arrived here, he went to bed.

⑪ He had hardly come home when[before] he went to bed.

⑫ No sooner had he come home than he went to bed.

⑬ Scarcely had he come home when[before] he went to bed.

⑭ Whenever I see this picture, I miss her.

⑮ Everytime his cup was empty, she filled it with tea and sugar.

2 이유 · 원인

① I lied because I was afraid.

② As she is under 7, she pays only half-price.

③ Since you said so, I believed it to be true.

④ Now that you are a high-school student, you must behave like this.

⑤ He is so honest that he never tells a lie.

⑥ He is such an honest man that he never tells a lie.

⑦ He is honest, so that he never tells a lie.

⑦ 열차가 떠난 후, 나는 역에 도착했다.

⑧ 폭풍이 멈추었을 때, 그들은 집에 가지 못했다.

⑨ 그가 집에 오자마자, 잠자리에 들었다.

⑩ 그가 이곳에 오자마자, 잠자리에 들었다.

⑪ 그는 집에 오자마자 잠자리에 들었다.

⑫ 그는 집에 오자마자 잠자리에 들었다.

⑬ 그는 집에 오자마자 잠자리에 들었다.

⑭ 내가 이 사진을 볼 때마다, 난 그녀를 그리워한다.

⑮ 그의 컵이 빌 때마다, 그녀가 차와 설탕을 채웠다.

① 내가 거짓말한 이유는 두려워서였다.

② 그녀는 7세 미만이라서, 반값만 지불하면 된다.

③ 당신이 그렇게 말해서, 그게 진실일 거라 믿었다.

④ 이제 너는 고등학생이니까, 이렇게 행동해야만 한다.

⑤ 그는 매우 정직해서 절대로 거짓말하지 않는다.

⑥ 그는 매우 정직한 사람이라 절대로 거짓말하지 않는다.

⑦ 그는 정직하다, 그래서 거짓말은 절대 하지 않는다.

3 조건

① 당신이 실패한다면 조심하지 않아서다.

① You will fail if you are not careful.

② 일단 그가 와야지, 우리는 출발할 수 있다.

② Once he arrives, we can start.

③ 열심히 공부하지 않으면, 너는 시험을 통과하지 못할 것이다.

③ Unless you study hard, you won't pass the exam.

4 양보

① 그는 가난하지만 행복하다.

① Although[=Though] he is poor, he is happy.

② 그는 똑똑하지만, 절대로 대답하지 않았다.

② Smart as he was, he never answered.

③ 그가 아무리 부유하더라도, 그는 행복하지 않다.

③ However rich he is, he is not happy.

④ 그녀가 아무리 예쁘더라도, 나는 그녀에게 관심이 없다.

④ No matter how pretty she is, I am not interested in her.

⑤ 비록 우리가 여유가 되더라도, 우리는 해외여행을 가진 않을 것이다.

⑤ Even if we could afford it, we wouldn't go abroad for our vacation.

5 목적

① 일찍 출발하자, 그래야 우리가 어두워지기 전에 도착할 수 있다.

① Let's start early so that we may arrive before dark.

② 우리는 어두워지기 전에 도착하려고 일찍 출발했다.

② We started early in order that we might arrive before dark.

6 양태

① 내가 하라는 대로 해!

① Do as I say!

② 그는 마치 아니라고 말하는 듯이 고개를 저었다.

② He shook his head as if [=though] he said no.

7 범위, 정도

① I will help you as far as I can.

② You can go out as long as you promise to be back before 11 o'clock.

① 나는 내가 할 수 있는 한 너를 도울 것이다.

② 당신이 **11**시 전에 돌아오겠다고 약속만 한다면 외출해도 좋다.

02 부사절에서의 도치

양보절에서 동사 다음에 위치하는 보어나 부사는 도치되어야 하는 경우가 있다.

① However he may be poor, he is always happy. (×)
  → However poor he may be, he is always happy. (○)

① 그는 비록 가난해도 늘 행복하다.

② As he is brilliant, he won't solve the problem. (×)
  → Brilliant as he is, he won't solve the problem. (○)

② 그가 비록 뛰어나다 하더라도 그 문제는 풀지 못할 것이다.

③ As he is a child, he can understand many things. (×)
  → Child as he is, he can understand many things. (○)

③ 비록 그가 아이일지라도 그는 많은 것을 이해할 수 있다.

④ Though he is strong, he cannot lift this stone. (○)
  → Strong though he is, he cannot lift this stone. (○)

④ 비록 그가 힘은 세지만 이 돌을 들 수는 없다.

03 전치사 vs 접속사

전치사 다음에는 명사가 위치해야 하고 접속사 다음에는 S+V가 와야 한다.

전치사 + 명사	접속사 + S + V
during (~동안에) because of (~때문에) despite (~에도 불구하고) in case of (~의 경우에 대비해서) according to (~에 따르면)	while because (al)though (비록 ~일지라도) in case according as

① 그녀는 아픈 동안에 움직일 수 없었다.

① She could not move during her sickness.
   → She could not move while she was sick.

② 그는 자신의 무지 때문에 그 문제를 풀 수 없다.

② He cannot solve the problem because of his ignorance.
   → He cannot solve the problem because he is ignorant.

04 접속사 다음 주어 + 동사가 없는 경우

주절의 주어와 종속절의 주어가 같을 때 접속사 다음 S+Be 동사를 생략할 수 있다. 또한 분사구문 앞에서 의미를 분명하게 하기 위해 접속사를 사용할 수도 있다.

① 그가 젊었을 때 그는 영어를 공부했다.

① When he was young, he studied English.
   → When young, he studied English.

② 나는 창 밖을 보면서 그녀를 생각했다.

② When I looked out the window, I thought of her.
   → Looking out the window, I thought of her.
   → When looking out the window, I thought of her.

05 not until 구문

not A until B B하고 나서야 비로소 A하다

내가 그들에게 (돈을) 지불하고 나서야 비로소 그들은 일을 하기 시작했다.

They did not start working until I paid them.

= It was not until I paid them that they started working.

= Not until I paid them did they start working.

→ Not until did I pay them they started working. (×)

= They started working only after I paid them.

= Only after I paid them did they start working.

→ Only after did I pay them they started working. (×)

확인학습 문제

01 다음 빈칸에 들어갈 말로 가장 적절한 것은?

The recital has been called off _____ there has been little demand for tickets.

① now that
② which
③ because of
④ although

02 다음 빈칸에 들어갈 말로 가장 적절한 것은?

Pure naphtha is highly explosive if _____ to an open flame.

① it revealed
② is it revealed
③ revealed it
④ revealed

03 어법상 옳은 것은?
① Let me ask him if he finishes this work until tomorrow.
② He got up so early that he can see the wonderful sunrise.
③ My husband gives me a feeling of security, warm, and love.
④ She is such a nice employee that everyone in this office likes her.

04 다음 주어진 문장을 영작한 것으로 적절하지 않은 것은?

> 나는 시력을 잃고 나서야 비로소 눈의 중요성을 알았다.

① I didn't know the importance of eyes until I lost my sight.
② Not until I lost my sight did I knew the importance of eyes.
③ It was not until I lost my sight that I knew the importance of eyes.
④ Only after did I lose my sight I knew the importance of eyes.

---

01 **해설** 빈칸 다음이 완전한 문장 구조이므로 빈칸에는 접속사가 필요하다. 따라서 ② which(관계대명사)와 ③ because of(전치사)는 정답에서 제외된다. 또한 문맥상 '~ 때문에'의 의미가 필요하므로 ④ although(비록 ~일지라도)도 정답이 될 수 없다. 따라서 빈칸에는 접속사 now that(~ 때문에)이 필요하다. 그러므로 정답은 ①이 된다.
   해석 그 연주회는 티켓이 거의 팔리지 않았기 때문에 취소되었다.
   어휘 recital 연주회, 리사이틀   call off 취소하다(= cancel)   demand 수요, 요구

02 **해설** ④ if 다음 revealed는 과거분사이고 뒤에 목적어가 없으므로 어법상 옳다.
   ① if를 가정법으로 보면 if 과거는 적절하지만 주절의 시제가 옳지 않다.
   ② 주어와 동사가 도치되는 경우는 if가 생략되어야 하므로 적절하지 않다.
   ③ if 다음 S+be동사가 생략되는 경우에 revealed는 과거분사이기 때문에 뒤에 목적어가 없어야 하므로 어법상 적절하지 않다.
   해석 순수 나프타는 불길에 노출되면 폭발할 가능성이 크다.
   어휘 pure 순수한, 불순물이 없는   naphtha (화학) 나프타   explosive 폭발(성)의   open flame 불길

03 **해설** ④ such + 명사 + that S + V ~ 구문을 묻고 있다. 따라서 such a nice employee의 사용은 어법상 적절하고 또한 everyone이 주어가 될 때 단수동사로 수 일치 시켜야 하므로 단수동사 likes의 사용 역시 어법상 옳다.
   ① ask의 목적어 역할을 하는 if절은 명사절이고 뒤에 미래표시부사 tomorrow가 있으므로 문맥상 현재동사 finishes는 미래시제 will finish로 고쳐 써야 한다.
   ② so + 형용사 / 부사 + that S + V ~ 구문의 사용은 어법상 적절하지만 주절의 시제가 과거이므로 종속절의 시제도 과거가 필요하다. 따라서 can은 could로 고쳐 써야 한다.
   ③ 명사 security가 있고 and 다음 명사 love가 있으므로 병렬구조상 형용사 warm은 명사 warmth로 고쳐 써야 한다.
   해석 ① 내가 그에게 내일까지 이 일을 끝낼 수 있는지 물어볼게.
   ② 그는 너무 일찍 일어나서 멋진 일출을 볼 수 있었다.
   ③ 내 남편은 내게 안정감과 따뜻함 그리고 사랑을 준다.
   ④ 그녀는 너무 멋진 직원이라서 사무실에 있는 모든 이가 그녀를 좋아한다.
   어휘 sunrise 일출   security 안전, 안보   warm 따뜻한   employee 직원, 근로자

04 **해설** only after가 문두에 위치하면 after 다음에 이어지는 주어 동사가 도치되는 것이 아니라 주절의 주어 동사가 도치되어야 하므로 after 다음 did I lose는 I lost로, 주절의 I knew는 did I know로 각각 고쳐 써야 한다.
   어휘 not A until B B하고 나서야 비로소 A하다   sight ① 시각 ② 시력

정답 **1** ① **2** ④ **3** ④ **4** ④

MEMO

기본문제

01 어법상 옳은 것은?

2022. 국가직 9급

① A horse should be fed according to its individual needs and the nature of its work.
② My hat was blown off by the wind while walking down a narrow street.
③ She has known primarily as a political cartoonist throughout her career.
④ Even young children like to be complimented for a job done good.

02 우리말을 영어로 가장 잘 옮긴 것을 고르시오.

2021. 국가직 9급

① 당신이 부자일지라도 당신은 진실한 친구들을 살 수는 없다.
→ Rich as if you may be, you can't buy sincere friends.
② 그것은 너무나 아름다운 유성 폭풍이어서 우리는 밤새 그것을 보았다.
→ It was such a beautiful meteor storm that we watched it all night.
③ 학위가 없는 것이 그녀의 성공을 방해했다.
→ Her lack of a degree kept her advancing.
④ 그는 사형이 폐지되어야 하는지 아닌지에 대한 에세이를 써야 한다.
→ He has to write an essay on if or not the death penalty should be abolished.

정답 및 해설

01 해설 ① feed의 수동형 be fed 뒤에 목적어가 없으므로 수동의 형태는 어법상 적절하고 전치사 according to 다음 명사의 사용과 horse를 대신하는 대명사 its 모두 어법상 적절하다.

② 접속사 while 다음 '(주어 + be동사)'가 생략될 때에는 문법상의 주어와 일치하거나 또는 접속사의 주어가 막연한 일반인일 때 생략가능한데 문법상의 주어(my hat) 와 while 다음 주어가 문맥상 일치하지 않으므로 while walking의 사용은 어법상 적절하지 않다. 따라서 while walking은 while I was walking으로 고쳐 써야 한다.

③ 동사 has known의 목적어가 없으므로 수동의 형태가 필요하다. 따라서 has known은 has been known으로 고쳐 써야 한다.

④ 과거분사 done을 수식할 수 있는 것은 부사여야 하므로 형용사 good은 부사 well로 고쳐 써야 한다.

해석 ① 말은 개별적 욕구와 말이 하는 일의 특성에 따라 먹이를 줘야 한다.

② 좁은 길을 따라 걷고 있는 동안 내 모자가 바람에 날아갔다.

③ 그녀는 일하는 동안 주로 정치 풍자만화가로 알려져 왔다.

④ 심지어 어린 아이들조차도 잘한 일에 대해 칭찬받기를 좋아한다.

02 해설 ② such + a + 형용사 + 명사 + that S + V ~ 구문을 묻고 있다. 따라서 such a beautiful meteor storm that we watched ~의 사용은 어법상 적절하고 또한 strom을 대신하는 대명사 it의 사용과 시제 일치(과거시제) 모두 어법상 옳다.

① 말장난(단어장난: as if vs. as) 문제이다. 우리말의 양보의 의미를 지닌 접속사 '~ 일지라도'는 as를 사용해야 하므로 적절한 영작이 될 수 없다. 참고로 as가 양보절을 이끌 때에는 형용사보어는 as앞에 위치시켜야 한다. 따라서 적절한 영작이 되려면 Rich as if you may be는 Rich as you may be로 고쳐 써야 한다.

③ 말장난 (긍정 / 부정 장난: keep A ~ ing vs. keep A from ~ ing) 문제이다. keep A ~ ing는 'A가 계속해서 ~ 하다' (긍정) 이므로 적절한 영작이 될 수 없다. 적절한 영작이 되려면 ~ ing 앞에 from이 필요하다. 따라서 keep her advancing을 keep her from advancing 으로 고쳐 써야 한다.

④ '~ 인지 아닌지'의 의미를 지닌 명사절을 이끄는 접속사 if는 전치사의 목적어 역할을 하는 명사절을 유도할 수 없고 주어 자리에도 위치시킬 수 없다. 이때에는 접속사 if대신 whether 를 사용해야 한다. 또한 if는 바로 뒤에 or not과 함께 사용 할 수 없다. 따라서 이 문장이 적절한 영작이 되려면 if를 whether로 고쳐 써야 한다.

어휘

01
feed ① 먹다 ② 먹이다
according to ~ 에 따라서, ~ 에 따르면
need 욕구
nature ① 본성, 특성 ② 자연
blow off ~ 을 날려버리다
narrow 좁은
primarily 주로
political 정치적인
cartoonist 만화가
throughout 도처에, ~ 동안, 쭉 내내
career ① 직업, 경력 ② 생활
compliment 칭찬하다

02
sincere 진실한
meteor 유성
degree ① 온도 ② 정도 ③ 학위
death penalty 사형 (제도)
abolish 폐지하다, 없애다

03 다음 중 우리말을 영어로 잘못 옮긴 것을 고르시오. 2015. 국가직 9급

① 당신은 그 영화를 봤어야 했다.

　→ You should have watched the movie.

② 당신을 성공으로 이끄는 것은 재능이 아니라 열정이다.

　→ It is not talent but passion that leads you to success.

③ 시간을 엄수하는 것은 모든 사람들이 갖추어야 할 미덕이다.

　→ Being punctual is the virtue everyone has to have.

④ 사람들은 나이가 들면서 엄해지는 경향이 있다.

　→ People tend to be strict as though they got old.

04 빈칸에 들어갈 단어로 가장 옳은 것은? 2018. 서울시 7급

> The term 'subject' refers to something quite different from the more familiar term 'individual'. The latter term dates from the Renaissance and presupposes that man is a free, intellectual agent and _____ thinking processes are not coerced by historical or cultural circumstances.

① that　　　　　　　　② what

③ which　　　　　　　 ④ whose

05 다음 중 어법상 가장 옳지 않은 것은? 2017. 서울시 7급

① What personality studies have shown is that openness to change declines with age.

② A collaborative space program could build greater understanding, promote world peace, and improving scientific knowledge.

③ More people may start buying reusable tote bags if they become cheaper.

④ Today, more people are using smart phones and tablet computers for business.

정답 및 해설

03　**해설** ④ 접속사 as though는 '마치 ~인 것처럼'의 의미를 갖는 접속사이므로 적절하지 않다. as though는 as로 고쳐야 한다.

① should have+p.p 구문을 묻고 있다. 영화를 봤어야 했는데 그렇지 못했다는 의미이므로 적절한 영작이다.

② 상관접속사 not A but B 구문에서 동사의 수 일치를 묻고 있다. 동사 leads는 passion과 일치시켜야 하므로 어법상 옳다.

③ 주어가 동명사 Being이고 동사도 단수동사 is의 사용은 어법상 적절하다. 또한 virtue 다음에는 관계대명사가 생략된 구조이므로 이 역시 문법적으로 옳다.

04　**해설** ① and를 기준으로 병렬구조를 묻고 있다. and 앞에 presuppose의 목적어 역할을 하는 that절과 병렬을 이루어야 하므로 and 다음에도 that절이 필요하다.

해석 '국민'이라는 용어는 좀 더 익숙한 용어인 '개인'과는 아주 다른 무언가를 가리킨다. 후자의 용어는 르네상스 시대에서 시작되었고, 사람은 자유롭고 지적인 행위자이며, 생각을 처리하는 과정이 역사적 또는 문화적 상황에 강제되지 않는다는 것을 전제로 한다.

04
refer to ① ~을 가리키다 ② ~을 언급하다
familiar 친숙한
term ① 용어 ② 기간 ③ 학기
subject 국민
latter 후자의
date from ~에서 시작되다
presuppose 전제하다
intellectual 지적인
agent ① 대리인 ② 행위자
coerce 강제하다
circumstance 상황

05　**해설** ② 병렬구조를 묻고 있다. and 다음 improving은 build 그리고 promote와 병렬을 이루어야 하므로 improving은 improve로 고쳐 써야 한다.

① 관계대명사 what 다음 불완전한 문장구조(have shown의 목적어가 없다)가 이어지므로 어법상 적절하고 what절이 주어 자리에 있으므로 단수동사 is 역시 어법상 옳다. 또한 접속사 that 다음 문장구조가 완전하므로 이 문장은 어법상 적절하다.

③ start는 begin과 마찬가지로 ⓥ-ing나 to ⓥ 둘 다를 목적어로 취할 수 있고 become 다음 형용사 보어의 쓰임 역시 어법상 적절하다.

④ People이 복수명사이므로 복수동사 are는 어법상 적절하고 and를 기준으로 명사 병렬 역시 어법상 옳다.

해석 ① 인격 연구가 보여 주는 것은 나이가 들면서 변화에 대한 개방이 감소한다는 것이다.

② 공동우주 프로그램은 더 큰 이해를 만들 수 있었고 세계 평화를 촉진시킬 수도 있었고 또한 과학적 지식을 증가시킬 수 있었다.

③ 재활용이 가능한 토트백 가격이 더 내려간다면 더 많은 사람들이 그 가방을 살 가능성이 있다.

④ 오늘날 더 많은 사람들이 사업상 스마트폰과 태블릿 컴퓨터를 사용하고 있다.

05
personality 개성
decline 감소하다
collaborative 공동의
tote bag 토트백(작은 짐들을 넣어 가지고 다닐 수 있는 쇼핑백의 일종)

정답 03 ④　04 ①　05 ②

06 **우리말을 영어로 잘못 옮긴 것을 고르시오.** 2017. 국가직 9급

① 식사가 준비됐을 때, 우리는 식당으로 이동했다.

→ The dinner being ready, we moved to the dining hall.

② 저쪽에 있는 사람이 누구인지 알겠니?

→ Can you tell who that is over there?

③ 이 질병이 목숨을 앗아가는 일은 좀처럼 없다.

→ It rarely happens that this disease proves fatal.

④ 과정을 관리하면서 발전시키는 것이 나의 목표였다.

→ To control the process and making improvement was my objectives.

07 **어법상 옳지 않은 것은?** 2017. 지방직 7급

① She approached me timidly from the farther end of the room, and trembling slightly, sat down beside me.

② When she felt sorrowful, she used to turn toward the window, where nothing faced her but the lonely landscape.

③ In evaluating your progress, I have taken into account your performance, your attitude, and for your improving.

④ The Main Street Bank is said to give loans of any size to reliable customers.

정답 및 해설

06 해설 ④ 병렬구조를 묻고 있다. 대등접속사 and를 기준으로 to ⓥ와 ⓥ-ing는 서로 병렬을 이룰 수 없으므로 To control을 동명사(controling)로 바꾸거나 making을 to make 또는 make로 고쳐 써야 한다.

① 분사구문으로의 전환 시 종속절의 주어와 주절의 주어가 서로 다른 경우 종속절의 주어를 그대로 써야 한다(독립 분사구문). 원래 이 문장은 When the dinner was ready~의 부사절을 분사구문으로 전환한 형태이다. 접속사인 When을 생략하고 주어인 the dinner가 주절의 주어와 일치하지 않으므로 남겨둔 후 being을 사용해서 분사 구문으로 전환했기 때문에 어법상 적절하다.

② 의문사 who가 tell의 목적어이자 관계대명사 that절의 선행사로 사용된 문장이다. 선행사가 who일 경우에는 반드시 관계대명사는 that을 사용해야 하므로 어법상 옳다.

③ 빈도 부사 rarely의 위치는 '조 be뒤 일앞'이므로 일반동사 happen 앞에 위치하는 것은 어법상 적절하고 또한 2형식 동사 prove 뒤에 형용사 보어(fatal)의 사용 역시 어법상 옳다.

06
fatal 치명적인
process 과정
improvement 발전
objective ① 목표 ② 객관적인

07 해설 ③ 명사 병렬구조를 묻고 있으므로 and 다음 for your improving(전치사구)은 your improvement(명사)로 고쳐 써야 한다.

① 타동사 approach 다음 목적어 me는 어법상 적절하고 and 다음 분사 구문 trembling(떨다 : 자동사) 역시 어법상 옳다. 또한 and 다음 sat은 approached와 병렬을 이루므로 이 역시 어법상 적절하다.

② 2형식 감각동사 feel 다음 형용사 보어 sorrowful은 어법상 적절하고 used to(~하곤 했다)의 사용 그리고 관계부사 where 다음 완전한 문장 구조 역시 어법상 옳다. 참고로 but은 '~을 제외하고, ~이외에'의 뜻으로 전치사로 사용되었다.

④ 4형식 동사 give가 3형식으로 전환될 때 간접목적어 앞에 전치사 to의 사용은 어법상 옳다.

해석 ① 그녀는 방 끝 쪽에서 소심하게 내게 조금씩 접근했고 약간 떨면서 내 옆에 앉았다.

② 그녀는 슬플 때 고독한 풍경 이외에 아무것도 없는 창 쪽으로 돌아서곤 했다.

③ 당신의 발전을 평가하는 데 있어서 나는 당신의 수행 능력과 태도 그리고 당신의 발전을 고려해 왔다.

④ 그 Main Street은행은 믿을 만한 고객에게는 어떤 규모의 대출도 해준다고 한다.

07
approach 접근하다
tremble 떨다
slightly 약간, 다소
sorrowful 슬픈
used to ~하곤 했다
face 직면하다
but ~을 제외하고
landscape 경치, 풍경
evaluate 평가하다
take into account A A를 고려하다
attitude 태도, 마음가짐
loan 대출, 융자
reliable 믿을 만한

정답 **06** ④ **07** ③

08 다음 중 우리말을 영어로 가장 잘 옮긴 것은?

2017. 사복직 9급

① 나는 이 집으로 이사 온 지 3년이 되었다.

→ It was three years since I moved to this house.

② 우리는 해가 지기 전에 그 도시에 도착해야 한다.

→ We must arrive in the city before the sun will set.

③ 나는 그녀가 오늘 밤까지 그 일을 끝마칠지 궁금하다.

→ I wonder if she finishes the work by tonight.

④ 그는 실수하기는 했지만, 좋은 선생님으로 존경받을 수 있었다.

→ Although making a mistake, he could be respected as a good teacher.

09 다음 중 우리말을 영어로 잘못 옮긴 것은?

2016. 국가직 9급

① 나의 이모는 파티에서 그녀를 만난 것을 기억하지 못했다.

→ My aunt didn't remember meeting her at the party.

② 나의 첫 책을 쓰는 데 40년이 걸렸다.

→ It took me 40 years to write my first book.

③ 학교에서 집으로 걸어오고 있을 때 강풍에 내 우산이 뒤집혔다.

→ A strong wind blew my umbrella inside out as I was walking home from school.

④ 끝까지 생존하는 생물은 가장 강한 생물도, 가장 지적인 생물도 아니고, 변화에 가장 잘 반응하는 생물이다.

→ It is not the strongest of the species, nor the most intelligent, or the one most responsive to change that survives to the end.

10 다음 밑줄 친 부분 중 어법상 옳지 않은 것을 고르시오.

2016. 사복직 9급

Sometimes a sentence fails to say ① <u>what</u> you mean because its elements don't make proper connections. Then you have to revise by shuffling the components around, ② <u>juxtapose</u> those that should link, and separating those that should not. To get your meaning across, you not only have to choose the right words, but you have to put ③ <u>them</u> in the right order. Words in disarray ④ <u>produce</u> only nonsense.

정답 및 해설

08 해설 ④ Although 다음 주어+be동사가 생략된 구조로 making 다음 목적어(mistake)가 있으므로 능동의 형태는 적절하고 또한 be respected 다음 목적어가 없으므로 수동의 형태 또한 어법상 옳다.

① since가 '~이래로'의 의미로 사용될 때에는 since 다음 과거시제 그리고 주절에는 현재완료시제가 필요하므로 was는 has been으로 고쳐 써야 한다.

② 시조부는 현미(시간이나 조건의 부사절에서는 현재시제가 미래시제를 대신해야 한다)에 의해서 will set은 sets로 고쳐 써야 한다.

③ wonder 다음 if절은 명사절로서 시조부는 현미(시간이나 조건의 부사절에서는 현재시제가 미래시제를 대신해야 한다)가 적용되지 않으므로 미래시제를 사용해야 한다. 따라서 finishes를 will finish로 고쳐 써야 한다.

08
wonder 궁금해하다
respect 존경하다

09 해설 ④ 대등 접속사 or가 우리말과 어울리지 않는다. 'A도 B도 아닌 C다'의 표현은 not(neither) A nor B but C 구문을 사용해야 한다. 따라서 or는 but으로 바꿔야 한다.

① remember+ⓥ-ing는 과거에 했던 것을 기억하는 것이므로 적절한 영작이다.

② '누가 ~하는 데 시간이 걸리다'의 표현은 It takes sb to ⓥ 구문을 이용해야 한다. 따라서 적절한 영작이다.

③ blow는 3형식 동사로 뒤에 목적어가 필요하고 inside out은 '거꾸로'의 뜻인 부사이므로 적절한 영작이다. 또한 as 다음 주어+동사 구조와 home은 부사로 사용되었으므로 어법상 적절하다.

09
inside out 거꾸로, 뒤집어
species 종
responsive 반응하는
to the end 끝까지

10 해설 ② 병렬 구조를 묻고 있다. 병렬의 시작점은 shuffling이고 and 다음 separating이 있으므로 juxtapose는 juxtaposing으로 고쳐 써야 한다.

① 관계대명사 what을 묻고 있다. what 앞에 선행사가 없고 what 다음 mean의 목적어가 없으므로(불완전한 문장) 관계대명사 what은 어법상 적절하다.

③ 대명사의 수 일치를 묻고 있다. 앞에 나온 right words를 대신하므로 them의 사용은 어법상 적절하다.

④ 동사 문법을 묻고 있다. 주어가 words(복수)이고 뒤에 목적어 nonsense가 있으므로 능동의 형태는 어법상 옳다.

해석 간혹 문장의 요소가 제대로 연결되어 있지 않아 당신이 말하고자 하는 것을 제대로 전달하지 못하는 경우가 있다. 그럴 경우 문장 성분을 다시 섞고 관련 있는 것들을 나란히 놓고 그렇지 않은 것은 분리시켜 고쳐야 한다. 전달하고자 하는 말을 이해시키기 위해서 올바른 단어들을 선택해야 할 뿐만 아니라 그것들을 바르게 배열해야 한다. 무질서한 단어들은 아무런 의미도 만들지 못한다.

10
sentence 문장
element 요소
proper 적절한
shuffle 이리저리 뒤섞다
component 구성요소
juxtapose ~을 나란히 놓다, 병치시키다
link 연결(시키다)
separate 분리하다[시키다]
get across 이해시키다
order ① 순서 ② 질서 ③ 명령, 주문
disarray 혼란

정답 **08** ④ **09** ④ **10** ②

심화문제

01 다음 밑줄 친 부분 중 어법상 틀린 것은?

> For ① <u>what is called</u> "enveloped" viruses, the capsid is surrounded by one or more protein envelopes. Biologists all know ② <u>that</u> this simplified structure makes them different than bacteria, but no less alive. And like seeds ③ <u>even if</u> in a suspended state, they constantly monitor the exterior world around them, they really don't know ④ <u>where is it</u>.

02 다음 우리말을 영어로 옮긴 것 중 가장 적절한 것은?

① 그 힘든 임무가 마침내 완전하게 그리고 기민하게 끝났다.

  → The demanding task was finally complete and nimble done.

② 판매와 이윤 둘 다 모두 가까운 미래에 증가할 것으로 기대되지 않는다.

  → Neither the sales nor the profit are expected to increase in the near future.

③ 나무와 숲이 주는 풍요로움과 아름다움 없는 삶을 떠올리기란 어려울 것이라고 나는 생각했다.

  → I thought it would be difficult to imagine life without the rich and beauty of trees and forests.

④ 하루에 적어도 두 번 이를 닦고 매일 치실질을 하면 플라그가 쌓이는 것을 최소화시켜 줄 것이다.

  → By brushing at least twice a day and flossing daily, you will help minimize the plaque buildup.

정답 및 해설

01 **해설** ④ 간접의문문의 어순을 묻고 있다. 따라서 의문사 where 다음 주어 + 동사 어순이어야 하므로 is it은 it is로 고쳐 써야 한다.

① what 다음 불완전(주어가 없다)한 문장구조가 이어지므로 관계대명사 what의 사용은 어법상 적절하고 수동의 형태 is called 다음 보어 역할을 하는 명사 enveloped viruses의 사용 역시 어법상 옳다.

② that 앞에 선행사가 없고 뒤에 문장구조가 완전하므로 접속사 that의 사용은 어법상 적절하다.

③ 접속사 even if 다음 주어 + 동사가 이어지므로 접속사 even if의 사용은 어법상 옳다.

해석 '봉해 넣은' 바이러스라 불리는 것에 어울리게 캡시드는 하나 이상의 단백질 외피에 둘러싸여 있다. 생물학자들은 이런 단순화된 구조로 그것(바이러스)은 박테리아와 다르게 되지만, (박테리아) 못지않게 활기차게 된다는 것을 안다. 그리고 씨앗처럼 정지된 상태에서 그들이 자기 주변의 외부 세상을 끊임없이 관찰한다 하더라도, 그들은 정말로 어디에 그것이 있는지는 모른다.

02 **해설** ④ and를 기준으로 brushing과 flossing의 병렬은 어법상 적절하고 help + 원형부정사 (minimize) 구조 역시 어법상 옳다.

① be + p.p 사이에는 부사가 위치해야 하므로 and를 기준으로 부사와 부사가 병렬을 이루어야 한다. 따라서 형용사 complete와 nimble은 각각 부사 completely와 nimbly로 고쳐 써야 한다.

② neither A nor B 구조에서 A와 B자리에 명사가 병렬을 이루는 것은 어법상 적절하지만 상관접속사 neither A nor B가 주어 자리에 있을 때 동사의 수 일치는 B에 일치시켜야 하므로 are는 is로 고쳐 써야 한다.

③ and를 기준으로 문맥상 명사병렬이 이루어져야 하므로 형용사 rich는 명사 richness로 고쳐 써야한다.

어휘

01
envelop ① 봉해 넣다, 감싸다
② 봉투, 외피
surround 에워싸다, 둘러싸다
protein 단백질
simplified 단순화된
seed 씨앗
suspended 정지된
state 상태
constantly 끊임없이, 계속해서
monitor 관찰하다, 감시하다
exterior 외부(의)

02
demanding 힘든, 어려운
nimbly 기민하게, 민첩하게
floss 치실질 하다
minimize 최소화하다
buildup 축적

PART · 03

03 밑줄 친 부분 중, 어법상 가장 적절한 것은?

To be a mathematician, all ① which you need to do is to join a club devoted to math. Not many mathematicians can work alone; they need to talk about what they are doing. If you want to be a real mathematician and however you are ② weary, you had better expose your new ideas others may ③ criticize. It is so easy to exclude hidden things that you do not see what is obvious to others. However, computer scientists are different from mathematicians. To be a computer scientist, you need special computer programs in a laboratory which ④ is kind of expensive but useful to you.

04 다음 밑줄 친 부분 중 어법상 틀린 것은?

New ideas spread out through our memories, causing us to revise beliefs, ① make new generalizations, and perform other effortful cognitive operations. We prefer to avoid all this work. One way to do this is to simply assume ② that we are seeing or hearing is just the same old stuff. The real problem in metaphor, then, is to distinguish ③ which of all the stories you already know ④ is the one being told to you yet again.

정답 및 해설

어휘

03 해설 ③ new ideas다음 목적격 관계대명사 that이 생략된 구조로 관계사절 안에 있는 동사 criticize의 능동의 형태는 어법상 옳다.

① 선행사가 all이므로 관계대명사 which의 사용은 어법상 적절하지 않다. 따라서 which는 관계대명사 that으로 고쳐 써야 한다.

② however + 형용사/부사 + S + V 구조를 묻고 있다. 따라서 형용사보어 weary는 however 뒤에 위치해야 한다.

④ 문맥상 which의 선행사는 programs이므로 단수동사 is는 복수동사 are로 고쳐 써야 한다.

해석 수학자가 되고 싶으면 당신이 할 필요가 있는 모든 것은 수학에 전념하는 클럽에 가입하는 것이다. 혼자서 작업하는 수학자는 많지 않다. 그래서 그들은 그들이 하고 있는 것에 대해 토론할 필요가 있다. 만약 당신이 진정한 수학자가 되기를 원한다면 그리고 당신이 비록 지친다면 다른 사람들이 비판할 수 있는 새로운 생각을 노출시키는 편이 낫다. 숨어있는 것들을 제외시키는 것은 너무나 쉬워서 다른 사람들에게는 명백한 것을 당신은 보지 못하기도 한다. 하지만 컴퓨터 과학자는 수학자와 다르다. 컴퓨터 과학자가 되려면 당신은 다소 비싸지만 당신에게 유용한 실험실의 특별한 컴퓨터 프로그램을 필요로 한다.

03
devoted 전념하는, 몰두하는
expose 노출시키다
obvious 분명한, 명백한
kind of 다소, 약간

04 해설 ② 접속사 that 다음 문장구조가 불완전(seeing or hearing의 목적어가 없다)하므로 접속사 that은 관계대명사 what으로 고쳐 써야 한다.

① revise와 and 다음 perform과 병렬을 이루는 make는 어법상 적절하다.

③ which는 관계대명사일 뿐 아니라 의문사로도 사용될 수 있다. 여기에서 which는 의문사로 distinguish의 목적어 역할을 하는 명사절을 유도하고 있고 의문사인 동시에 주어 역할을 하므로 어법상 옳다.

④ 명사절을 유도하는 의문사 which가 의문사인 동시에 주어 역할을 하므로 단수동사 is는 어법상 적절하다.

해석 새로운 생각은 우리의 기억을 통해 퍼져나가고 우리가 믿음을 수정하고, 새롭게 일반화하고, 여타 애를 써야 하는 인식 활동을 수행하게 한다. 우리는 이 모든 일을 피하고 싶어 한다. 이렇게 하는 한 가지 방법은 우리가 보거나 듣고 있는 것을 그저 똑같은 예전의 것이라고 추정해버리는 것이다. 그러면 은유에 있어서 진짜 문제는 이미 알고 있는 모든 이야기 가운데 어느 것이 아직까지도 당신에게 되풀이되고 있는 이야기인지 식별하는 것이다.

04
revise 수정하다, 고치다
belief 믿음
make a generalization 일반화 하다
perform 수행하다
effortful 애쓰는, 노력하는
cognitive 인식의
assume 추정하다, 가정하다
metaphor 은유(법)
distinguish 구별하다, 식별하다

05 다음 중 어법상 적절한 것은?

① The psychologist is neither creative nor moral and arbitrary.

② This is the reason why discouraged me from attending the party.

③ The penny pincher is going to ask when he will save more money.

④ She informed all of a sudden that the conference had been called off.

06 다음 중 어법상 틀린 것은?

① You cannot escape speaking to someone during the party.

② Most of the utensils one thinks we use belong to the restaurant.

③ Do you know who is the best student in this class?

④ The scientist reminded us that light travels at a tremendous speed.

정답 및 해설

05 해설 ③ when절은 여기에서 명사절로 사용되었으므로 미래시제의 사용은 어법상 적절하고 또한 when 다음 주어+동사의 어순도 어법상 옳다.
① neither A nor B but C 구문을 묻고 있다. 따라서 and를 but으로 고쳐 써야 한다.
② 관계부사 why 다음 문장 구조는 완전해야 하므로 주어가 빠져 있는 불완전한 문장은 적절하지 않다. 관계부사 why를 관계대명사 which로 바꿔 써야 한다.
④ inform은 4형식 동사로 that절을 목적어로 취해야 하므로 문맥상 informed는 was informed로 고쳐 써야 한다.

해석 ① 그 심리학자는 창의적이지도 도덕적이지도 않고 임의적이다.
② 이것이 내가 회의에 참석하지 못했던 이유이다.
③ 그 구두쇠는 언제 그가 더 많은 돈을 저축할지 물어볼 것이다.
④ 그녀는 회의가 취소되었다는 것을 갑자기 통보받았다.

06 해설 ③ know 다음 명사절을 유도하는 의문사 who가 접속사 역할을 하므로 who 다음 문장의 어순은 '주어 + 동사' 구조가 이어져야 하므로 is the best student는 the best student is로 고쳐 써야 한다.
① 전치사 during 다음 명사 party의 사용은 어법상 적절하고 escape는 동명사를 목적어로 취하는 동사이므로 동명사 speaking의 사용 역시 어법 옳다. 또한 speak는 자동사이므로 뒤에 전치사 to의 사용도 어법상 적절하다.
② 명사 utensils 다음 관계대명사 that이 생략된 구조로 삽입절 one thinks의 사용은 어법상 적절하다. 또한 부분주어 Most 다음 복수명사가 있으므로 복수동사 belong의 사용 역시 어법상 옳다. 물론, 구동사 belong to의 사용 역시 어법상 적절하다.
④ remind A of B(3형식)는 remind A that S+V~(4형식)으로 사용할 수 있으므로 어법상 적절하고 또한 that 절의 S+V 수 일치나 태 일치(travel은 1형식 동사이므로 항상 능동) 또한 어법상 옳다. 마지막으로 that절의 내용이 불변의 진리이므로 현재시제 사용 역시 어법상 적절하다.

07 다음 밑줄 친 부분 중 어법상 옳지 않은 것은?

Performing from memory is often seen <u>to have</u> the effect of boosting musicality and musical communication. It is commonly argued ① <u>that</u> the very act of memorizing can guarantee a more thorough knowledge of and intimate connection with the music. In addition, memorization can enable use of direct eye contact with an audience ② <u>who</u> is more convincing than reference to the score. Those who "possess" the music in this way often convey the impression ③ <u>that</u> they are spontaneously and sincerely communicating from the heart, and indeed, contemporary evidence suggests that musicians ④ <u>who</u> achieve this are likely to find their audiences more responsive. Moreover, when performers receive and react to visual feedback from the audience, a performance can become truly interactive, involving genuine communication between all concerned.

08 다음 중 어법상 적절한 것은?

① The educational authorities have no measures to crack down on illegal private tutoring by foreigners.

② Thinking back to when I was first married, I realized that I made a growing number of mistake.

③ No matter how it may be cold, you should let in some fresh air from time to time.

④ Never did I dream that I'm able to pass the exam at the first attempt.

정답 및 해설

07 **해설** ② 문맥상 관계대명사 who의 선행사는 audience가 아닌 사물명사 eye contact이므로 관계대명사 who는 관계대명사는 which로 고쳐 써야 한다.
① 가주어 It을 대신하는 진주어 구문으로 접속사 that의 사용은 어법상 적절하다.
③ 앞에 추상명사가 있고 뒤의 문장구조가 완전하므로 동격의 접속사 that은 어법상 옳다.
④ 사람선행사가 앞에 있고 뒤의 문장구조가 불완전하므로 관계대명사 who의 사용은 어법상 적절하다.

해석 외워서 연주하는 것은 종종 음악성과 음악적인 소통을 신장시키는 효과를 가지는 것처럼 보인다. 암기하는 바로 그 행위가 그 음악에 대한 더욱 철저한 지식과 친밀한 관련성을 보장해줄 수 있다고 흔히 주장된다. 게다가, 암보는 악보를 참고하는 것보다 관객들과의 더 확실한 직접적인 눈 마주침을 가능하게 할 수 있다. 이런 식으로 음악을 '소유'하는 사람들은 그들이 마음으로부터 자발적이고 진지하게 소통하고 있다는 인상을 주며 진정으로 현대의 증거는 이것을 성취한 음악가들이 그들의 관중들이 더 반응이 좋다는 것을 발견할 가능성이 높다는 것을 보여준다. 게다가, 공연자들이 관중으로부터 시각적인 반응을 얻고 그에 반응할 때 공연은 진정 쌍방향이 될 수 있으며 관련된 사람들 간의 진정한 소통을 수반하게 된다.

08 **해설** ① 주어(authorities)와 동사(have)의 수 일치는 어법상 적절하고 have가 '가지다'의 의미일 때에는 뒤에 to부정사를 사용해야 하므로 이 역시 어법상 옳다. 참고로, to crack down on은 앞에 명사를 꾸며 주는 형용사적 용법으로 사용되었다.
② a number of 다음에는 복수명사가 와야 하므로 mistake는 mistakes로 고쳐 써야 한다.
③ No matter how(However) 다음에 형용사보어가 위치해야 하므로 cold는 how 뒤에 위치해야 한다.
④ 주절의 시제가 과거이므로 종속절의 시제도 과거나 과거완료여야 하므로 am을 was로 고쳐 써야 한다.

해석 ① 교육 당국은 외국인들의 불법 사설 강습을 단속할 수 있는 방안을 가지고 있지 않다.
② 내가 처음 결혼했을 때를 돌이켜보면 정말 많은 실수를 했다고 생각했다.
③ 비록 날씨가 추워도 가끔 환기를 시켜 주어야 한다.
④ 내가 단번에 그 시험에 합격할 수 있으리라고는 꿈에도 생각지 못했다.

어휘 🏃

07
boost 신장시키다, 북돋우다
musicality 음악성
memorize 암기하다
thorough 철두철미한
intimate 친밀한
enable 가능하게 하다
convincing 설득력 있는, 확실한
reference 참고, 참조
convey 전달하다
spontaneously 자발적으로
sincerely 진심으로
contemporary 동시대의; 현대의
responsive 반응하는
genuine 진짜의; 진실한

PART · 03

08
authority 권위; 당국
measure 대책, 조치; 재다, 측정하다
crack down on ~을 단속하다, 단호한 조치를 취하다
illegal 불법적인
private 사적인
tutoring 강습, 과외
from time to time 가끔, 이따금

---

09 다음 밑줄 친 부분 중 어법상 가장 적절한 것은?

No doubt man wishes to feel younger than his age, but the wiser of men generally prefer ① that their age alludes. Their wisdom lies in realization of the fact ② whatever every age has its own charms and handicaps. ③ While the youth, it is nice to enjoy development of mind and body. Old age is the stage for consolidation of mental achievements. A wise man does not despair over the end of youth. ④ Though his body that may have lost the physical vigour of youth is getting more and more senile, his mind becomes a vast ocean of knowledge and experience.

10 다음 중 어법상 가장 적절하지 않은 것은?

① That plastics consist of polymers means the material is light.
② The extent that we master this curriculum determines our level.
③ The industry must be fortunate in that a recycling system exists.
④ What the food you take in affects your body's performance is controversial.

정답 및 해설

09 해설 ④ Though 뒤에 주어동사(his body is getting~)가 있으므로 접속사 Though의 사용은 어법상 적절하다.

① 뒤에 문장 구조가 불완전(allude의 목적어가 없다)하므로 접속사 that의 사용은 어법상 적절하지 않다. 따라서 접속사 that은 관계대명사 what으로 고쳐 써야 한다.

② 복합관계대명사 whatever 다음 문장 구조가 완전하므로 복합관계대명사 whatever은 문맥상 동격의 접속사 that으로 고쳐 써야 한다.

③ 명사 앞에 접속사 While은 적절하지 않다. 따라서 접속사 While은 전치사 During으로 고쳐 써야 한다.

해석 의심할 여지 없이 사람은 자신의 나이보다 젊다고 느끼기를 원한다. 그러나 현명한 사람들은 일반적으로 그들의 나이가 암시하는 것을 선호한다. 그들의 지혜는 각각의 나이는 그 나름의 매력과 단점이 있다는 사실에 대한 깨달음에 있다. 젊을 때는, 정신과 육체의 개발을 즐기는 것이 좋다. 나이 듦은 정신적 성취의 결합 단계이다. 현명한 사람은 젊음이 끝난 것에 절망하지 않는다. 비록 젊은 시절의 신체적 활력을 잃어버린 그의 몸은 점점 더 노쇠해지지만, 그의 마음은 지식과 경험이 방대한 바다가 된다.

10 해설 ④ 관계대명사 What 다음 문장 구조가 완전하므로 관계대명사 What은 접속사 That으로 고쳐 써야 한다.

① 명사절을 유도하는 접속사 That 다음 문장 구조가 완전하고 단수동사 is의 사용 역시 어법상 옳다.

② 동사의 접속사 that 다음 문장 구조가 완전하므로 그 쓰임은 적절하고 주어 동사의 수 일치, 태 일치 모두 어법상 옳다.

③ in that ~은 '~라는 점에서'의 뜻으로 이때 that은 접속사로 사용되었다. that 앞에 선행사가 없고 that 뒤에 문장 구조가 완전하므로 in that의 사용은 어법상 적절하다.

해석 ① 플라스틱이 중성체로 구성되어 있다는 것은 그 물질이 가볍다는 것을 의미한다.
② 우리가 이 교과과정을 숙지하는 정도가 우리의 수준을 결정한다.
③ 그 산업은 재활용 시스템이 존재한다는 점에서 행운임에 틀림없다.
④ 당신이 섭취하는 음식이 당신의 신체 활동에 영향을 준다는 것은 논란이 된다.

어휘

09
allude 넌지시 말하다, 암시하다
realization 깨달음, 자각, 인식
charm 매력
handicap 장애, 단점
consolidation 합동, 합병, 통합
despair 절망하다, 절망
vigour 활기, 활력, 열의

10
consist of ~로 구성되다
polymer 중성체
material 물질
extent 정도
curriculum 교과과정
determine 결정하다
industry 산업, 업계
fortunate 운 좋은
recycling 재활용
exist 존재하다
take in ① 섭취하다 ② 속이다
controversial 논란이 되는

박문각
공무원

"합격의 시간"

김세현

영어

PART

04

기타 품사

조동사와 법

UNIT 01 조동사의 기본 원리

① 당신은 당신의 자녀를 돌봐야 할 의무가 있다.

② 그는 당신이 그에게 한 제안을 받아들일 수 없다.

③ 그는 토요일 파티에 나를 초대할 수 있다.

01 조동사의 기본 개념과 의미

조동사 뒤에는 반드시 동사원형이 와야 하고 두 개의 조동사를 연이어 쓸 수 없다. 또한 조동사의 부정은 조동사 바로 뒤에 not이나 never를 붙이며 조동사는 주어의 인칭과 수에 영향을 주지 않는다. 조동사는 다른 표현으로 대체할 수 있다.

① You must take care of your children.

② He cannot accept the offer you gave him.

③ He is able to invite me the party on Saturday.

👍 One Tip 문법적인 조동사

종류	역할
do	의문문, 부정문, 대동사, 강조, 도치
be	진행형, 수동형
have	완료형

- Do you like English? 넌 영어를 좋아하니?
  → No, I do not like English. 아니, 싫어.
  → Yes, I do. 응, 좋아.
- I do like your homemade cookie. 난 너의 집 쿠키가 정말 좋다.
- Never did I know that it's true. 난 그것이 사실인지 정말 몰랐다.
- She is cooking dinner. 그녀는 저녁을 요리하는 중이다.
- The window was broken by him. 창문이 그에 의해서 깨졌다.
- I have studied English for two hours. 나는 2시간 동안 영어를 공부했다.

확인학습 문제1

다음 어법상 올바른 것은?

① You should not did it after you give it up.
② He will be going to come to the business trip.
③ She can may come to the party that will invite people.
④ We have never known the fact that our English teacher was heavy.

해설 ④ 부사의 위치는 '조be뒤 일앞'이다. 따라서 어법상 적절하다.
　　① 조동사 다음 부정어(not)의 위치는 적절하지만 조동사 다음 동사원형을 써야 한다. 따라서 과거동사 did를 do로 고쳐 써야 한다.
　　② be going to는 will의 의미와 겹친다. 따라서 will이나 is going to 둘 중 하나만 사용해야 한다.
　　③ 조동사 can과 may는 함께 쓸 수 없다. 따라서 can 대신 may를 또는 may 대신 can을 사용해야 한다.
해석 ① 당신은 그것을 포기한 후에 그것을 해서는 안 된다.
　　② 그는 출장을 가게 될 것이다.
　　③ 그녀는 사람들을 초대할 그 파티에 올 수 있을지도 모른다.
　　④ 우리는 우리 영어 선생님이 체중이 많이 나간다는 사실을 결코 몰랐다.
어휘 business trip 출장　invite 초대하다

정답 ④

확인학습 문제2

다음 문장을 보고 밑줄 친 조동사의 역할을 쓰시오.

01　Considering all the situation, he <u>did</u> steal the money.

02　A pigeon <u>was</u> run over by my car.

03　They said to me that she <u>had</u> gone to Europe.

04　Seldom <u>did</u> I see such a beautiful woman.

05　A: I want to buy a brand new computer.
　　B: So <u>do</u> I.

06　My brothers <u>are</u> arguing over toys.

07　I <u>did</u> not recall meeting him before.

08　Little <u>did</u> I dream that he was my son.

01　해설 동사 steal을 강조하기 위해 강조 조동사 do가 사용되었다.
　　해석 모든 상황을 고려해 보면, 그가 돈을 훔친 것이 맞다.
　　어휘 considering ~을 고려해 보면

02　해설 was run은 수동태이다. 여기에서 was는 수동 조동사로 사용되었다.
　　해석 비둘기 한 마리가 내 차에 깔렸다.
　　어휘 pigeon 비둘기　run over (차로) 치다, 밟고 넘어가다

03　해설 had gone은 완료시제이다. 여기에서 had는 완료 조동사로 사용되었다.
　　해석 그들이 나에게 그녀는 유럽으로 이미 떠났다고 말했다.

04 **해설** 부정어구 Seldom이 문두로 나와서 뒤의 주어와 동사가 도치되었고 see가 일반동사이므로 did는 도치 조동사가 된다.

해석 그 정도로 아름다운 여성은 보기가 힘들었다.

어휘 seldom 좀처럼 ~하지 않는

05 **해설** do가 대동사로 쓰였다. 대동사는 앞 문장의 동사와 그 뒤의 내용까지 포함한다. 따라서 do는 I want to buy a brand new computer의 의미이다.

해석 A: 나는 새 컴퓨터를 사고 싶어. B: 나도 그래.

어휘 brand new (완전) 새것인

06 **해설** be+ⓥ-ing는 진행시제이다. 이때 be는 진행 조동사가 된다. 따라서 are arguing의 are는 진행 조동사이다.

해석 남동생들이 장난감을 두고 다투고 있다.

어휘 argue 논쟁하다, 다투다   over ~ 때문에

07 **해설** recall은 일반동사이므로 부정문을 만들 때에는 조동사 do가 필요하다. 따라서 did는 부정 조동사가 된다.

해석 나는 전에 그를 본 것이 기억나지 않았다.

어휘 recall 기억하다, 회상하다; 회수하다

08 **해설** 도치를 위한 조동사이다. 부정어구 Little이 문두로 나와서 뒤의 주어와 동사가 도치되었다. 따라서 did는 도치 조동사가 된다.

해석 그가 내 아들일 거라고 꿈도 꾸지 않았다.

👍Two Tips 조동사의 의미

종류	역할	의미
will(shall), would	예측, 의지	~일(할) 것이다
should, must, have to, ought to	의무	해야 한다
can, could	능력	할 수 있다
may, might	허가	해도 좋다
Will(Would) you ~?, Can(Could) you ~?	요청	할 수 있을까?
might, may, could, can, must, cannot	추측	일런지도 모른다
used to, would	습관(규칙), 습관(불규칙)	~하곤 했다
need	의무, 필요	~할 필요가 있다
dare	용기	감히(과감하게) ~하다

- She will be here in 20 minutes. 그녀는 20분 후쯤이면 여기로 올 것이다.
- She says that she will be here in 20 minutes. 그녀는 자기가 20분 후쯤 여기로 올 거라고 말한다.
- She said that she would be here in 20 minutes. 그녀는 자기가 20분 후쯤 여기로 올 거라고 말했다.
- You should(must, have to, ought to) take care of your brother.
  당신은 동생을 돌봐야만 한다.
- He can finish the work in time. 그는 시간 내에 그 일을 끝낼 수 있다.
- He could swim at the age of ten. 그는 10살 때 수영할 수 있었다.
- You may smoke here right now. 당신은 지금 당장 여기에서 담배를 피워도 된다.
- You may be right. 당신이 옳을지도 모른다.
- Is he dead? It cannot be true. 그가 죽었어요? 사실일 리가 없어요(그럴 리가 없어요).
- There must be some mistakes. 약간의 실수가 있었음에 틀림없다.
- I used to get up early when I was child. 내가 어렸을 때 나는 일찍 일어나곤 했다.
- He would sit in front of TV all day. 그는 하루 종일 TV 앞에 앉곤 했다.
- Need he lose weight? 그가 살을 뺄 필요가 있나요?
- He dared not say the truth. 그는 감히 진실을 말하지 못했다.

확인학습 문제3

다음 문장을 보고 적절한 조동사를 넣으시오.

01 그 항공사는 비행기 지연과 관련하여 우리에게 사과를 해야만 한다.
→ The airport o_____ apologize to us for the late departure of the flight.

02 그녀는 내게 20분 후에 도와줄 거라고 말했다.
→ She said she w_____ help me 20 minutes later.

03 나는 예전에 비행기 타는 것을 두려워하곤 했다.
→ I u_____ be afraid of flying.

04 제시간에 도착해야 해, 그렇지 않으면 너 없이 그냥 출발할 거야.
→ You h_____ be on time, or we will leave without you.

05 그는 비싼 다이아몬드 목걸이를 샀다. 그는 부자임에 틀림없어.
→ He bought an expensive diamond necklace. He m_____ be rich.

06 샘은 배가 고플 리가 없다. 방금 그 사람이 엄청난 양의 식사를 하는 것을 봤다.
→ Sam c_____ be hungry. I just saw him eat a huge meal.

07 그는 그녀가 내일 올지도 모른다고 말한다.
→ He says that she m_____ come tomorrow.

08 선생님이 질문을 하셨지만, 나는 그 질문에 대답할 수가 없었다.
→ My teacher asked a question, but I c_____ not answer it.

---

01 해설 '~해야 한다'의 뜻을 가진 ought to가 가장 적절하다.
어휘 apologize 사과하다 departure 출발 flight 비행(기)

02 해설 said가 과거이기 때문에 will의 과거 would가 필요하다.

03 해설 과거의 규칙적인 습관을 표현하는 used to가 가장 적절하다.
어휘 be afraid of ~을 두려워하다

04 해설 '~해야 한다'의 뜻을 가진 have to가 가장 적절하다.
어휘 on time 정각에, 제시간에

05 해설 '~임에 틀림없다'는 강한 긍정의 추측이다. 따라서 must가 가장 적절하다.

06 해설 부정에 대한 강한 추측은 'cannot+동사원형'이 필요하다. 따라서 빈칸에는 cannot이 적절하다.
어휘 huge 큰, 어마어마한 meal 식사

07 해설 현재 사실에 대한 약한 추측은 'might(may)+동사원형'이 와야 한다. 따라서 빈칸에는 may나 might가 와야 한다.

08 해설 asked가 과거이므로 can(~할 수 있다)은 could로 바꿔 시제를 일치시켜야 한다. 따라서 빈칸에는 could가 필요하다.

UNIT 02 조동사의 확장 원리

01 조동사의 추측

추측의 조동사+동사원형은 현재 사실에 대한 추측을 의미하고, 추측의 조동사+have+p.p는 과거 사실에 대한 추측을 의미한다. 단, should have+p.p는 과거 사실에 대한 추측이 아니라 과거에 ~ 했어야 했는데 그러지 못한 것에 대한 후회나 유감을 나타낸다.

① 그는 부자이다.
　그는 부자일지도 모른다.

② 그는 부자였다.
　그는 부자였을 수도 있다.

③ 그는 부자가 아니다.
　그는 부자일 리가 없다.

④ 그는 부자가 아니었다.
　그는 부자였을 리가 없다.

① He is rich.　　　　　　　　　　　　　　(현재 사실)
　He may be rich.　　　　　　　　　　　　(현재 사실에 대한 추측)

② He was rich.　　　　　　　　　　　　　(과거 사실)
　He may have been rich.　　　　　　　　(과거 사실에 대한 추측)

③ He is not rich.　　　　　　　　　　　　(현재 사실)
　He cannot be rich.　　　　　　　　　　(현재 사실에 대한 부정 추측)

④ He was not rich.　　　　　　　　　　　(과거 사실)
　He cannot have been rich.　　　　　　(과거 사실에 대한 부정 추측)

👍 One Tip

He (might < may < could < can < would < must / cannot) be right.
| 약한 추측 ←　　　　　　　　　　　　　　　→ 강한 추측 |

확인학습 문제

다음 빈칸에 적절한 것을 [보기]에서 찾아 변형시켜 넣으시오.

> [보기]
> should have p.p, may have p.p, cannot have p.p, must have p.p

01 A : You have a black eye! What happened?

B : I ran into a door.

A : Oh boy! That _____ (hurt).

02 He _____ (be) there. I was with him in the office at the very time.

03 A : Kevin died yesterday. Do you know the cause of death?

B : He _____ (be killed) by somebody. But I am not sure.

---

01 해설 과거 사실에 대한 강한 추측(~이었음에 틀림없다)을 나타내는 표현인 **must have been hurt**가 필요하다.

해석 A: 눈이 멍들었네! 무슨 일이야?

B: 문에 부딪쳤어.

A: 이런! 아팠겠다.

어휘 **have a black eye** 눈에 멍이 들다

02 해설 과거 사실에 대한 강한 부정적 추측(~이었을 리가 없다)을 나타내는 표현인 **cannot have been**이 필요하다.

해석 그가 거기에 있었을 리가 없다. 바로 그 시간에 그는 나와 사무실에 있었다.

어휘 **the very** (명사 앞에서 명사를 강조) 바로 그

03 해설 과거 사실에 대한 약한 추측(~이었을지도 모른다)을 나타내는 표현인 **may[might] have been killed**가 필요하다.

해석 A: Kevin이 어제 죽었어, 그 사인을 아니?

B: 아마 살해당했을지도 몰라, 하지만 확실치는 않아.

어휘 **cause of death** 사인(죽은 이유)

확인학습 문제2

다음 밑줄 친 부분에 들어갈 가장 적절한 것은?

> A : I wonder why the radio is on in the kitchen. No ones are in there.
> B : I'm sure grandma _____. She was in the kitchen earlier and was probably listening to it.

① must forget turnning it off

② must have forgotten to turn it off

③ cannot have forgotten to turn it off

④ cannot have forgotten turning it off

해설 대화의 흐름상 할머니께서 라디오 끌 것을 잊어버리신 것이 틀림없기 때문에 과거 사실에 대한 강한 긍정 추측 **must have p.p**가 필요하고 불을 껐던 것이 아니고 끌 것을 잊어버리신 것이기 때문에 **to turn it off**가 필요하다. 따라서 ②가 정답이 된다.

해석 A : 나는 왜 라디오가 부엌에 켜져 있는지 궁금해. 부엌에 아무도 없는데.

B : 확신하건데 할머니가 끄시는 것을 잊으신 거 같아. 할머니는 아까 거기에 계시면서 아마도 라디오를 듣고 있었어.

어휘 **wonder** 궁금해 하다 **turn off** 끄다

정답 ②

02 조동사 used to / should

used to ⓥ는 ① ~하곤 했다(과거의 규칙적인 습관), ② ~였었다(과거의 상태)의 의미를 갖는다. be used to는 to 다음에 이어지는 것이 동사원형인지 ⓥ-ing인지 따라 의미가 달라진다. ① be used to ⓥ는 '~하는 데 사용된다', ② be used to ⓥ-ing는 '~하는 데 익숙하다'의 의미이다. 주절에 판단을 나타내는 형용사나 주요명제동사가 있을 때 종속절에 조동사 should가 있어야 하고 이는 생략이 가능하다.

① James는 매일 아침 조깅을 하곤 했다.

예전에 버스 정류장이 저 모퉁이에 있었다.

[참고] 구글은 정보를 찾는 데 사용된다.
나는 정보를 찾는 데 익숙하다.
be used to ~ing ~에 익숙하다
google (정보를) 검색하다

① James used to go jogging every morning.
There used to be a bus stop on the corner.
[참고] Google is used to find the information.
I'm used to googling to find the information.

② 그는 밤을 새웠어야 했다.

그는 밤을 새우지 말았어야 했다.

② He should have stayed up all night.　　　　　(과거 사실에 대한 후회/유감)

He should not have stayed up all night.　　　　(과거 사실에 대한 후회/유감)
[참고] He ought to have stayed up all night.
He ought not to have stayed up all night.

③ 그는 당연히 그 질문에 답해야 한다.

그는 우리가 초콜릿을 너무 많이 먹으면 안 된다고 제안했다.

③ It is natural that he (should) answer the question.
He proposed that we (should) not eat too much chocolate.

👆 **One Tip** 판단의 형용사

important, natural, necessary, imperative, vital, essential, proper, rational

👍Two Tips 주요 명제 동사

❶ 주요 명제 동사+(that)+S+(should)+동사원형 → 꼭 해야 할 일을 주장/요구/명령/제안할 때
  ↳ insist, claim, ask, require, request, demand, order, command, suggest, propose, recommend

• My mother insisted that I (should) be back home by 8.
  나의 엄마는 내가 8시까지 집에 돌아와야 한다고 주장했다.

• He suggested to me that I (should) take some rest.
  그는 내게 휴식을 좀 취할 것을 제안했다.

❷ 주장동사 다음 단순 사실을 설명하는 경우나 suggest가 '암시하다, 보여 주다'의 뜻일 때에는 should를 사용할 수 없고 앞의 동사와 시제를 일치시켜야 한다.

• My mother insisted that she had heard a dog bark at night.
  나의 엄마는 그녀가 밤에 개가 짖는 소리를 들었다고 주장했다.

• Her silence suggested that she was very angry.
  그녀의 침묵은 그녀가 아주 화가 났다는 것을 암시했다.

확인학습 문제

01 다음 빈칸에 들어갈 말로 가장 적절한 것은?

> The doctor who called in sick requested that all the appointments _____.

① be called off ② to be called off
③ call off ④ were called off

02 다음 빈칸에 들어갈 말로 가장 적절한 것은?

> A: We shouldn't blame him. He wasn't even given a second chance.
> B: You're right. He _____.

① shouldn't have been ② should have been
③ must have been ④ could have been

---

01 해설 주요 명제 동사인 request는 뒤에 오는 that절 속에 should를 생략하고 동사원형을 쓸 수 있다. 또한 call off 뒤에 목적어가 없으므로 수동의 형태가 필요하다. 따라서 정답은 ①이 된다.
  해석 몸이 아파서 출근을 할 수 없게 되자 의사는 모든 약속을 취소해 달라고 요구했다.
  어휘 call in sick (몸이 아파서) 결근을 통보하다 appointment 약속 call off 취소하다

02 해설 문맥상 B는 A가 한 말에 동의(You're right)를 하고 있으므로 빈칸에는 "두 번째 기회를 주었어야 했는데"가 들어와야 한다. 그리고 should have been 다음에는 given a chance가 생략되었다. 따라서 정답은 ②가 된다.
  해석 A: 우리는 그를 탓하지 말아야 해. 그는 만회할 기회조차 갖질 못했어.
    B: 네 말이 맞아. 그는 그랬어야 해(만회할 기회를 가졌어야만 해).
  어휘 blame ~을 탓하다 a second chance 두 번째(만회할) 기회

정답 **1** ① **2** ②

03 조동사의 관용적 용법

1 had better (= would rather) ⓥ	ⓥ 하는 게 더 낫겠다
2 would rather A than B	B하느니 차라리 A하겠다
3 can (do) not so much as ⓥ	ⓥ ~ 조차 않다
4 lest ~ (should)	~하지 않도록
5 cannot ⓥ too ~	아무리 ⓥ 해도 지나치지 않다
6 cannot (help) but ⓥ	ⓥ 할 수밖에 없다
= cannot help ⓥ -ing	ⓥ 할 수밖에 없다
= have no choice but to ⓥ	ⓥ 할 수밖에 없다
= have no alternative but to ⓥ	ⓥ 할 수밖에 없다
7 cannot ⓥ without ~	ⓥ 하면 반드시 ~하다
8 can (not) afford to ⓥ	~할 여유가 있다 (없다)
9 may well ⓥ	① 아마 ⓥ일 것이다 ② ⓥ 하는 것도 당연하다
10 may(might) as well ⓥ	ⓥ 하는 게 더 낫겠다
11 may(might) as well A as B	B하느니 차라리 A하겠다

① 당신은 잠자는 것이 더 낫겠다.

① You had better (= would rather) go to bed.

② 나는 걸어서 집에 가느니 (차라리) 택시를 타겠다.

② I would rather take a cab than walk home.

③ 그는 이름조차 쓸 수 없었다.

③ He did not so much as write his name.

④ 그녀는 그가 엿듣지 못하게 내게 속삭이듯 말했다.

④ She talked to me in whispers lest he (should) be heard.

⑤ 우리가 아무리 이 음식을 칭찬하더라도 지나치지 않는다.

⑤ We cannot praise the taste of this food too much.

⑥ 나는 이 사고에 대해 그녀를 탓할 수밖에 없다.

⑥ I cannot (help) but blame her for the accident.
= I cannot help blaming her for the accident.
= I have no choice but to blame her for the accident.
= I have no alternative but to blame her for the accident.

⑦ I cannot see these photos without thinking of my school days.

⑧ We can(not) afford to purchase a nice house.

⑨ She may well get angry.

⑩ You may(might) as well study hard.

⑪ You may(might) as well speak to a stone wall as talk to him.

⑦ 나는 이 사진들을 보면 반드시 나의 학창시절이 떠오른다.

⑧ 우리는 멋진 집을 살 여유가 있다 (없다).

⑨ 그녀가 화를 내는 것은 당연하다.

⑩ 너는 (차라리) 공부나 열심히 하는 게 낫겠다.

⑪ 당신은 그에게 말하느니 차라리 돌담에다 대고 말하는 게 낫겠다.

👍 **One Tip** 조동사의 부정

had better	→ had better not	ought to	→ ought not to
would rather	→ would rather not	used to	→ used not to
may (as) well	→ may (as) well not	have to	→ don't have to

확인학습 문제 1

다음 문장을 보고 [보기]에서 적절한 조동사 표현을 넣으시오

┌─[보기]───┐
│ had better + ⓥ   cannot help ⓥ-ing   have no choice but to ⓥ │
│ cannot ⓥ without   may well + ⓥ │
│ lest ~ should │
└──┘

01 She _____ read a book without going to sleep.
      (반드시 ~하다)

02 I _____ laughing when I saw his funny costume.
      (~할 수밖에 없다)

03 He _____ refuse to speak to you because he is in a bad mood.
      (~하는 것도 당연하다)

04 You _____ give him the money you borrowed.
      (~할 수밖에 없다)

05 He practiced hard _____ become a loser.
           (~하지 않기 위해서)

06 I guess we _____ not go any further from this point.
           (~하는 게 더 낫다)

01 **정답** cannot ⓥ without ~: ⓥ하면 반드시 ~하다
해석 그녀는 책만 읽으면 반드시 잠을 잔다.

02 **정답** could not help ⓥ-ing: ~할 수밖에 없었다
해석 나는 그의 우스꽝스러운 의상을 보고 웃을 수밖에 없었다.
어휘 costume 의상, 옷차림

03 **정답** may well ⓥ: ⓥ하는 것도 당연하다
해석 그는 기분이 좋지 않기 때문에 너한테 말하는 것을 거절할 만도 하다.
어휘 refuse 거절하다 bad mood 기분 나쁜(상한)

04 **정답** have no choice but to ⓥ: ⓥ할 수밖에 없다
해석 당신은 그에게 빌린 돈을 갚을 수밖에 없다.

05 **정답** lest S+should ⓥ: ⓥ하지 않기 위해서
해석 그는 패배자가 되지 않으려고 열심히 연습했다.

06 **정답** had better ⓥ: ⓥ하는 것이 더 낫다
해석 내 생각엔 우리가 여기서 더 이상 나아가지 않는 게 좋겠다.
어휘 further 더 멀리

확인학습 문제2

다음 빈칸에 들어갈 말로 가장 적절한 것은?

> I _____ the information because of your constantly busy telephone lines.

① cannot but to fax
② had no alternative but to fax
③ cannot help to fax
④ cannot help but faxing

해설 'cannot but 동사원형' 구문을 묻고 있다. ①은 but 다음 to를 빼야 하고 ③은 to fax가 faxing으로 바뀌어야 하며 ④는 faxing이 fax가 되어야 하므로 정답은 ②가 된다.
해석 계속 전화가 통화 중이라서 팩스로 보낼 수밖에 없었습니다.
어휘 constantly 계속해서 busy 통화 중인

정답 ②

확인학습 문제3

다음 어법상 올바른 것은?
① You ought to not make noise in the library.
② He used not to drive a car out of the town.
③ He had not to stay at home last night.
④ You had not better come again as soon as possible.

해설 ② used to의 부정은 used not to이므로 어법상 적절하다.
① ought to의 부정은 ought not to ⓥ로 써야 한다.
③ have[had] to ⓥ의 부정은 don't[didn't] have to ⓥ로 표현한다. 따라서 didn't have to ⓥ로 바꿔야 한다.
④ had better의 부정은 had better not이므로 어법상 적절하지 않다.
해석 ① 당신은 도서관에서 조용히 해야 합니다.
② 그는 마을 밖으로 차를 몰고 다니진 않았다.
③ 그는 어젯밤에 집에 머무를 필요가 없었다.
④ 가능한 한 빨리 다시 오지 않는 게 더 낫겠다.
어휘 make noise 떠들다, 시끄럽게 하다

정답 ②

UNIT 03 가정법 시제

01 가정법 시제

📋 가정법 문법포인트

1. 가정법 시제
2. If 없는 가정법

- 가정법 미래시제: If＋S＋should＋동사원형 ～, S＋모든 조동사＋동사원형
- 가정법 과거시제: If＋S＋과거동사[were] ～, S＋would/could/should/might＋동사원형
- 가정법 과거완료: If＋S＋had＋p.p ～, S＋would/could/should/might＋have＋p.p
- If를 지우고 주어와 동사를 도치시킬 수 있다.

① If he should lose his house, where would he stay?
   → Should he lose his house, where would he stay?

① 만약 그가 집을 잃게 된다면, 그는 어디에 머물 것인가?

② If I were in your place, I would listen to him.
   → Were I in your place, I would listen to him.

② 내가 당신의 입장이라면, 나는 그의 말을 들었을 것이다.
   be in your place 당신의 입장이 되다

③ If she had not helped me, I would have failed.
   → Had she not helped me, I would have failed.

③ 만약 그녀가 나를 돕지 않았더라면, 나는 실패했을 것이다.

02 혼합가정법 시제

If+S+had+p.p ~, S+would/could/should/might+동사원형+현재 표시 부사구

now, today, still, this morning

① 내가 엄마의 충고를 받아들였다면, 오늘 난 더 행복할 텐데.

② 내가 열심히 공부했다면, 지금 직장을 구했을 텐데.

① If I had taken my mother's advice, I would be happier today.
→ Had I taken my mother's advice, I would be happier today.

② If I had studied hard, I could get a job now.
→ Had I studied hard, I could get a job now.

확인학습 문제 1

다음 중 어법상 올바른 것은?

① If we had more rain, we could not have arrived there on time.
② If you had wanted to pass this exam, you should work hard.
③ If the weather had been nice, I would go out this morning.
④ She had been lucky, she might have passed the exam.

해설 ③ If절에 과거완료(had p.p)가 사용되었고 주절 끝에 현재표시부사구 this morning이 있으므로, 이 문장은 혼합가정문임을 알 수 있다. 따라서 어법상 옳다.
① If절에 가정법 과거시제를 유도하는 과거동사가 사용되었다. 따라서 주절에 could not have arrived를 could not arrive로 고쳐 써야 한다.
② If절에 과거완료(had p.p)가 쓰여 있다. 따라서 주절에는 가정법 과거완료 표현인 you should have worked hard가 필요하다.
④ 이 문장에서는 접속사가 빠져 있다. 따라서 She had been lucky 앞에는 접속사 If가 필요하다. 또는 If를 생략한 가정법 과거완료 Had she been lucky로 써도 된다.
해석 ① 만약 비가 더 온다면, 우리는 제시간에 도착하지 못할 수도 있다.
② 이 시험을 통과하길 원했더라면, 너는 열심히 일했어야 했다.
③ 날씨가 좋았더라면, 오늘 아침에 밖에 나갔을 것이다.
④ 그녀가 운이 좋았더라면, 그녀는 시험을 통과했을지도 모른다.
어휘 on time 제시간에

정답 ③

 **문제2**

다음 어법상 빈칸에 들어가기에 적절한 것은?

> _____ test positive for antibiotics when tanker trucks arrive at a milk processing plant, according to the Federal Law, the entire truckload must be discarded.

① Should milk   ② If milk

③ If milk is   ④ Were milk

⑤ Milk will

해설 가정법 미래시제 구문을 묻고 있다. 이 문제의 핵심은 test가 동사로 사용된 것을 알아야 한다.

   ① Should milk는 If milk should test ~에서 If를 생략하고 주어와 동사를 도치시킨 구문이므로 문법적으로 옳다.

   ② milk가 3인칭 단수이므로 동사 test는 적절하지 않다.

   ③ test가 동사이므로 동사 is와 함께 사용할 수 없다.

   ④ 동사 test가 원형동사이므로 were와 함께 사용될 수 없다.

   ⑤ 두 문장을 연결해주는 연결사가 없다. 따라서 문법적으로 옳지 않다.

해석 만약 우유를 실은 트럭이 우유 가공 공장에 도착했을 때 항생제에 대해 양성 반응을 보이면, 연방법에 따라, 트럭에 실은 우유 전부가 폐기돼야 한다.

어휘 test positive 양성 반응을 보이다 antibiotic 항생 물질 processing plant 가공 공장 truckload 트럭 1대 분의 화물 discard 버리다

정답 ①

김세현 영어

UNIT 04 if 없는 가정법

01 I wish / as if(though) / It's time 가정법

- I wish (that)+S+과거동사[were] → 가정법 과거 (현재 사실에 반대-유감)
- I wish (that)+S+had+p.p → 가정법 과거완료 (과거 사실에 반대-유감)
- as if (though)+S+과거동사(were) → 가정법 과거 (현재 사실에 반대)
- as if (though)+S+had+p.p → 가정법 과거완료 (과거 사실에 반대)
- It's (high) time (that)+S+과거동사 → 가정법 과거 (현재 사실에 반대-유감)

① 나는 더 많은 돈을 벌기를 바란다.
→ 나는 더 많은 돈을 벌지 못해 유감이다.

① I wish I earned more money.
→ I am sorry I can't earn more money.

② 당신이 진실을 말해 주었다면 좋았을 텐데.
→ 당신이 나에게 진실을 말하지 않아서 유감이다.

② I wish you had told me the truth.
→ I am sorry you didn't tell me the truth.

③ 엄마는 나를 마치 어린아이처럼 다룬다.
→ 사실 나는 어린아이가 아니다.

③ Mom deals with me as if(though) I were a child.
→ In fact, I'm not a child.

④ 그는 마치 그가 런던에 가 본 것처럼 이야기했다.
→ 사실, 그는 런던에 가지 않았다.

④ He talked as if(though) he had visited London.
→ In fact, he didn't visit London.

⑤ (이미) 당신이 자러 갈 시간이다.
→ 당신이 잠자리에 들지 않아 유감이다.

⑤ It's (high) time you went to bed.
→ I am sorry you don't go to bed.

확인학습 문제

01 다음 중 어법상 적절한 것은?

① I wish I am as intelligent as he is.

② He speaks English fluently as if he were an America.

③ If I had enough money at that time, I would lend it to you.

④ It's high time that you had accepted his tremendous proposal.

02 다음 우리말을 영어로 옮긴 것으로 가장 옳은 것은?

> 우리가 작년에 그 아파트를 구입했었더라면 얼마나 좋을까.

① I wish we purchased the apartment last year.

② I wished we purchased the apartment last year.

③ I wish we had purchased the apartment last year.

④ I wished we had purchased the apartment last year.

---

01 해설 ② **as if** 가정법 과거는 현재 사실에 반대하므로 어법상 적절하다.
① 현재 사실에 대한 아쉬움을 표현하므로 'I wish+가정법 과거'를 쓰는 것이 옳다. 따라서 동사는 과거시제가 되어야 한다. 따라서 **am**은 **was**나 **were**로 고쳐 써야 한다.
③ 가정법 과거시제 패턴은 어법상 적절하지만 과거표시부사구 **at that time**이 있으므로 주어진 문장은 가정법 과거완료(과거 사실에 반대)가 되어야 한다. 따라서 종속절의 동사 **had**는 **had had**로, 주절의 **would lend**는 **would have lent**로 고쳐 써야 한다.
④ **it is (high) time that** 가정법 구문에서 **that**절에는 과거동사만 사용해야 하므로 과거완료시제인 **had accepted**는 과거동사 **accepted**로 고쳐 써야 한다.

해석 ① 내가 그처럼 똑똑하면 좋을 텐데.
② 그는 마치 자신이 미국 사람인 것처럼 유창하게 영어로 말한다.
③ 만일 내가 그때 돈이 충분히 있었더라면 너에게 빌려 주었을 것이다.
④ 당신이 그의 어마어마한 제안을 받아들일 시간인데.

어휘 **intelligent** 지적인 **tremendous** 어마어마한, 거대한

02 해설 과거에 그 아파트를 구입하지 않았음을 의미하므로, 과거에 대한 아쉬움을 표현하는 'I wish+가정법 과거완료'가 와야 한다. 따라서 'I wish 주어+had p.p'의 형태가 되어야 하므로 ③의 'I wish we had purchased the apartment last year.'가 가장 적절한 영작이 된다.

어휘 **purchase** 구매하다

정답 **1** ② **2** ③

02 If 없는 가정법

but for(= without)가 가정법 과거로 사용되면 주절의 시제는 would＋동사원형을 사용하고 가정법 과거 완료로 사용되면 주절의 시제는 would have＋p.p를 사용한다.

① 너의 도움이 없다면, 나는 시험에 떨어질 것이다.

① But for your help, I would fail the exam.
  = Without your help, I would fail the exam.
  = If it were not for your help, I would fail the exam.
  = Were it not for your help, I would fail the exam.
  = If there were no your help, I would fail the exam.
  = Were there no your help, I would fail the exam.
  = In the absence of your help, I would fail the exam.

② 너의 도움이 없었더라면, 나는 시험에서 떨어졌을 것이다.

② But for your help, I would have failed the exam.
  = Without your help, I would have failed the exam.
  = If it had not been for your help, I would have failed the exam.
  = Had it not been for your help, I would have failed the exam.
  = If there had been no your help, I would have failed the exam.
  = Had there been no your help, I would have failed the exam.
  = In the absence of your help, I would have failed the exam.

👍 One Tip 사람주어 + 가정법 구문

사람 주어+가정법 시제 ~: 만약 사람 주어가 ~라면

- An intelligent man would not have said such a thing.
  지적인 사람이라면 그러한 것을 말하지 않았을 텐데.

👍 Two Tips and/or의 의미

명령문(must 계열 조동사) ~, and S+V ~
명령문(must 계열 조동사) ~, or S+V ~

- Exercise regularly and you'll feel good about yourself.
  규칙적으로 운동해라. 그러면 당신은 기분이 좋아질 것이다.

- You must work hard, or you would not pass the exam.
  당신은 열심히 공부해야 한다. 그렇지 않으면 시험에 떨어질 것이다.

👍 Three Tips if 대용구문

unless = if ~ not: ~이 아니면
Suppose [Supposing/Provided/Providing]: 만약 ~라면
in case S+V (= in case of+명사): 만약 ~의 경우라면/~의 경우에 대비해서
otherwise: (만약) 그렇지 않으면

- That will not exist unless you are allowed to invest it.
  만약 당신이 그것에 투자하지 않는다면 그런 일은 존재하지 않을 것이다.

- Supposing you were a foreigner, please try to answer my questions.
  만약 당신이 외국인이라면, 내 질문에 대답해 주세요.

- Provided that you give me a discount, I'll pay for it.
  만약 당신이 좀 싸게 해 준다면 나는 그것을 지불할 것이다.

- In case of fire, leave the building by the nearest exit.
  불이 나면 가장 가까운 비상구를 통해서 이 건물을 빠져 나가세요.

- He hold a stick just in case the dog attacked him.
  그는 개의 공격에 대비해서 막대기를 가지고 있다.

- I was lucky to have savings, otherwise, I would have gone through difficulty.
  내가 저금을 했다는 것은 행운이었다. 만약 그렇지 않았다면 많은 어려움을 겪었을 것이다.

확인학습 문제

01 다음 중 어법상 잘못된 것은?

① Without your help, I could not be promoted.

② But for water, no living things could live.

③ If it had not been for your help, I could have passed the test.

④ If it were not for language, we could not have communicated.

02 다음 우리말을 영어로 잘못 옮긴 것은?

① 창문을 닫아라, 그렇지 않으면 이 안이 추워질 것이다.

→ Shut the window, otherwise, it'll get cold in here.

② 공정한 판사였다면 그는 그녀를 용서해 주었을 텐데.

→ A fair judge would have forgiven her.

③ 지금 당장 출발하지 않으면 기차를 놓칠 것이다.

→ You have to depart now, or you will miss the train.

④ 그의 충고가 없었더라면 어려운 상황에 놓였을 것이다.

→ Without his advice, you were in a trouble.

---

01 해설 ④ 'if it were not for ~'는 '~이 없다면'을 뜻하는 가정법 과거 문장이다. '언어가 없다면, 우리는 의사소통을 할 수 없을 텐데'라는 현재 사실과 반대되는 내용을 가정하는 가정법 과거이므로 주절에는 '주어+조동사의 과거형 +동사원형'이 사용되어야 한다. 따라서 we could not have communicated를 we could not communicate 로 바꿔야 한다.

① without 가정법 구문이다. 가정과 과거시제 could not be promoted는 적절하다.

② but for 가정법 구문이다. 가정법 과거시제 could live는 적절하다.

③ 가정법 과거완료시제(if+had+p.p ~, would+have+p.p ~) 패턴이 적절하다.

해석 ① 너의 도움이 없다면 나는 승진할 수 없었을 텐데.

② 물이 없다면 어떤 생명체도 살지 못할 텐데.

③ 너의 도움이 없었다면 나는 시험에 통과했을 텐데.

④ 언어가 없다면 우리는 의사소통을 할 수 없었을 텐데.

어휘 promote 승진시키다 communicate 의사소통하다

02 해설 ④ 주어진 우리말은 과거사실에 반대하는 내용이므로 가정법 과거완료시제가 필요하다. 따라서 주절의 would be 는 would have been으로 고쳐 써야 한다.

① Otherwise는 '그렇지 않다면'의 뜻으로 적절한 영작이다.

② A fair judge(사람)가 would have p.p(가정법 시제)와 결합되어 있으므로 가정법 구문을 대신할 수 있다. 따라서 어법상 옳다.

③ must 계열의 조동사 다음 접속사 or는 '그렇지 않으면'의 뜻이므로 어법상 옳다.

어휘 fair 공정한, 정당한 forgive 용서하다 depart 출발하다 be in a trouble 어려움을 겪다

정답 **1** ④ **2** ④

MEMO

심화문제

01 다음 글의 밑줄 친 부분 중 어법상 올바른 것은?

> The company demands that every employee ① <u>follow</u> established guidelines for hair style, jewelry, and facial makeup. Currently, however, some of these policies ② <u>are challenging</u> in courts. At issues ③ <u>are</u> whether employers have the right to enforce rigid appearance standards on workers. According to the Equal Employment Opportunity Commission, no company is allowed to hinder its employees ④ <u>from expression</u> religious beliefs or cultural heritage through their appearance.

02 다음 중 어법상 틀린 것은?

① If I had studied harder at school, I would still get a better job.

② If I were in your position, I would do anything for them.

③ If I had lived 300 hundred years ago, I'd have been a king.

④ Had it not been for his assistance, I would have been failed the work.

정답 및 해설

01 해설 ① 주절에 주요 명제 동사 demand가 있으므로 that절에 동사는 should가 생략된 동사원형이 필요하다. 따라서 follow는 적절하다.
② 부분주어+of+복수명사이므로 are는 적절하지만 뒤에 목적어가 없으므로 challenging을 challenged로 고쳐 써야 한다.
③ At issues(장소의 전치사구)가 문두에 위치해서 주어동사가 도치된 구조로 주어가 whether+S+V~(명사절)이므로 동사는 단수동사가 필요하다. 따라서 are를 is로 고쳐 써야 한다.
④ hinder+O+from+명사(ⓥ-ing) 구조는 적절하지만 전치사 다음 명사 expression 뒤에 또 다른 명사가 존재하므로 expression을 동명사 expressing으로 고쳐 써야 한다.

해석 회사는 모든 피고용자에게 헤어스타일, 장신구, 그리고 얼굴 화장에 대해 정해진 지침을 따를 것을 요구하고 있다. 그러나 오늘날 이러한 방침들 중 일부가 법정에서 심판을 받고 있다. 논쟁이 되고 있는 것은 고용주들이 근로자들에게 엄격한 외모 규정을 강요할 권리가 있는지 여부이다. 고용 평등 위원회에 따르면, 어떠한 회사도 피고용자가 자신들의 외모를 통해 종교적 신념이나 문화적 전통을 표현하는 것을 막을 수 없다고 한다.

02 해설 ④ If를 생략하고 조동사 Had를 문두로 도치시켜 완성한 가정법 과거완료 문장이다. 과거 사실의 반대를 나타내는 과거완료(had p.p)를 사용했고 주절에 would have p.p가 있으므로 가정법 시제는 어법상 적절하지만 have been failed 뒤에 목적어 work가 있으므로 수동의 형태는 어법상 적절하지 않다. 따라서 have been failed는 have failed로 고쳐 써야 한다.
① 주절에 still이 있으므로 혼합가정법시제의 사용은 어법상 적절하다.
② If절에 과거동사가 있고 주절에 would 동사원형를 사용한 가정법 과거시제는 어법상 옳다.
③ 가정법 과거완료를 묻는 문제이다. if절에 과거완료(had lived)가 있고 주절에 would have been이 있으므로 어법상 적절하다.

해석 ① 내가 학창시절에 더 열심히 공부했더라면, 나는 더 좋은 직업을 가질 수 있을 텐데.
② 내가 당신 입장이라면, 나는 그들을 위해 뭐든지 할 텐데.
③ 내가 300년 전에 살았더라면, 나는 왕이었을 텐데.
④ 그의 도움이 없었다면 나는 그 일에 실패했을 텐데.

03 우리말을 영어로 잘못 옮긴 것은?

① 그렇게 하느니 차라리 하지 않는 것이 좋다.

→ You would rather not to do it at all than to do it that way.

② 그는 새로운 정책이 모든 노동자들을 위해 이행되어야 한다고 제안했다.

→ He suggested that the new policy be implemented for all workers.

③ 너의 꿈을 추구하기 위해 학위를 가져야 할 필요는 없다.

→ You don't have to have a degree to pursue your dream.

④ 그는 동생이 성난 군중들에게 짓밟히지 않도록 그의 팔을 잡았다.

→ He gripped his brother's arm lest he be trampled by the mob.

04 다음 중 우리말을 영어로 잘못 옮긴 것은?

① 그녀는 포커게임만 하면 반드시 돈을 잃는다.

→ She cannot play poker game without losing lots of money.

② 우리는 그의 분야에서의 업적을 너무 많이 칭찬할 수는 없다.

→ We cannot praise the achievement in his field too much.

③ 어떤 누구도 그것을 원하지 않으면 차라리 그에게 주는 편이 낫겠다.

→ If no one else wants it, we might as well give it to him.

④ 참가자들이 양자 물리학을 이해하려 할 때 도움을 주는 데 무엇이 사용될 수 있을까?

→ What will be used to help the participants figure out quantum physics?

05 밑줄 친 부분 중 어법상 적절하지 않은 것은?

① Should everyone want to clone a cow or other animal, how will our life change? For example, if a farmer ② had a cow that produced high quality meat or milk, he would make a lot of money, especially, ③ were many copies of this cow made by the farmer. But what ④ will the world be like if we produced another Michael Jordan, Elvis Presley, Albert Einstein, or Mother Teresa?

정답 및 해설

03 해설 ① 'B하느니 차라리 A하겠다'는 표현은 would rather A than B 구문을 사용하는데, 이때 A와 B는 모두 동사원형의 형태를 취한다. 따라서 제시문의 to do는 각각 do로 고쳐 써야 한다.
② 주요 명제 동사 suggest(제안하다) 다음 that절에는 (should)+동사원형을 사용해야 한다. 따라서 적절한 영작이다.
③ '~할 필요가 없다'는 don't have to로 표현한다. 따라서 어법상 적절하다.
④ lest ~ (should) 구문을 묻고 있다. 따라서 he 다음 동사원형 be의 사용은 어법상 옳다.

04 해설 ② 조동사 관용 표현인 cannot ⓥ too ~ (아무리 ~해도 지나치지 않다)를 사용하여 강한 긍정을 나타내는 표현이다. 주어진 제시문은 부정적 내용이므로 적절하지 못한 영작이다.
① 조동사 관용 표현인 cannot ⓥ without ~ (ⓥ하면 반드시 ~하다)를 사용했다. 따라서 적절한 영작이다.
③ 조동사 관용 표현인 may(might) as well ⓥ (ⓥ하는 게 낫겠다)를 사용했다. 따라서 적절한 영작이다.
④ be used to ⓥ 는 '~하는 데 사용되다'의 뜻이다. 따라서 적절한 영작이다.

05 해설 ④ if절에 과거시제(produced)가 있으므로 주절의 시제는 가정법 조동사 would가 필요하다. 따라서 will은 would로 고쳐 써야한다.
① 가정법 미래시제 패턴을 묻고 있다. If everyone should want ~에서 if를 지우고 주어동사가 도치된 구문으로 should의 사용은 어법상 적절하다.
② 가정법 과거시제 패턴을 묻고 있다. 따라서 if절의 과거시제 had는 어법상 옳다.
③ if 없는 가정법 구문을 묻고 있다. if many copies of the cow were made ~ 에서 if를 지우고 주어동사가 도치된 구문으로 가정법 과거시제 패턴은 어법상 적절하다.

해석 만약 모든 사람들이 소나 다른 동물들을 복제하기를 원한다면 우리의 삶은 어떻게 변할까? 예를 들어서 만약 어떤 농부가 고품질의 고기나 우유를 만드는 소를 가지고 있다면 그리고 그 농부가 특히 이 소의 많은 복제품을 만든다면 그 농부는 많을 돈을 벌수 있다. 하지만, 우리가 또 다른 Michael Jordan이나 Elvis Presley 그리고 Albert Einstein이나 수녀 Teresa 를 만들어 낸다면 이 세상은 어떻게 될까?

어휘

03
implement 이행하다, 수행하다
degree 온도; 정도; 학위
pursue 추구하다
grip 잡다, 쥐다
trample 짓밟다
mob (성난) 군중

04
lose 잃다, 잃어버리다
lots of 많은
praise 칭찬하다
achievement 업적
field 분야, 영역; 들, 밭
participant 참가자
figure out 이해하다
quantum physics 양자 물리학

05
clone 복제하다
make money 돈을 벌다
what is A like? A는 어때?

정답 03 ① 04 ② 05 ④

06 밑줄 친 부분 중 어법상 적절한 것은?

> I would be happy now ① <u>had</u> I stopped watching TV. The basketball game I watched was tedious, dull, dry and ② <u>bored</u>. It ③ <u>would be</u> over thirty minutes ago if one of the members ④ <u>were</u> not falling and breaking his arm. But, it didn't happen.

07 우리말을 영어로 가장 잘 옮긴 것은?   2020. 국가직 9급

① 몇 가지 문제가 새로운 회원들 때문에 생겼다.

→ Several problems have raised due to the new members.

② 그 위원회는 그 건물의 건설을 중단하라고 명했다.

→ The committee commanded that construction of the building cease.

③ 그들은 한 시간에 40마일이 넘는 바람과 싸워야 했다.

→ They had to fight against winds that will blow over 40 miles an hour.

④ 거의 모든 식물의 씨앗은 혹독한 날씨에도 살아남는다.

→ The seeds of most plants are survived by harsh weather.

정답 및 해설

06 해설 ① if 없는 가정법 구문으로 주절에 now가 있으므로(혼합가정법) 종속절에 had stopped의 사용은 어법상 적절하다.

② 감정표현동사 bore의 주체가 사물(game)이므로 bored는 boring으로 고쳐 써야 한다.

③ 과거표시부사 ago가 있으므로 과거시점이고 따라서 주절에는 가정법 과거 완료시제 패턴인 would have+p.p가 필요하다. 따라서 would be는 would have been으로 고쳐 써야 한다.

④ 과거표시부사 ago가 있으므로 과거시점이고 따라서 가정법 과거완료시제 패턴이 필요하므로 if절에 과거 동사 were는 어법상 적절하지 않다. 따라서 were not falling을 had not been falling으로 고쳐 써야 한다.

해석 내가 텔레비전시청을 멈췄더라면 지금 행복할 텐데. 싫증나고 따분하고 지루하고 재미없는 그 농구 경기가 만약 선수중 하나가 넘어져서 팔이 부러지지 않았더라면 30분전에 끝났을 텐데. 하지만 그런 일은 일어나지 않았다.

06
tedious 싫증나는, 지루한(= **boring**)
dull ① 무딘 ② 따분한

07 해설 ② '주요명제'동사 다음 that절에는 should(생략가능)가 있어야 하므로 동사원형 cease의 사용은 어법상 적절하다. 또한 cease는 1형식 자동사이므로 능동의 형태 (cease) 역시 어법상 옳다.

① '말장난' 문제이다. '어떤 일이 일어나다, 생기다' 의 뜻을 나타내는 영어표현은 raise가 아니라 arise여야 하므로 raised는 arisen로 고쳐 써야 한다. 참고로 이 문제는 have raised가 능동의 형태이고 뒤에 목적어가 없으므로 어법상 적절하지 않다고 판단해도 무방하다.

③ 주절의 시제가 과거인데 관계대명사 that절의 시제가 미래이므로 시제 일치가 어법상 맞지 않다. 따라서 미래시제 will blow는 문맥상 과거시제 blew로 고쳐 써야 한다.

④ 말장난(순서장난) 문제이다. 이 문장을 능동으로 바꾸면 Harsh weather survive the seeds of most plants(혹독한 날씨가 대부분의 씨앗을 이겨낸다)가 된다. 이 문장은 문맥적으로 의미가 통하지 않는다. 즉, 논리적이지 않다. 주어진 우리말을 영어로 옮기려면 다음과 같아야 한다. The seeds of most lpants survive harsh weather.

07
arise 일어나다, 생기다
due to ~ 때문에
committee 위원회
command 명령하다
construction 건설
cease 중단하다, 중단되다
harsh 거친, 혹독한

정답 06 ① 07 ②

08 어법상 가장 옳은 것은? 2018. 서울시 9급

① If the item should not be delivered tomorrow, they would complain about it.
② He was more skillful than any other baseball players in his class.
③ Hardly has the violinist finished his performance before the audience stood up and applauded.
④ Bakers have been made come out, asking for promoting wheat consumption.

09 다음 우리말을 영어로 잘못 옮긴 것을 고르시오. 2017. 국가직 9급

① 이 편지를 받는 대로 곧 본사로 와 주십시오.
→ Please come to the headquarters as soon as you receive this letter.
② 나는 소년 시절에 독서하는 버릇을 길러 놓았어야만 했다.
→ I ought to have formed a habit of reading in my boyhood.
③ 그는 10년 동안 외국에 있었기 때문에 영어를 매우 유창하게 말할 수 있다.
→ Having been abroad for ten years, he can speak English very fluently.
④ 내가 그때 그 계획을 포기했었다면 이렇게 훌륭한 성과를 얻지 못했을 것이다.
→ Had I given up the project at that time, I should have achieved such a splendid result.

10 어법상 옳은 것을 고르시오. 2017. 국가직 9급

① Undergraduates are not allowed to using equipments in the laboratory.
② The extent of Mary's knowledge on various subjects astound me.
③ If she had been at home yesterday, I would have visited her.
④ I regret to inform you that your loan application has not approved.

정답 및 해설

어휘

08 해설 ① 가정법 미래시제를 묻고 있다. If절에 should의 사용은 어법상 적절하고 주절에는 모든 조동사가 올 수 있으므로 가정법 조동사 would의 사용 역시 어법상 옳다.

② 비교급 than any other 단수명사 구조를 묻고 있다. 따라서 players는 player로 고쳐 써야 한다.

③ Hardly ~ before 구문을 묻고 있다. Hardly 다음에는 과거완료시제가 있어야 하므로 has는 had로 고쳐 써야 한다.

④ 사역동사의 수동태 구문을 묻고 있다. 따라서 made 다음 동사원형 come은 to come으로 고쳐 써야 한다.

해석 ① 만일 그 물품이 내일까지 배달되지 않으면 그들은 그것에 대해 불평을 할 것이다.

② 그는 그의 학급의 어떤 다른 야구선수보다 기술이 뛰어나다.

③ 바이올리니스트가 공연을 끝내자마자 관객들은 일어나서 환호했다.

④ 제과업자들은 밀의 소비 장려를 요구하며 거리로 나오도록 요구되어 왔다.

08
applaud 환호하다, 박수갈채를 보내다
wheat 밀
consumption 소비

09 해설 ④ 말장난(긍정/부정 장난) 문제이다. If가 생략된 가정법 과거완료 구문으로 가정법 과거완료 시제 패턴은 어법상 적절하지만 주어진 우리말에 대한 영작(훌륭한 성과를 얻지 못했을 것이다 : 부정 → should have achieved : 긍정)이 잘못 되었다. 따라서 should have achieved를 would(could) not have achieved로 고쳐 써야 한다.

① 시조부는 현미(시간이나 조건의 부사절에서는 현재 시제가 미래 시제를 대신한다)이므로 어법상 적절하다.

② ought to(= should) have+p.p(~했어야 했는데 그렇지 못해 유감이다) 구문을 묻고 있다. 적절한 영작이다.

③ 외국에 있었기(과거사실) 때문에 영어를 유창하게 말할 수 있다(현재)이므로 완료 분사구문 Having been의 사용은 어법상 적절하다.

09
headquarter 본사
form 형성하다
boyhood 소년시절
abroad 해외에
fluently 유창하게
give up 포기하다
achieve 성취하다
splendid 훌륭한

10 해설 ③ 가정법 과거완료시제(If had+p.p. ~, would have+p.p.) 패턴을 묻고 있다. 따라서 어법상 적절하다.

① be allowed to ⓥ 구문을 묻고 있다. 따라서 using을 to use로 고쳐 써야 한다.

② 주어가 extent(3인칭 단수)이므로 복수동사(astound)는 단수동사(astounds)로 고쳐 써야 한다.

④ has not approved 다음 목적어가 없으므로 has not approved(능동)는 수동의 형태(has not been approved)로 고쳐 써야 한다.

해석 ① 학부생들은 실험실 장비를 사용하도록 허락되지 않는다.

② 다양한 주제들에 대한 Mary의 지식의 범주가 나를 놀라게 한다.

③ 그녀가 어제 집에 있었다면, 나는 그녀를 방문했을 텐데.

④ 당신의 대출 신청서가 승인되지 않았음을 알려드리게 되어 유감입니다.

10
undergraduate 학부생
equipment ① 장비 ② 준비
laboratory 실험실
extent 범위, 범주
astound 놀라게 하다
inform 알리다
loan application 대출 신청
approve 승인하다

정답 08 ① 09 ④ 10 ③

11 **우리말을 영어로 옳게 옮긴 것은?** 2017. 지방직 9급

① 내 컴퓨터가 작동을 멈췄을 때, 나는 그것을 고치기 위해 컴퓨터 가게로 가져갔어.

→ When my computer stopped working, I took it to the computer store to get it fixed.

② 내가 산책에 같이 갈 수 있는지 네게 알려줄게.

→ I will let you know if I can accompany with you on your walk.

③ 그 영화가 너무 지루해서 나는 삼십 분 후에 잠이 들었어.

→ The movie was so bored that I fell asleep after half an hour.

④ 내가 열쇠를 잃어버리지 않았더라면 모든 것이 괜찮았을 텐데.

→ Everything would have been OK if I haven't lost my keys

12 **다음 우리말을 영어로 잘못 옮긴 것을 고르시오.** 2016. 지방직 9급

① 오늘 밤 나는 영화 보러 가기보다는 집에서 쉬고 싶다.

→ I'd rather relax at home than going to the movies tonight.

② 경찰은 집안 문제에 대해서는 개입하기를 무척 꺼린다.

→ The police are very unwilling to interfere in family problems.

③ 네가 통제하지 못하는 과거의 일을 걱정해봐야 소용없다.

→ It's no use worrying about past events over which you have no control.

④ 내가 자주 열쇠를 엉뚱한 곳에 두어서 내 비서가 나를 위해 여분의 열쇠를 갖고 다닌다.

→ I misplace my keys so often that my secretary carries spare ones for me.

정답 및 해설

11 해설 ① stop ⓥ-ing 구문과 get+O+O.C(과거분사) 구문 모두 어법상 적절하다.

② accompany는 타동사로서 바로 뒤에 목적어가 와야 한다. 따라서 with를 없애야 한다.

③ bored는 감정표현동사이고 주체가 사물이므로 bored는 boring으로 고쳐 써야 한다.

④ 가정법 과거완료시제(S+would have p.p ~ , if+S+had p.p ~)를 묻고 있다. 따라서 haven't는 hadn't로 고쳐 써야 한다.

11
accompany ① ~와 동행하다
② ~을 동반하다
bored 지루해 하는

12 해설 ① would rather A than B 구문을 묻고 있다. would rather는 조동사로 사용되기 때문에 A와 B 자리에는 모두 동사원형이 필요하다. 따라서 than 다음 going을 go로 고쳐 써야 한다.

② police형 집합명사(cattle, poultry, peasantry)는 항상 복수 취급을 하는 명사이므로 복수동사 are는 적절하고 be willing to ⓥ구문도 적절하다. 또한 interfere는 구동사로 전치사 in이나 with가 필요하다. 따라서 어법상 적절하다.

③ It is no use ⓥ-ing(동명사 관용적 용법구문)을 묻고 있다. 따라서 It's no use 다음 동명사 worrying의 사용은 어법상 적절하다. 또한 over which(전치사+관계대명사) 다음 문장 구조도 완전하므로 이 역시 어법상 옳다.

④ so ~ that 구문을 묻고 있다. 또한 spare ones에서 ones는 부정 대명사로서 keys를 대신하므로 복수 형태가 적절하다. 따라서 어법상 옳다.

12
be willing to ⓥ 기꺼이 ⓥ하다
interfere in(with) 간섭[개입]하다
It is no use ~ing ~해도 소용없다
misplace 제자리에 두지 않다
secretary 비서
spare ① 여분의 ② 한가한

13 다음 중 어법상 옳은 것을 고르시오. 2016. 지방직 9급

① The poor woman couldn't afford to get a smartphone.

② I am used to get up early everyday.

③ The number of fires that occur in the city are growing every year.

④ Bill supposes that Mary is married, isn't he?

14 다음 어법상 ㉠과 ㉡에 들어가기 가장 적절한 표현을 순서대로 나열한 것은?

2015. 서울시 9급

In books I had read—from time to time, when the plot called for it—someone would suffer from homesickness. A person would leave a not so very nice situation and go somewhere else, somewhere a lot better, and then long to go back where it was not very nice. How impatient I would become with such a person, for I would feel that I was in a not so nice situation myself, and how I wanted to go somewhere else. But now I, too, felt that I wanted to be back where I came from. I understood it, I knew where I stood there. If I (㉠) to draw a picture of my future then, it (㉡) a large gray patch surrounded by black, blacker, blackest.

① would have, were

② had had, would have been

③ would have, was

④ have had, would be

정답 및 해설

13 해설 ① can(not) afford to ⓥ 구문을 묻고 있다. 어법상 옳다.

② be used to ⓥ/ⓥ-ing 구문을 묻고 있다. 내가 일찍 일어나는 데 사용된다는 것은 의미상 옳지 않다. 따라서 **get**을 **getting**으로 바꿔야 한다.

③ The number of 다음 복수명사 **fires**는 어법상 적절하지만 the number of가 주어일 때에는 동사는 단수동사로 받아야 한다. 따라서 **are**를 **is**로 고쳐 써야 한다.

④ 부가의문문을 묻고 있다. 내용상 Mary의 결혼 여부를 묻는 것이 아니라 Bill의 생각을 묻고 있다. 따라서 suppose(일반 동사)에 대한 부가의문문이 필요하므로 **isn't**를 **doesn't**로 고쳐 써야 한다.

해석 ① 그 가난한 여성은 스마트폰을 살 여유가 없었다.

② 나는 매일 일찍 일어나는 데 익숙하다.

③ 그 도시에 일어난 화재의 수가 매년 증가하고 있다.

④ Bill은 Mary가 결혼했다고 생각하고 있지?

13
can(not) afford to ⓥ ⓥ할 여유가 있다[없다]
be used to ⓥ하는 데 사용되다
*be used to ⓥ~ing ⓥ하는 데 익숙하다
suppose ① 생각하다, 추정하다 ② 가정하다

14 해설 가정법의 시제를 묻는 문제이다. if절 안에 과거 시간을 나타내는 부사 **then**이 있으므로 과거 사실에 대한 반대를 나타내는 가정법 과거완료시제를 사용해야 한다. 따라서 ② **had had, would have been**이 정답이 된다.

해석 내가 읽었던 책 속에서, 가끔 줄거리상 필요할 때, 누군가 향수병을 앓곤 했다. 어떤 이는 썩 좋지 않은 상황을 벗어나 어딘가 좀 더 나은 곳으로 갔고, 그리고 나서 그 좋지 않은 곳으로 다시 돌아가기를 바랐다. 그처럼 나도 얼마나 조바심 내던 사람이었던가. 왜냐면, 나 역시 아주 좋지 않은 상황에 처해 있다고 스스로 느끼곤 했었고 어디론가 떠나고 싶었다. 그러나 지금 나 역시 내가 왔던 곳으로 돌아가고 싶다. 나는, 내가 이해한 것은 내가 그곳에 있다는 것을 알았다. 만약 그 당시에 나의 미래를 그려보았더라면, 그건 아마도 어둡고 더 캄캄하고, 새까만 색으로 둘러싸인 거대한 암울한 상황이었을 것이다.

14
plot ① 줄거리, 구성 ② 음모
suffer from (질병) ~을 앓다, ~병에 걸리다
long 갈망하다, 바라다
impatient ① 참을성 없는 ② 환자
gray(= grey) ① 회색(의) ② 우울한, 암울한
patch ① 시기, 상황 ② 조각 ③ 땅, 지역
drowsiness 졸음, 나른함
hysteria 히스테리, 과잉반응
depression 우울(증)

PART · 04

명사와 관사

UNIT 01 셀 수 있는 명사

보통명사 문법포인트

1. 단수 → a/an 필요
2. 복수 → 명사 s/es
3. many/(a)few+Ns/es
4. 단수명사+단수동사(Vs/es)
5. 복수명사+복수동사(V)

① 나는 어젯밤에 한 친구를 만났다.
ran into (우연히) 만나다, 마주치다.

② 어떤 도둑이 값비싼 자전거를 훔쳤다.
thief 도둑 **steal** 훔치다

③ 나는 필요한 몇 권의 책을 사야 한다.

④ 그는 많은 문제점들 때문에 해외로 갈 수 없다.
abroad 해외로

01 보통명사

모양이나 형태를 갖춘 사물이나 또는 사람을 지칭하는 명사를 보통명사라고 한다.

① I ran into a friend last night.

② A thief stole a bike that was expensive.

③ I have to buy a few books to need.

④ The man cannot go abroad for many problems.

One Tip 주의해야 할 명사의 복수 형태

단수	복수	단수	복수	단수	복수	단수	복수
man	men	woman	women	foot	feet	tooth	teeth
mouse	mice	medium	media	child	children	datum	data

Two Tips 단수와 복수가 같은 보통명사

deer 사슴	**sheep** 양	**salmon** 연어	**aircraft** 비행기
fish 물고기	**percent** 퍼센트	**series** 시리즈, 연속	**species** 종

02 집합명사

여러 명의 구성원이 모여 한 집단을(집합체를) 이루는 명사를 집합명사라 한다. 집합명사는 보통명사와 마찬가지로 셀 수 있는 명사이므로 단수와 복수로 표시할 수 있다.

■1 family형 집합명사

다음의 명사들은 원칙적으로 지칭하는 대상이 집단인 경우에는 단수 취급을 해야 하고 지칭하는 대상이 그 집단의 구성원일 경우에는 복수 취급을 해야 한다. 하지만 공시에는 이 두 경우를 구분 짓는 문제는 출제되지 않는다.

family 가족	class 학급	team 팀
army 군대	group 그룹	staff 직원
committee 위원회	audience 청중	crowd 군중
jury 배심원단	crew 승무원	faculty 교수진

① My family lives in this small apartment.

② My family are all students these days.

③ The committee is the official organization.

④ The committee all have unique characters.

① 나의 가족은 이 작은 아파트에서 산다.

② 요즘 우리 가족 구성원은 모두 학생이다.

③ 그 위원회는 공식적인 단체이다.
  committee 위원회
  official 공식적인
  organization 단체, 조직, 기구

④ 그 위원회 구성원은 모두 독특한 성격을 가지고 있다.
  unique 독특한
  character 성격, 특성

2 police형 집합명사

다음의 명사들은 지칭하는 대상과 상관없이 항상 복수 취급하며 정관사 **the**와 함께 쓰인다. police형 집합명사는 부정관사와 함께 사용되지 않는다.

the police 경찰	the clergy 성직자	the personnel 직원들
the public 대중	the peasantry 소작농	the aristocracy 귀족들

① 경찰은 단지 국민들이 법에 복종할 수 있게 하기 위해서만 존재한다.
exist 존재하다
make sure 분명히 하다
obey 복종하다

② 상류층은 높은 사회적 지위나 금수저를 물고 태어난 사람들이다.
status 지위, 상태

① The police only exist for making sure that people obey the law.

② The gentry are people of high social status or high birth.

3 cattle형 집합명사

다음의 명사들은 지칭하는 대상과 상관없이 항상 복수 취급한다. cattle형 집합명사는 부정관사와 함께 사용하지 않는다.

cattle 소 떼	poultry 가금류	people 사람들

① 큰 나무 아래에 소들이 서 있다.

① Cattle are standing under the big tree.

② 사람들은 피는 물보다 진하다고 한다.
thick 두꺼운, 진한

② People say that blood is thicker than water.

👆One Tip people의 두 가지 의미

❶ people이 '사람들'을 의미하면 복수명사이므로 동사도 복수 형태를 취한다.
• People in this office have their ID cards.
  이 사무실에 있는 사람들은 그들의 ID 카드를 가지고 있다.

❷ people이 '민족'을 의미하면 단수는 a people이 되고 복수형은 peoples가 된다.
• Koreans are an industrious people. 한국인들은 근면한 민족이다.
  어휘 **industrious** 부지런한, 근면한
• Three peoples live in this country. 이 나라에는 세 개의 민족들이 살고 있다.

UNIT 02 | 셀 수 없는 명사

01 고유명사

이 세상에 하나 밖에 없는 유일무이한 명사를 고유명사라 한다. 고유명사로는 인명(사람 이름), 지명(국가·지역·산·호수·강 등의 이름), 요일, 월(달) 등이 있고 항상 대문자를 첫 글자로 사용한다.

① Baghdad is the capital city of Iraq.

② *The New York Times* is a very prestigious newspaper.

⌐ 고유명사 문법포인트

1. a/an (×)
2. 고유명사+s/es (×)
3. 단수 취급

① 이라크의 수도는 바그다드이다.
capital city 수도

② 「뉴욕타임즈」는 아주 권위 있는 신문이다.
prestigious 명망 있는, 저명한, 권위 있는

02 추상명사

추상적 개념(모양이나 형태도 없고 만질 수도 없는)을 지칭하는 명사를 추상명사라고 한다.

① Love is drifting on a sea of happiness.

② There is no hope of success to me.

⌐ 추상명사 문법포인트

1. a/an (×)
2. 추상명사+s/es (×)
3. 단수 취급

① 사랑이란 행복의 바다를 떠다니는 것이다.
drift 떠다니다, 표류하다

② 나에게는 성공할 가망이 없다.

👍 **One Tip** of+추상명사

of+추상명사 = 형용사	
of kindness = kind	of importance = important
of use = useful	of no use = useless
of value = valuable	of no value = valueless
of help = helpful	

• In some parts of Africa, women are objects of value.
아프리카의 어떤 지역들에서 여성은 귀중한 물건이다.

👍 Two Tips 전치사＋추상명사 ＝ 부사구

at＋추상명사	
at random(＝ randomly) 무작위로	

by＋추상명사	
by accident(chance) 우연히 ＝ accidentally	by intention(design) 고의로, 계획적으로 ＝ intentionally
by luck 운 좋게도	by mistake 잘못하여, 실수로

in＋추상명사	
in advance 사전에, 미리, 앞서서	in detail 자세히
in haste ＝ hastily 급히, 서둘러	in peace ＝ peacefully 평화롭게
in private 은밀히; 비공식적으로 ＝ privately	in public 공공연히, 대중 앞에서 ＝ publicly
in reality 실은, 실제로는 ＝ really	in triumph 의기양양하여 ＝ triumphantly

on＋추상명사	
on occasion 때때로, 이따금 ＝ occasionally	on purpose 일부러, 고의로 ＝ purposely
on time 시간에 맞게; 정각에	

to＋추상명사	
to excess ＝ excessively 과도하게	to one's 추상명사 ＝ 추상명사하게도

with＋추상명사	
with care 조심하여, 유의하여 ＝ carefully	with confidence 자신감 있게, 자신 있게 ＝ confidently
with ease 용이하게, 손쉽게 ＝ easily	with fluency 유창하게, 거침없이 ＝ fluently
with rapidity 신속히 ＝ rapidly	with safety 안전하게, 무사히 ＝ safely

- Contestants were chosen at random from the audience.
  경기 참가자들은 관객 중에서 무작위로 선발되었다.

- We went past the house by mistake. 우리는 실수로 그 집을 지나쳐 버렸다.

- I met him by accident on the street. 나는 우연히 그를 길에서 만났다.

- The letter had clearly been written in haste. 그 편지는 분명히 급히 쓴 것이었다.

- He broke my glasses on purpose. 그는 내 안경을 일부러 깨트렸다.

- To my surprise, I won the game. 놀랍게도, 내가 경기에서 이겼다.

- He can lift a hundred pounds with great ease.
  그는 아주 쉽게 100파운드를 들어 올릴 수 있다.

03 물질명사

일정한 형태가 없는 물질을 지칭하는 명사(음식, 재료, 액체, 기체 등)를 물질명사라 한다.

① Oxygen is essential for all living creatures.

② Can I have two loaves of bread?

③ Sand in the beach glitters like gold.

① 산소는 모든 살아 있는 것들에게 필수적이다.

② 빵 두 조각을 살 수 있나요?
loaf 덩어리, 조각(pl. loaves)

③ 백사장에 모래가 금처럼 반짝인다.
glitter 반짝이다

PART · 04

👍 **One Tip** 물질명사의 수량 표시

a tea/coffee	(×) →	a cup of tea/coffee	(○)	차/커피 한 잔
a water/milk	(×) →	a glass of water/milk	(○)	물/우유 한 잔
a cake/bread	(×) →	a loaf of cake/bread	(○)	케이크/빵 한 조각
a sugar/salt	(×) →	a spoonful of sugar/salt	(○)	설탕/소금 한 숟가락
a soap	(×) →	a bar/piece of soap	(○)	비누 한 개
a paper	(×) →	a sheet/piece of paper	(○)	종이 한 장

● My sister ordered a cup of coffee / two glasses of milk.
　나의 누나는 커피 한 잔 / 두 잔의 우유를 주문했다.

● Peter bought a bar of soap / two bars of soap.
　피터는 비누 한 개 / 비누 두 개를 샀다.

UNIT 03 주의해야 할 명사

📘 절대 불가산 명사 문법포인트

1. 절대 불가산 명사 + s/es (×) → 항상 단수 취급
2. a/an+절대 불가산 명사 (×)
3. many/(a) few + 절대 불가산 명사 (×)

01 절대 불가산 명사

다음의 명사들은 절대 불가산 명사이다. 따라서 복수 형태로 사용될 수 없고 부정관사 a나 an 또한 사용할 수 없다. 그리고 many/(a) few의 수식도 받을 수 없다.

information 정보	evidence 증거	advice 충고
homework 숙제	knowledge 지식	money 돈
furniture 가구	equipment 장비	news 소식
jewelry 보석	clothing 의류	traffic 교통
baggage 짐	luggage 수하물	progress 진보
leisure 레저	health 건강	scenery 경치
weather 날씨	machinery 기계류	

① 인터넷에는 많은 정보가 있다.

① There is much information on the Internet.

② 나는 값비싼 가구를 사고 싶다.
costly 값비싼(= expensive)

② I would like to buy costly furniture.

③ 그 요리사는 유용한 주방 용품 한 가지를 가지고 있다.
equipment 장비; 준비

③ The cook has a useful piece of equipment for the kitchen.

④ 아이들이 짐을 찾고 있다.
claim 주장하다; 요구(요청)하다; (짐을) 찾다

④ The children are claiming their baggage.

02 셀 수 없는 명사 → 셀 수 있는 명사

원칙적으로 셀 수 없는 명사(고유명사, 추상명사, 물질명사)가 보통명사화되어 의미를 달리하는 경우가 있는데, 이에 유의해야 한다. 이 경우에는 셀 수 없는 명사 앞에 a/an을 사용할 수 있고 또한 셀 수 없는 명사 뒤에 s/es를 붙일 수도 있다.

1 고유명사의 보통명사화

고유명사를 보통명사화시켜 '가문(가족), 작품(제품)', '~와 같은 사람'의 의미를 만들 수 있다.

① I'm going to invite Smiths for my party.

② I prefer a Van Gogh to a Millet.

③ I would like to become an Edison.

① 나는 파티에 스미스 가족들을 초대할 것이다.
invite 초대하다

② 나는 밀레의 작품보다는 반 고흐의 작품을 더 선호한다.
prefer A to B B보다는 A를 더 선호(좋아)하다

③ 나는 에디슨과 같은 사람이 되고 싶다.

2 추상명사의 보통명사화

추상명사를 보통명사화시켜 '사람, 작품, 경험, 행위' 등의 의미를 만들 수 있다.

① He was undoubtedly a promising youth.

② The nice guy has done me a kindness.

① 그는 의심할 바 없이 전도유망한 젊은이였다.
undoubtedly 의심할 바 없이
promising 전도유망한
youth 젊음, 젊은이

② 그 멋진 남자가 나에게 친절한 행위를 베풀었다.

3 물질명사의 보통명사화

물질명사를 보통명사화시켜 '제품, 사건, 개체, 종류' 등의 의미를 만들 수 있다.

① Can I have a coke, a water and two cheese burgers, please?

② There were fires in the village last night.

③ This is a good wine for eating meat.
참고 Wine is an alcoholic drink which is made from grapes.

① 콜라 하나(제품) 물 하나(제품) 그리고 치즈버거(제품) 두 개 주실래요?

② 어젯밤에 마을에 화제들(사건)이 있었다.

③ 이것은 고기를 먹을 때 좋은 와인(종류)이다.
참고 와인은 포도로 만들어진 알콜성 음료이다.

03 단수 취급하는 명사

다음의 명사들은 형태는 복수형이지만 단수 취급해야 하는 명사들이다.

1 학과명

statistics 통계학	politics 정치학	physics 물리학
ethics 윤리학	gymnastics 체육학	phonetics 음성학
economics 경제학	linguistics 언어학	

① 통계학은 가장 어려운 과목이다.
참고 이 데이터에서 통계치가 잘못됐다.

① Statistics is the most difficult subject.
　참고 Statistics are wrong in these data.

② 언어학은 다른 학자들과 관심사를 공유한다.
concern 걱정; 관심
scholar 학자

② Linguistics shares a concern with other scholars.

2 나라 이름

The Nethelands 네덜란드	The Philippines 필리핀	The United States 미국

① 필리핀은 수천 개의 섬으로 이루어져 있다.

① The Philippines consists of thousands of islands.

② 미국은 크고 부자인 나라이다.

② The United States is a great and rich country.

3 질병 이름

diabetes 당뇨병	measles 홍역
hiccups 딸꾹질	blues 우울증

① 당신의 당뇨병이 많은 다른 질병을 유발한다.

① Your diabetes causes many other diseases.

② 홍역이 마을로 번졌다.

② Measles was spreading to the village.

04 분화복수

명사에 s/es를 붙여 복수 형태가 되면서 의미가 완전히 달라지는 명사들을 분화복수라 한다.

단수	복수	단수	복수
arm 팔	arms 무기	manner 방법	manners 예의범절
cloth 천	clothes 옷	mean 평균	means 수단
custom 관습	customs 세관	pain 고통	pains 수고
glass 유리	glasses 안경	regard 관심	regards 안부
good 선	goods 상품	spectacle 광경	spectacles 안경

① It seems that Peter has very good manners.

② The woman managed to pass through the customs.

③ Money is not an end but a means to an end.

① 피터는 아주 매너가 좋은 것 같다.
It seems(appears/happens) that ~인 것 같다

② 그 여자는 가까스로 세관을 통과했다.
manage to ⓥ 가까스로 ⓥ하다
customs 세관; 관세

③ 돈은 목적이 아니라 목적을 이루는 수단이다.
end 끝; 목적

05 상호복수

둘 이상의 대상이 있어야 하는 행위를 나타낼 때 사용되는 명사를 상호복수라 한다.

---

be on good(bad) terms with   ~와 좋은(나쁜) 사이이다.
change cars(trains, planes)   차(열차, 비행기)를 갈아타다
change hands   주인이 바뀌다
exchange greetings(places, seats)   인사를(장소를, 좌석을) 교환하다
make friends with   ~와 친구가 되다
shake hands with   ~와 악수하다
take turns (in) ⓥ-ing   교대로 ~하다

---

① 피터와 탐은 교대로 차를 운전했다.

① Peter and Tom took turns (in) driving the car.

② 나는 장모님과 관계가 좋다.
mother-in-law 장모님; 시어머니 (**father-in-law** 장인어른; 시아버지 **son-in-law** 사위 **daughter-in-law** 며느리)

② I am on good terms with my mother-in-law.

👍 One Tip   복합 명사의 복수형

❶ 원칙적으로 끝에 있는 명사에 s/es를 붙인다.

blood type 혈액형 → blood types	bus driver 버스 기사 → bus drivers
car door 차 문 → car doors	picture book 그림책 → picture books

단, 분화복수로 이루어진 복합명사는 주의해야 한다.
customs offices 세관   arms races 군비 경쟁

❷ 중요 명사가 있는 경우는 중요 명사에 s/es를 붙인다.

step-mom 계모 → step-moms	looker-on 방관자 → lookers-on
passer-by 지나가는 사람 → passers-by	father-in-law 장인, 시아버지 → fathers-in-law

❸ 명사형을 포함하지 않는 복합명사는 단어 끝에 s/es를 붙인다.

go-between 중매개자, 중개자 → go-betweens
forget-me-not 물망초 → forget-me-nots
touch-me-not 봉선화; 까칠한 여자 → touch-me-nots

❹ man, woman이 있는 경우는 양쪽 모두 복수형을 사용한다.

man-servant 남자 하인 → men-servants
woman-doctor 여의사 → women-doctors

06 명사의 소유격

1 생물의 소유격 : 생물's

① his brother's bag

② an elephant's nose

① 그의 형의 가방

② 코끼리의 코

2 무생물의 소유격 : of + 무생물명사

① the drawers of the table

② a remote control of the TV set

① 책상의 서랍

② TV의 리모콘

3 무생물 소유격의 예외 : 무생물's

(1) 시간 · 가격 · 거리 · 무게 등을 나타내는 경우

① two hours' sleep

② one dollar's worth of sugar

③ five minutes' walk

④ three pounds' weight

⑤ ten miles' race

① 두 시간의 잠

② 1달러어치의 설탕

③ 걸어서 5분 거리

④ 3파운드의 무게

⑤ 십 마일의 경주

(2) 무생물 명사를 의인화하는 경우

① fortune's smile

② science's influence

③ game's history

④ nature's law

⑤ earth's surface

① 행운의 미소

② 과학의 영향

③ 게임의 역사

④ 자연의 법칙

⑤ 지표면

(3) 천체 · 지역 · 지명 · 시설 등을 나타내는 경우

① 세계의 인구　　① world's population

② 토성의 크기　　② Saturn's size

③ 하와이의 문화　　③ Hawaii's culture

(4) 관용어구

① 엎어지면 코 닿을 곳에　　① at a stone's throw

② ~에 정통한　　② at one's finger's end

③ 당황한, 어찌할 바를 모르는　　③ at one's wit's end

④ 간신히　　④ by a hair's breath

⑤ 제발　　⑤ for heaven's sake

⑥ ~을 위하여　　⑥ for one's sake

⑦ 무사히　　⑦ out of harm's way = for goodness' sake

⑧ 마음껏, 실컷　　⑧ to one's heart's content = for mercy's sake

UNIT 04 관사의 기본 개념

01 부정관사(a/an)의 용법

1 단수 보통명사 앞

• This is an apple and that's a banana.

• 이것은 사과이고 저것은 바나나이다.

2 '하나(one)'의 의미로 사용될 때

• Could you bring me a cup of coffee?

• 커피 한 잔 갖다 주시겠어요?

3 '어떤(certain)'의 의미로 사용될 때

• My secretary was late for a personal reason.

• 내 비서가 어떤 개인적 이유 때문에 늦었다.

4 '~마다, ~당(per)'의 의미로 사용될 때

• I draw a wage of $10 an hour.

• 나는 시간당 **10**불을 급여로 받는다.
draw a wage 급여를 받다
wage 급여

5 '같은(the same)'의 의미로 사용될 때

• Birds of a feather flock together.

• 같은 깃털의 새는 함께 모인다. (유유상종)
feather 깃털
flock 모이다

02 정관사(the)의 용법

정해져 있는 명사 앞에서 사용되는 관사가 정관사이다.

1 앞에 나온 명사를 반복할 때

- 나는 공책이 한 권 있는데 그 공책은 검은색이다.

- I have a notebook and the notebook is black.

2 뒤에서 수식을 받는 명사 앞에서

- 모자를 쓰고 계신 분이 우리 아빠야.

- The man wearing a hat is my dad.

3 유일무이한 명사 앞에서

- 해가 달보다 더 크다.

- The sun is bigger than the moon.

4 최상급과 서수 앞에서

① 친구들 중에서 피터가 제일 키가 크다.
② 1월은 한 해의 첫 번째 달이다.

① Petter is the tallest among friends.

② January is the first month of a year.

5 the same(같은)/the next(다음의)/the very(바로 그)/the only(유일한)+명사

- 그가 바로 이 일에 우리가 찾는 적임자이다.

- He was appointed to be the next principal.

6 play + the + 악기명

- 그는 기타를 아주 잘 친다.

- He plays the guitar very well.

7 by+the+단위명사

- 설탕은 파운드 단위로 측정된다.
  measure 재다, 측정하다

- Sugar is measured by the pound.

8 touch 동사＋(주로) 사람(목적어)＋전치사＋the＋신체 부위

① He pulled me by the elbow.

② I looked her in the eyes.

9 the＋형용사/분사 ＝ 명사(주로 복수명사로 '사람들'의 의미를 갖는다)

① The rich are not always happy.

② The beloved is happy and lucky one.

③ The unknown has a mysterious attraction.

① 그는 나의 팔꿈치를 잡아당겼다.

② 나는 그녀의 눈을 바라보았다.

① 부자들이라고 항상 행복한 것은 아니다.

② 사랑받는 사람은 행복하고 운 좋은 사람이다.

③ 미지의 것은 신비로운 매력이 있다.

PART·04

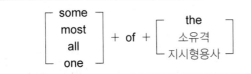

One Tip 부분사＋of＋한정사＋명사

$$\begin{bmatrix} \text{some} \\ \text{most} \\ \text{all} \\ \text{one} \end{bmatrix} + \text{of} + \begin{bmatrix} \text{the} \\ \text{소유격} \\ \text{지시형용사} \end{bmatrix}$$

• Some of the streets of New York are full of people.
  뉴욕의 몇몇 거리에는 사람들로 가득 차 있다.

• She probably has not received all of the things she wanted.
  그녀는 아마도 원하는 것 모두 받지 못했다.

• Most of people have high blood pressure. (×)
  대부분의 사람들이 고혈압을 가지고 있다.

03 무관사 용법

1 by+교통·통신 수단

① 나는 버스로 (택시로, 걸어서) 가고 싶다.

① I'd like to go by bus(by taxi, on foot).

② 당신은 문자로 그 내용을 보낼 수 있다.

② You can send the content by textmessage.

2 play+운동경기/게임

① 나는 가끔 친구들과 야구를 한다.
[참고] 나는 가끔 친구들과 피아노를 친다.

① I sometimes play baseball with my friends.
[참고] I sometimes play the piano with my friends.

② 나의 형은 바둑 두기를 좋아하지 않는다.

② My brother doesn't like to play go game.

3 보어로 쓰인 신분·직위 앞에서

• 그는 그 위원회의 의장으로 선출되었다.

• He was elected chairman of the committee.

👍 One Tip 명사가 본래의 목적으로 쓰일 때

무관사	정관사
in class 수업 중에 (공부를 목적으로)	in the class 반에서 (교실이라는 장소)
at table 식사 중 (식사를 목적으로)	at the table 테이블에서 (테이블이라는 장소)
at church 예배 중에 (예배를 목적으로)	at the church 교회에서 (교회라는 장소)
go to church 예배 보러 가다	go to the church 교회에 가다
go to school 학교에 가다 (수업 받으러)	go to the school 학교에 가다 (학교라는 장소)
go to bed 침대에 가다 (잠을 자러)	go to the bed 침대에 가다 (침대라는 대상)
go to prison 감옥에 가다 (형벌을 위한 수감을 위해)	go to the prison 감옥에 가다 (감옥이라는 장소)
go to hospital 병원에 가다 (진료를 받기 위해)	go to the hospital 병원에 가다 (병원이라는 장소)

MEMO

심화문제

01 다음 어법상 빈칸에 들어갈 말로 가장 적절한 것은?

> A: Could you find an answer to your problem in the book I gave you?
> B: I looked at it, but it was really _____.

① of no use
② much used
③ of no useful
④ of use

02 다음 밑줄 친 부분 중에서 틀린 것은?

> One of ① the most popular adult ② hobbies nowadays ③ are home with ④ ease.

03 다음 밑줄 친 부분 중 어법상 틀린 것은?

> The good news ① is that researchers are beginning ② the enormous task of making ③ sense of ④ many genetic information.

정답 및 해설

01　**해설** 전치사 **of**와 추상명사가 함께 쓰이면 형용사의 의미를 갖게 된다. 문맥상 '도움이 안 됐다.'의
　　　의미가 필요하다. **of no use**는 **useless**의 뜻이므로 정답은 ①이 된다.

　　해석 A: 내가 네게 준 책에서 네 문제에 대한 답을 찾았니?
　　　　　 B: 찾아봤는데, 별로 도움이 안 됐어.

02　**해설** ③ **one＋of＋the＋**복수명사 구문이다. 이때 동사는 단수동사가 필요하므로 **are**를 **is**로 고쳐
　　　써야 한다.
　　　① 최상급은 앞에 정관사를 동반한다. 따라서 정관사 **the**의 사용은 어법상 적절하다.
　　　② **one of the＋**복수명사이므로 **hobbies**의 사용은 어법상 옳다.
　　　④ '**with ＋** 추상명사 → 부사' 구문을 묻고 있다. 따라서 **with** 다음 추상명사 **ease**는 어법상
　　　적절하다.

　　해석 성인에게 가장 인기 있는 취미 중의 하나는 편하게 집에 있는 것이다.

03　**해설** ④ **information**은 절대 불가산 명사이므로 **many**와 함께 사용할 수 없다. 따라서 **many**를 **much**
　　　로 고쳐 써야 한다.
　　　① **news**는 추상명사로서 단수 취급해야 하므로 **is**는 적절하다.
　　　② **task**는 무관사 명사가 아니므로 정관사 **the**의 사용은 어법상 옳다.
　　　③ **sense**는 추상명사로서 관사 없이 단수형으로 사용할 수 있으므로 어법상 적절하다.
　　해석 좋은 소식은 연구원들이 많은 새로운 유전 정보를 이해하는 엄청난 임무를 시작할 것이라는
　　　것이다.

정답 01 ① 02 ③ 03 ④

04 다음 중 빈칸에 관사가 필요 없는 것은?

① The young are sometimes happier than _____ elderly.

② She informed me of the news by _____ phone.

③ She plays _____ harpsichord in the church.

④ I thought he seized me by _____ sleeve.

05 다음 중 영작이 올바른 것은?

① 불행하게도 그녀는 많은 짐을 운반해야 한다.

　→ To her misfortune, she must carry many baggages.

② 그녀는 늘 문자로 내게 그 소문을 상기시켜 주었다.

　→ She always reminded me of the rumor by text message.

③ 버스는 기본적이고 주요한 교통수단이다.

　→ The bus is the basic and primary mean of transportation.

④ 화성 표면의 2/3는 오래전에 물이었다.

　→ Two thirds of the Mars surface were water long time ago.

06 다음 중 어법상 틀린 것은?

① They are of an age, so they agree on share their toys.

② Marriage is still the first choice for most of the Americans.

③ Austin City Council wants to raise speed limit to 70 miles per hour.

④ It is of utmost importance a disturbed child receive professional attention.

정답 및 해설

04 해설 ② 전치사 **by** 다음 통신 수단은 무관사명사이다. 따라서 **telephone** 앞에 관사는 불필요 하다.
① 'the + 형용사'는 복수명사(주로 사람들)를 나타내므로 문맥상 **elderly** 앞에는 정관사 **the** 가 필요하다.
③ 동사 **play** 다음 악기가 위치할 때에는 정관사 **the**가 필요하다.
④ '접촉/보다'동사 다음 신체일부 앞에는 정관사 **the**가 필요하다.

해석 ① 젊은이들이 가끔은 노인들보다 더 행복하다.
② 그녀는 내게 전화로 그 소식을 알려 주었다.
③ 그녀는 교회에서 하프시코드를 연주한다.
④ 나는 그가 내 소매를 붙잡았다고 생각했다.

05 해설 ② remind A of B 구문도 적절하고 by text message는 통신 수단을 의미하므로 정관사 the도 필요 없다. 따라서 적절한 영작이다.
① baggage는 절대불가산명사이므로 복수 형태로 사용될 수 없다. 따라서 many baggages 는 much baggage로 고쳐 써야 한다.
③ 수단의 의미로는 mean이 아니라 means이므로 mean을 means로 고쳐 써야 한다.
④ 유일무이한 명사 앞에 정관사 the의 사용은 어법상 적절하지만 부분 주어 다음 명사가 단수명사(Mars surface)이므로 복수동사 were를 단수동사 was로 고쳐 써야 한다.

06 해설 ① '같은'의 의미를 지닌 부정관사 an의 사용은 어법상 적절하고 구동사 agree on의 사용 역 시 어법상 옳지만 전치사 on 뒤의 share 다음 명사가 있으므로 share는 sharing으로 고쳐 써야 한다.
② 서수사 앞에 정관사 the의 사용과 most of 다음 정관사 the의 사용 모두 어법상 옳다.
③ 'It is+판단 형용사(of importance = important)+(that)+S+(should)+동사원형' 구문 을 묻고 있다. 따라서 동사원형 receive의 사용은 어법상 적절하다.
④ '마다, 당'의 의미를 갖는 per의 사용은 어법상 적절하다.

해석 ① 그들은 나이가 같다. 그래서 그들은 장난감을 공유하는 데 동의한다.
② 결혼은 여전히 대부분의 미국인들에게 첫 번째 선택이다.
③ Austin시 의회는 속도제한을 시간당 70마일로 올리기를 원한다.
④ 정서장애 아동은 전문적인 치료를 받아야 하는 것이 가장 중요하다.

어휘

04
elderly 나이든
inform 알리다
harpsichord (건반악기) 하프시코드
seize 잡다, 쥐다
sleeve 소매

05
to one's 추상명사 추상명사하게도
* to her misfortune 불행하게도
baggage 짐, 수하물
primary 주된, 주요한
transportation 운송, 수송
Mars 화성
surface 표면

06
council (지방자치단체의) 의회
raise 올리다
wage 봉급, 급여, 임금
utmost 최대한의, 최우선 하는
disturbed 방해받는, 마음이 불안 한; 정서 장애가 있는
professional 전문적인
attention 주의, 주목; 치료

PART · 04

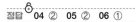
정답 **04** ② **05** ② **06** ①

07 다음 중 어법상 틀린 것은?

① The public have a right to know what is contained in the report.

② The police only exist for making sure that people obey the law.

③ The leisures like water skiing, scuba diving or snorkeling are popular with many advocates.

④ The committee which have to make political decisions all have unique and peculiar characters.

08 다음 우리말을 영어로 옮긴 것 중 적절하지 않은 것은?

① 같은 나이의 아이들이라고 반드시 생각이 같은 것은 아니다.

→ Children of an age are not always of a mind.

② 냉소적인 사람들조차도 진선미의 덕목을 인정한다.

→ Even the cynical admit the virtue of the true, good, and beautiful.

③ 당신이 수사를 끝냈으니, 이 증거물들을 치워도 되겠습니까?

→ Shall I put these evidences away now that you've finished the investigation?

④ 홍역은 우리 건강에 심각한 위협이지만 완벽히 예방할 수 있다.

→ Although measles is a critical threat to our health, it can be completely prevented.

07

해설 ③ leisure는 정관사 the는 사용가능하지만 절대불가산명사이므로 부정관사나 복수형을 사용할 수 없다. 따라서 's'를 빼야 한다.

① public은 'police형 집합명사'로 항상 복수 취급해야 하므로 복수동사 have의 사용은 어법상 적절하다.

② police는 주로 정관사 the와 함께 복수 취급해야 하는 집합명사이므로 복수동사 exist의 사용은 어법상 옳다.

④ 집합명사 committee는 단수/복수동사 둘 다 가능하므로, 복수동사 have의 사용은 어법상 적절하다.

해석 ① 대중은 그 보고서에 담겨 있는 내용을 알 권리가 있다.

② 경찰은 단지 국민들이 법에 복종할 수 있게 하기 위해서만 존재한다.

③ 수상스키, 스쿠버 다이빙 그리고 스노클링과 같은 레저는 많은 옹호자들에게 인기가 있다.

④ 정치적 결정을 해야 하는 그 위원회의 구성원들은 모두 독특하고 특이한 성격을 가지고 있다.

어휘

07
public 대중
right 권리
contain 포함하다, 담다
exist 존재하다
make sure 분명히 하다
obey 복종하다
advocate 옹호자, 지지자
committee 위원회
make decisions 결정하다
unique 독특한
peculiar 특별한, 특이한
character 특성, 성격

08

해설 ③ evidence는 불가산 명사이므로 복수형을 취할 수 없다. 따라서 these evidences는 this evidence로 고쳐 써야 한다.

① 부정관사 a/an은 '같은'의 의미로 사용될 수 있으므로 적절한 영작이다.

② '정관사 the + 형용사'는 복수명사(주로 사람들)나 단수명사(주로 추상명사) 둘 다 사용가능하므로 The cynical(냉소적인 사람들)과 the true, good, and beautiful(진, 선, 미)의 사용은 모두 어법상 옳다.

④ 접속사 Although 다음 주어 동사는 적절하고 주어가 단수(measles)이므로 동사의 수 일치 또한 어법상 적절하다. 그리고 be prevented 사이에 부사(completely)의 쓰임 역시 어법상 적절하다.

08
cynical 냉소적인
virtue 덕목
evidence 증거
now that S+V ~때문에
investigation 조사, 수사
measles 홍역
critical 중요한; 비판적인; 심각한
threat 위협
completely 완전히

09 우리말을 영어로 잘못 옮긴 것을 고르시오. 2019. 국가직 9급

① 개인용 컴퓨터를 가장 많이 가지고 있는 나라는 종종 바뀐다.
→ The country with the most computers per person changes from time to time.

② 지난여름 나의 사랑스러운 손자에게 일어난 일은 놀라웠다.
→ What happened to my lovely grandson last summer was amazing.

③ 나무 숟가락은 아이들에게 매우 좋은 장난감이고 플라스틱 병 또한 그렇다.
→ Wooden spoons are excellent toys for children, and so are plastic bottles.

④ 나는 은퇴 후부터 내내 이 일을 해 오고 있다.
→ I have been doing this work ever since I retired.

10 다음 밑줄 친 부분 중 어법상 가장 적절한 것은? 2019. 지방직 9급

① The paper charged her with use the company's money for her own purposes.

② The investigation had to be handled with the utmost care lest suspicion be aroused.

③ Another way to speed up the process would be made the shift to a new system.

④ Burning fossil fuels is one of the lead cause of climate change.

정답 및 해설

09 **해설** ① '개인용 컴퓨터'라는 영어 표현은 **the most personal computers**가 더 적절하다. **per person**은 '개인당'의 의미로 주어진 우리말과 영어문장은 서로 일치하지 않는다.

② 관계대명사 **what** 뒤에 불완전한 문장(**happened**의 주어가 없다)이 이어지므로 어법상 적절하고 또한 단수동사로 받는 수 일치 역시 어법상 옳다. 그리고 사물명사가 주어이므로 감정표현 동사 **amaze**는 현재분사 **amazing**의 형태로 사용하는 것 역시 어법상 적절하다.

③ '~도 또한 마찬가지'의 영어표현은 **so+V+S**의 형태이므로 어법상 적절하다. 또한 주어가 복수명사 **bottles**이므로 복수동사 **are**의 사용 역시 어법상 옳다.

④ 현재완료시제+**since**+과거동사 구문을 묻고 있으므로 **have been**과 **retired**의 사용은 모두 어법상 옳다.

10 **해설** ② **lest (that) + S + (should) + 동사원형** 구문을 묻고 있다. 따라서 **suspicion** 다음 동사원형 **be**는 어법상 적절하고 또한 **handled**와 **aroused** 뒤에 목적어가 없으므로 수동의 형태 역시 어법상 옳다.

① 전치사 **with** 다음 명사 **use**가 있고 뒤에 명사 **money**가 있으므로 명사 **use**는 동명사 **using**으로 고쳐 써야 한다.

③ 수동의 형태 **be made** 뒤에 목적어 **the shift**가 있으므로 어법상 적절하지 않다. **be**동사의 보어가 필요한 자리이므로 **made**는 **making**이나 **to make**로 고쳐 써야 한다.

④ **one of the + 복수명사** 구문을 묻고 있다. 따라서 단수명사 **cause**는 복수명사 **causes**로 고쳐 써야 하고 명사 **lead** 뒤에 또 다른 명사 **cause**가 있으므로 **lead**도 형용사 **leading**으로 바꿔 써야 한다.

해석 ① 그 신문은 자신의 목적을 위해 회삿돈을 사용한 혐의로 그녀를 고발했다.

② 그 조사는 의심을 불러일으키지 않도록 최대한 주의 깊게 다루어야 했다.

③ 공정속도를 높이는 또 다른 방법은 새로운 시스템으로 전환하는 것이다.

④ 화석 연료를 태우는 것은 기후 변화의 주요 원인들 중 하나이다.

10
charge A with B A를 B 때문에 고발하다
purpose 목적
investigation 조사
handle 다루다
utmost 극도의, 최대한
suspicion 의심
arouse 불러일으키다, 발생시키다
process 과정, 공정
shift 이동, 전환
fossil 화석
fuel 연료

11 **다음 우리말을 영어로 잘못 옮긴 것을 고르시오.** 2017. 지방직 9급

① 그를 당황하게 한 것은 그녀의 거절이 아니라 그녀의 무례함이었다.

　→ It was not her refusal but her rudeness that perplexed him.

② 부모는 아이들 앞에서 그들의 말과 행동에 대해 아무리 신중해도 지나치지 않다.

　→ Parents cannot be too careful about their words and actions before their children.

③ 환자들과 부상자들을 돌보기 위해 더 많은 의사가 필요했다.

　→ More doctors were required to tend sick and wounded.

④ 설상가상으로, 또 다른 태풍이 곧 올 것이라는 보도가 있다.

　→ To make matters worse, there is a report that another typhoon will arrive soon.

12 **다음 중 어법상 옳지 않은 것은?** 2015. 지방직 9급

① George has not completed the assignment yet, and Mark hasn't either.

② My sister was upset last night because she had to do too many homeworks.

③ If he had taken more money out of the bank, he could have bought the shoes.

④ It was so quiet in the room that I could hear the leaves being blown off the trees outside.

정답 및 해설

11 해설 ③ '정관사 the＋형용사 → 복수명사(주로 사람들)' 구문을 묻고 있다. 따라서 형용사 sick and wounded 앞에 정관사 the가 있어야 적절한 영작이 된다.

① It is ~ that 강조 구문과 not A(명사) but B(명사) 구문을 동시에 묻고 있다. 또한 타동사 perplex 다음 목적어 him의 사용 역시 어법상 적절하다.

② 조동사 cannot ~ too 구문(아무리 ~해도 지나치지 않다)을 묻고 있다. 따라서 적절한 영작이다.

④ to make matters worse '설상가상으로'의 쓰임과 there가 문두에 위치하므로 주어와 동사의 도치나 수 일치 모두 어법상 적절하다. 또한 동격의 접속사 that의 사용 역시 어법상 옳다.

12 해설 ② last night은 과거시제와 어울리는 부사구이지만 homework는 절대불가산명사이므로 many와 함께 사용할 수 없다. 따라서 many homeworks는 much homework으로 고쳐 써야 한다.

① 현재완료시제와 잘 어울리는 부사 yet의 쓰임은 어법상 적절하고 부정문에서 '~도 또한 아니다'의 의미로 either의 사용 역시 어법상 옳다.

③ 가정법 과거완료시제(If＋had＋p.p~, would＋have＋p.p)의 쓰임은 어법상 적절하다.

④ so ~ that 구문에서 so 다음 형용사 quiet는 적절하고 hear(지각동사)＋목적어(leaves)＋수동분사(being blown)의 형태(뒤에 목적어가 없다)도 어법상 옳다.

해석 ① George가 아직 숙제를 끝내지 않았고 Mark도 아직 끝내지 않았다.

② 누나가 너무 많은 숙제를 해야 해서 간밤에 기분이 상해 있었다.

③ 만일 은행에서 더 많은 돈을 찾을 수 있었다면 그 신발을 살 수 있었을 것이다.

④ 방이 너무 조용해서 밖에서 나뭇잎이 바람에 날리는 소리도 들을 수 있을 정도였다.

대명사

UNIT 01 인칭대명사

대명사의 종류

1. 인칭대명사
2. 지시대명사
3. 부정대명사
4. 의문대명사

01 인칭대명사의 형태 변화

구분		주격	소유격	목적격	소유대명사	재귀대명사
1인칭	단수	I	my	me	mine	myself
	복수	we	our	us	ours	ourselves
2인칭	단수	you	your	you	yours	yourself
	복수	you	your	you	yours	yourselves
3인칭	단수	he	his	him	his	himself
		she	her	her	hers	herself
		it	its	it	×	itself
	복수	they	their	them	theirs	themselves

1 주격

문장에서 주어의 역할을 할 때 인칭대명사는 주격을 사용한다.

• We expect our younger brother to meet her.

• 우리는 우리의 남동생이 그녀와 만나기를 기대한다.

2 소유격

명사에 대한 소유자를 의미하여 명사를 수식할 때 사용된다.

• My car was newly purchased.

• 최근에 나의 차를 구매했다.
purchase 구매하다

3 목적격

동사의 목적어나 전치사의 목적어 역할을 할 때 인칭대명사의 목적격을 사용한다.

• I love him but he loves you.

• 나는 그를 사랑하는데 그는 너를 사랑한다.

4 소유대명사

소유자가 소유하는 대상물을 가리킬 때 사용된다.

① My car is more expensive than yours.

② Compared with the past society, ours is a day of rapid changes.

5 재귀대명사

(1) 재귀적 용법

주어의 행위 결과가 다시 주어 자신에게 되돌아오는 경우를 말한다. 즉, 주어와 목적어가 같은 경우 목적어는 재귀대명사를 사용해야 한다.

① He killed himself. (he = himself)

② She has to take care of herself. (she = herself)

(2) 강조 용법

대상을 강조하기 위해 그 대상 뒤에 재귀대명사를 반복해서 사용하는 것을 말한다. 이때, 재귀대명사는 생략이 가능하다.

① Tom handed in an application form himself.

② The exam itself wasn't difficult.

👍 One Tip 소유격 강조 ─ 소유격+own+명사

소유격 대명사 뒤에 **own**을 붙여서 소유격을 강조할 수 있다.

• This is a picture of my own painting. 이것은 내 자신의 그림을 사진으로 찍은 것이다.

• She completed the annual budget report on her own. 그녀는 연례 예산 보고서를 스스로 작성했다.

👍 Two Tips 재귀대명사 관용적 용법

by oneself 홀로	for oneself 스스로
by itself 자동적으로, 저절로	in itself 본래, 본질적으로
of oneself 저절로(자연적으로)	beside oneself 제 정신이 아닌
in spite of oneself 자신도 모르게	between ourselves 우리끼리 이야기인데
be oneself 자기 모습 그대로이다	absent oneself from ~에 출석하지 않다
dress oneself in ~옷을 입고 있다	enjoy oneself 즐기다
help oneself to ~을 맘껏 먹다	

• The bedroom door opened of itself. 침실 문이 저절로 열렸다.

• Jane made a cake by herself. 제인은 혼자서 케이크를 만들었다.

(측면 주석)

① 나의 자동차가 당신의 것보다 더 비싸다.

② 과거 사회와 비교했을 때 우리 사회는 변화가 빠른 시대이다.
compared with ~와 비교했을 때
rapid 빠른, 신속한

📑 재귀대명사 문법포인트

> 주어와 목적어의 관계가 같은지 다른지 해석을 통해서 판단한다.

① 그는 자살했다.

② 그녀는 스스로를 돌봐야 한다.
take care of ~을 돌보다

① Tom은 스스로 지원서를 제출했다.
hand in 제출하다
application form 지원서

② 시험 그 자체는 어렵지 않았다.

02 대명사 it

앞에 나온 단수명사를 대신하거나 가주어, 가목적어 또는 강조 구문을 이끌 때 사용된다.

1 가주어 it

주어가 긴 경우 it을 가주어로 사용해 문장을 이끌 수 있다. 문장의 뒤쪽에 진짜 주어가 반드시 존재해야 하는데 진짜 주어로는 주로 to부정사구나 명사절의 형태를 취한다.

		보어	진주어
It + 2형식 동사 +		형용사 분사 명사	to부정사 that+S+V Wh- 의문사절

① 계획표를 매일 쓰는 것이 당신을 성공하게 해 준다.

① To keep a planner everyday makes you succeed.
  → It makes you succeed to keep a planner everyday.

② 우리가 오직 한 번의 기회를 가지고 있다는 것은 사실이다.

② That we have only one chance is true.
  → It is true that we have only one chance.

③ 그것이 사실인지 아닌지는 좀처럼 중요치 않다.

③ Whether it is true or not is seldom important.
  → It is seldom important whether it is true or not.

2 가목적어 it

목적어가 긴 경우 it을 가목적어로 쓰고 진짜 목적어는 문장의 뒤로 위치시킬 수 있다. 대부분의 경우 목적어와 목적격 보어를 취하는 5형식 동사에서 가목적어를 사용하는 경우가 많기 때문에 가목적어 뒤에 목적격 보어가 존재하는 경우가 많다.

	목적격 보어	진목적어
주어 + 5형식동사 + it +	형용사 분사 명사	to부정사 that+S+V Wh- 의문사절

① She made to take regular exercise a rule. (×)

   → She made it a rule to take regular exercise.

② They found to address the problem possible. (×)

   → They found it possible to address the problem.

③ He thought that she would move to Chicago impossible. (×)

   → He thought it impossible that she would move to Chicago.

① 그녀는 정기적으로 운동하는 것을 규칙으로 삼았다.

② 그들은 그 문제를 해결하는 것이 가능하다는 것을 알았다.

③ 그는 그녀가 시카고로 이사 가는 것이 불가능하다고 생각했다.

👆 **One Tip** 가목적어를 이끄는 동사들

make	find	think	believe	consider	take

• I just took that he'd always be around for granted. (×)
→ I just took it for granted that he'd always be around.
나는 그저 당연히 그가 항상 곁에 있을 것이라고 여겼다.

3 It ~ that 강조 구문

대명사 it은 It ~ that … 강조 구문에서 사용되는데, 동사를 제외한 문장의 나머지 성분들을 강조할 때 사용할 수 있다. 강조하는 대상을 It+be 동사와 that 사이에 넣고, that 이후에는 문장의 나머지 성분들을 순서대로 넣으면 된다. that 대신에 관계대명사 who, whom, which나 관계부사 when, where를 사용할 수도 있다.

```
                        강조 대상           연결사 선택
                       ┌  명사  ┐        ┌     that      ┐
It + be동사 +  │  부사(구)  │  +  │  who(whom), which  │  + 문장의 나머지 성분
                       └ 전치사구 ┘       └   when, where  ┘
```

• Yun-mi hit me in the classroom yesterday.

   → It was Yun-mi that(who) hit me in the classroom yesterday. (Yun-mi 강조)

   → It was me that(whom) Yun-mi hit in the classroom yesterday. (me 강조)

   → It was in the classroom that(where) Yun-mi hit me yesterday.
     (in the classroom 강조)

   → It was yesterday that(when) Yun-mi hit me in the classroom.
     (yesterday 강조)

   → Yun-mi did hit me in the classroom yesterday. (hit 강조)

• 윤미는 어제 교실에서 나를 때렸다.

PART · 04

UNIT 02 지시대명사

특정한 사람이나 사물을 지칭할 때 사용하는 대명사를 지시대명사라 한다.

1 this / these

의미	이것(주로 가까운 것을 가리킨다.)
주요 용법	바로 앞에 나온 단어, 구, 절 등을 가리킨다.

① 실례합니다만 제가 잃어버렸던 가방을 찾고 있는데, 이것이 당신 것인가요?

② 질병이 퍼지기 시작했다. 그리고 이것이 마을 전체를 파괴시켰다.

① Excuse me, I'm looking for the bag I lost. Is this yours?

② Illness began to spread and this destroyed all this town.

2 that / those

의미	저것(주로 멀리 있는 것을 가리킨다.)
주요 용법	• 바로 앞에 나온 단어, 구, 절, 등을 가리킨다. • 비교 구문에서 앞에 나온 명사의 반복을 피하기 위해서 사용된다.

① 우리가 노르웨이에 갔던 때 기억해? 그것은 참 멋진 여행이었어.

② 한국의 날씨는 일본의 그것보다 훨씬 좋다.

③ 토끼의 귀가 호랑이의 그것들보다는 더 길다.

① Do you remember when we went to Norway? That was a good trip.

② The climate of Korea is much better than that of Japan.

③ The ears of a rabbit is longer than those of a tiger.

👍 **One Tip** this와 that 구별

대립적 개념: 두 개의 명사가 나란히 제시될 때 **this/these**는 후자(the latter)를, **that/those**는 전자(the former)를 나타낸다.

• I like both Nancy and Maria; this is so kind that is so interesting.
  나는 Nancy와 Maria 둘 다 좋아한다. 왜냐하면 Maria(this)는 친절하고 Nancy(that)는 재미있기 때문이다.

• Dogs are more faithful animals than cats; these like to be alone, those to be with persons.
  개는 고양이보다 더 충직한 동물이다. 왜냐하면 고양이들(these)은 혼자 있는 것을 좋아하고, 개들(those)은 사람과 있는 것을 좋아하기 때문이다.

3 so

의미	앞에 나온 단어, 구, 절 등을 가리킨다.
주요 용법	긍정문에서 사용 또는, So + 동사 + 주어 = 주어 + 동사, too

① A: Do you think that she is pretty?
　B: Yes, I think so.

② A: I have a headache on this matter.
　B: I am afraid so.

③ She is pretty. So is her sister. (= Her sister is pretty, too.)

4 such

의미	앞에 나온 단어, 구, 절 등을 가리킨다.
주요 용법	• such as ~: ~와 같은(= like; 예시) • such+a/an+형용사+명사

① Accountants are boring. Such was her opinion.

② Wild flowers such as azaleas are in the spring common.

③ It's such a beautiful day, isn't it?

① A: 그녀가 예쁘다고 생각하세요?
　B: 네, 그렇게 생각해요.

② A: 나는 이 문제로 골치가 아파.
　B: 나도 그것 때문에 골치가 아파.

③ 그녀는 예쁘다. 그녀 여동생도 마찬가지다.

① 회계사들은 지루하다. 그것은 그녀의 견해였다.

② 진달래와 같은 야생화들은 봄에 흔하다.

③ 정말 좋은 날씨에요, 그렇죠?

📑 부정대명사 종류

one, another, other, the
other(s), all, every, each,
both, either, neither, no,
none, most

UNIT 03 부정대명사

특별하게 정해지지 않은 명사를 지칭할 때 사용하는 대명사를 부정대명사라 한다.

01 one

1 앞에 나온 명사(정해져 있지 않은 명사)를 대신한다.

• 나는 스마트폰을 잃어버렸다.
나는 새로운 것을 사야만 한다고
생각한다.

- I have lost my smart phone. I think I must buy one.

2 막연한 일반인(불특정 다수)을 가리킨다.

• 사람들은(우리는) 누구도 내일 일
어날 일을 알지 못한다.

- One never knows what may happen tomorrow.

👍 **One Tip** one vs. it

❶ one은 정해져 있지 않은 명사(동일 종류)를 대신하고 it은 정해져 있는 명사(동일물)를 대신한다.

- I lost my pen. ⎡ Would you lend me one? 나에게 펜 하나 빌려줄래?
              ⎣ I must find it. 나는 그 펜을 찾아야만 한다.

❷ One of + the(소유격) + Ns + Vs/es

- One of the (my) students doesn't bring his book.
  (나의) 학생들 중 한 명이 책을 가지고 오지 않는다.

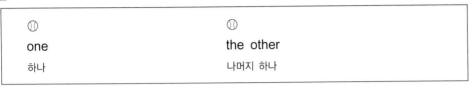

02 one, another(other(s), the other(s), some)

1 두 개 중에서 하나와 나머지를 가리킬 때

⚾	⚾
one	the other
하나	나머지 하나

• Here are two balloons. One is white, and the other is green.

• 여기 두 개의 풍선이 있다. 하나는 하얀색이고 나머지 하나는 초록색이다.

2 세 개 중에서 하나하나를 열거할 때

⚾	⚾	⚾
one	another	the other
하나	또 다른 하나	나머지 하나

• She has three sons. One is a doctor, another is an artist, and the other is a lawyer.

• 그녀는 세 명의 아들이 있다. 한 명은 의사이고, 또 한 명은 예술가이고, 나머지 한 명은 변호사이다.

3 여러 개에서 하나하나를 열거할 때

⚾	⚾	⚾	……	⚾
one	another	the third	……	the＋서수/other
하나	또 다른 하나(둘째)	셋째		마지막

• There are color balls. One is red, another is blue, a third is violet, ... and the fifth(other) is black.

• 색깔 있는 공이 있다. 하나는 빨간색, 두 번째 공은 파란색, 세 번째 공은 보라색 … 그리고 마지막 공은 검정색이다.

4 여러 개에서 일부와 또 다른 일부를 나타낼 때

⚾⚾⚾⚾⚾	⚾⚾⚾⚾⚾	……
some	others	

• Some went on foot and others went by taxi.

• 몇몇은 걸어갔고 다른 사람들은 택시를 타고 갔다.

5 여러 개 있을 때, 일부와 나머지 전부를 가리킬 때

⚾⚾⚾⚾	⚾⚾⚾⚾⚾⚾
some	the others
일부	나머지 전부

- 탁자에 열 권의 책이 있는데, 일부는 내 책이고 나머지는 형의 책이다.

- There are ten books on the table; some are mine and the others are my brother's.

6 여러 개 있을 때, 일부와 다른 일부와 나머지 전부를 가리킬 때

⚾⚾⚾⚾	⚾⚾⚾⚾⚾	⚾⚾⚾⚾⚾⚾⚾⚾
some	others	the others
일부	다른 일부	나머지 전부

- 우리 학교에는 많은 외국 학생들이 있다. 그들 중 일부는 미국에서 왔고, 또 다른 일부는 중국에서 왔고, 나머지는 일본에서 왔다.

- We have many foreign students in our school; some of them are from America, others are from China, and the others are from Japan.

👍 **One Tip** each other vs. one another

each other는 (둘 사이에서) 서로서로의 뜻이고 one another는 (셋 이상에서) 서로서로의 뜻이다.

- Sooho and Boni like each other. 수호와 보니는 서로서로 좋아한다.
- The three children like one another. 세 명의 아이들은 서로서로 좋아한다.

👍 **Two Tips** another+2 이상의 기수+복수명사

another 다음에는 단수명사를 사용해야 하지만 another 다음 2 이상의 기수가 있을 때에는, 그 명사 다음에는 복수명사가 와야 한다.

- I must take care of another three students. 나는 또 다른 3명의 학생들을 돌봐야 한다.

03 all, each, every

1 all

all이 사물을 지칭할 때에는 단수명사로, 사람(생명체)을 지칭할 때에는 복수명사로 사용된다.

① All are happy.

② All that glitters is not gold.

③ All of them look tired after the meeting.

👍 One Tip 부정형용사 all

$$
\text{all} \ + \ \begin{cases} \text{복수명사+복수동사} \\ \text{단수명사+단수동사} \end{cases}
$$

• All cities have the fine dust. 모든 도시는 미세 먼지가 있다.
• All money tends to be back. 모든 돈이 되돌아오는 경향이 있다.
• All students do their homework very hand. 모든 학생들이 아주 열심히 숙제를 한다.

2 each

부정대명사 each는 각각의 하나하나를 개별적으로 가리키며 단수명사를 대신하므로 항상 단수동사로 받는다.

• Each of the employees is doing his or her task.
  → Each of the employees are doing their task. (×)

👍 One Tip 부정형용사 each

each+단수명사+단수동사

• Each applicant has to pass the interview. 각각의 지원자는 그 면접을 통과해야 한다.
• Each student has much homework. 각각의 학생은 많은 숙제가 있다.

① 모든 사람들이 행복하다.

② 반짝인다고 모두 금은 아니다.
   glitter 반짝이다

③ 회의가 끝난 후 그들 모두는 피곤해 보인다.

• 직원들 각자가 자신의 일을 하고 있다.

PART·04

3 every

every는 부정형용사로만 사용된다. 뒤에 단수명사가 있어야 하고 동사도 단수동사로만 받는다.

① 모든 소녀들은 자신만의 비밀이 있다.

① Every girl has her own secret.

② 모든 소년 소녀는 같은 문제를 갖고 있다.

② Every boy and girl has the same problem.

👍 **One Tip** 부정대명사 관용적 용법

one A after another (셋 이상에서) A가 차례로
one after the other (둘 사이에서) 번갈아
the other day 요전날, 일전에
on the one hand ~, on the other hand … 한편으로는 ~, 다른 한편으로 …
every other day(＝ every second day, every two days) 하루걸러 한 번, 이틀에 한 번
every four days(months, years) 4일에(넉 달에, 4년에) 한 번
A is one thing and B is another A와 B는 별개이다
A is to B what C is to D A와 B의 관계는 C와 D의 관계와 같다

• One **author** after another criticized his review. 작가들이 차례로 그의 서평을 비판했다.

• The Olympic is held every four years. 올림픽은 4년에 한 번 개최된다.

• I saw your picture in the paper the other day. 나는 요전날 신문에서 당신의 사진을 보았다.

• Reading is to the mind what food is to the body. 독서와 정신과의 관계는 음식과 신체와의 관계와 같다.

04 some(thing), any(thing)

some은 긍정문에서, any는 부정문, 의문문, 조건문에서 사용된다.

① Here are some of our suggestions but some disapprove of the idea.

② She spent hardly any of the money.

③ I need some stamps. Are there any in your bag?

④ I want some books but some teacher don't want any books.

① 여기 몇몇 제안이 있지만 몇몇 사람들은 그 아이디어에 찬성하지 않는다.

② 그녀는 돈을 거의 쓰지 않는다.

③ 난 우표가 필요해. 네 가방 속에 가진 거 있니?

④ 나는 몇 권의 책을 원하지만 몇몇 선생님들은 어떤 책들도 원치 않는다.

👍 **One Tip** some → 의문문 vs. any → 긍정문

some이 의문문으로 사용될 때에는 '권유나 청유'의 의미를 나타내고 **any**가 긍정문에서 사용될 때에는 '어떤 ~라도'의 의미를 나타낸다.

Any child cannot do such a thing. (×)
→ No child can do such a thing. (○)

Any of the children cannot do such a thing. (×)
→ None of the children can do such a thing. (○)

• Would you like some(thing) coffee (to drink)? 커피 좀 드시겠어요?

• Do you have some money? 돈 좀 있어? (돈 좀 빌려줄래?)

• Any child can do such a thing. 어떤 아이도 그러한 것을 할 수 있다.

05 both, either, neither, none

1 both

반드시 둘을 전제로 사용되고 '둘 다'를 의미하며 항상 복수 취급한다.

① 당신의 아이들 둘 다 여기 오지 않았다.

② 너와 그녀 둘 다 틀리지 않았다.

① Both of your children were not coming here.

② Both you and she are not wrong.

2 either

반드시 둘을 전제로 사용되고 '둘 중 하나'를 의미하며 항상 단수 취급한다.

① 당신의 아이들 중 하나가 여기 오지 않았다.

② 너와 그녀 둘 중 하나는 틀리지 않았다.

① Either of your children was not coming here.

② Either you or she is not wrong.

3 neither

반드시 둘을 전제로 사용되고 '둘 다 아닌'을 의미하며 항상 단수 취급한다.

① 네 의견은 둘 다 옳지 않다.

② 너와 그녀 둘 다 예쁘지 않다.

① Neither of your opinions is true.

② Neither you nor she is pretty.

4 none

'no+명사'가 합쳐서 대명사로 바뀌면 none이 된다. none은 단·복수 모두가 가능하다.

> None of+복수명사+단수(복수)동사 둘 다 가능
> None of+단수명사+단수동사

① 그 학생들 중 어느 누구도 운동장에 있지 않다. (현대 영어는 복수형이 더 많이 쓰임)

② 어떤 맥주도 테이블 위에 남아 있지 않다.

① None of the students is(are) on the playground.

② None of beer is left on the table.

👍 **One Tip** 부정대명사의 부분 부정

all/every/both/always/necessarily+부정어: 모두(반드시, 항상) ~한 것은 아니다

• I don't know all about the accident. 나는 그 사고에 대해 모두 아는 것은 아니다.

• The rich are not always happy. 부자들이 항상 행복한 것은 아니다.

UNIT 04 의문대명사

의문을 나타내는 대명사를 의문대명사라고 한다. 의문대명사는 그 대상이 사람인지 혹은 사물인지에 따라, 그리고 격에 따라 다르므로 정확한 구별이 필요하다.

01 의문대명사의 종류 및 형태 변화

구분	주격	소유격	목적격
사람	who	whose	whom
사물	which	×	which
사람, 사물	what	×	what

1 주격

① Who hit you?

② Which is your book?

③ What is your name?

① 누가 너를 때렸니?

② 너의 책은 어느 것이니?

③ 너의 이름은 뭐니?

2 소유격

• Whose book is this?

• 이것은 누구의 책이니?

3 목적격

who는 사람을 지칭하고 주격과 목적격을 함께 사용할 수 있고, which는 한정된 것 중 '어떤 것'을 지칭하며, what은 한정된 것 없이 모든 것 중 '어떤 것'을 지칭한다.

① Who(m) did you hit?

② Which do you want to eat?

③ What do you have in mind?

④ Which one is yours among these books?

⑤ What is your job?

① 너는 누구를 때렸니?

② 너는 어떤 것을 먹고 싶니?

③ 너는 무엇을 마음에 두고 있니?

④ 이 책들 중 어떤 것이 네 것이니?

⑤ 당신의 직업은 무엇인가요?

👍 One Tip

목적격 의문대명사 whom은 주격인 who로 대신할 수 있다.

• Whom do you want to meet?
= Who do you want to meet?

심화문제

01 다음 중 빈칸 (A), (B)에 들어가기에 가장 적절한 것은?

> Take the case of two people who are watching a football game. One person, who has very little understanding of football, sees merely a bunch of grown men hitting each other for no apparent reason. ___(A)___ person, who loves football, sees complex play patterns, daring coaching strategies, effective blocking and tackling techniques, and zone defenses with "seams" that the receivers are trying to "split." Both persons have their eyes glued to the same event, but they are perceiving two entirely different situations. The perceptions differ because ___(B)___ is actively selecting, organizing, and interpreting the available stimuli in different ways.

	(A)	(B)
①	Another	every
②	Another	each
③	The other	every
④	The other	each

02 다음 중 어법상 빈칸에 들어갈 말로 가장 적절한 것은?

> A : Gee, this going to be fun. I haven't done skating for a long time.
> B : _____ have I. Do you suppose we've forgotten it?
> A : I doubt it. It's like riding a bicycle.
> B : Here is a place to rent skates. What size do you wear?

① So   ② Neither

③ Either   ④ Each

정답 및 해설

01 **해설** 둘 중에서 하나 그리고 나머지 하나를 묻고 있으므로 (A)에는 The other가 있어야 하고 every는 단독으로 사용할 수 없는 부정형용사이므로 (B)에는 each가 필요하다. 따라서 정답은 ④가 된다.

해석 미식축구 경기를 보고 있는 두 사람의 경우를 들어보자. 미식축구에 대한 이해력이 거의 없는 한 사람은 그저 명백한 이유 없이 서로서로를 치는 다수의 성인들을 본다. 미식축구를 사랑하는 다른 한 사람은 복잡한 게임 방식, 대담한 코치 전략, 효과적인 차단 기술과 태클 기술, 그리고 리시버가 '나누려고' 애쓰는 '경계선'이 있는 지역 방어를 본다. 두 사람 모두 같은 경기에 그들의 눈을 못박고 있지만 그들은 완전히 다른 상황을 인식하고 있다. 각 개인은 다른 방식으로 이용할 수 있는 자극을 능동적으로 선택하고, 조직하고, 해석하기 때문에 인식들은 달라진다.

02 **해설** A의 부정문에 대해 '또한 그렇지 않다'라는 의미의 표현은 Neither를 사용하여 'Neither＋동사＋주어' 형태를 취한다. have는 이 문장에서 일반동사가 아닌 완료를 나타내는 조동사로 쓰였다. 따라서 Neither have I가 올바른 형태이므로 정답은 ②이다.

해석 A : 야, 이거 재미있겠는걸. 나는 한동안 스케이트를 못 탔었어.
B : 나도 마찬가지야. (마찬가지로 못 탔었어) 우리가 잊었을 거라고 생각하니?
A : 그렇지 않아. 이건 자전거 타는 거랑 같아.
B : 여기가 스케이트를 빌리는 곳이야. 네 신발 사이즈가 몇이니?

어휘

01
merely 단지, 다만, 오직
a bunch of 다수의
apparent 명백한
complex 복잡한; 어려운
strategy 전략
blocking 차단
zone 지역, 영역
seam 경계선
split 나누다, 쪼개다, 분열시키다; 분열, 불화
glue 풀; 붙이다
perceive 인식[인지]하다; 감지하다
perception 인식, 인지; 감지
interpret 해석하다
stimuli 자극(제)들(stimulus의 복수형)

02
gee (감탄사) 야, 와
suppose 추정하다, 생각하다
I doubt it[that] 그렇지 않아.

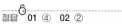

03 다음 우리말을 영어로 옮긴 것 중 틀린 것은?

① 바로 저 남자가 내 가방을 훔쳤다.

→ It was that guy who stole my bag.

② 그는 어제 밤에 그녀에게 데이트를 신청했다.

→ It was last night when he asked out her.

③ 그녀는 매 두 시간마다 약을 복용한다.

→ It is she that takes a medicine every two hours.

④ 학급의 모든 학생들은 서로서로 도왔다.

→ It was all of the students in the class that they helped one another.

04 다음 밑줄 친 부분 중 어법상 틀린 것은?

The word 'courage' takes on added meaning if you keep in mind that it is derived from the Latin word 'cor' meaning 'heart.' The dictionary defines courage as a 'quality which enables ① <u>one</u> to pursue a right course of action, through which they may provoke disapproval, hostility, or contempt.' Over 300 years ago La Rochefoucauld went a step further when he said: "Perfect courage is to do unwitnessed what we should be capable of doing before all men." ② <u>It</u> is not easy to show moral courage in the face of either indifference or opposition. But people who are daring in taking a wholehearted stand for truth often achieve results that surpass ③ <u>their</u> expectations. On the other hand, half-hearted individuals are seldom distinguished for courage even when it involves ④ <u>its</u> own welfare. To be courageous under all circumstances requires strong determination.

정답 및 해설

03 해설 ④ each other와 one another은 '서로서로'라는 뜻은 같지만 each other는 둘 사이에서 사용하며, one another는 셋 이상의 사이에서 사용한다. 이 문장에서는 '학급의 모든 학생들'이라고 했으므로, 셋 이상임을 알 수 있고 따라서 one another의 사용은 어법상 적절하지만 all of the students in the class를 강조를 목적으로 It was ~ that을 이용한 것이므로 that절의 주어 they를 없애야 한다.

① that guy를 강조를 목적으로 it is ~ that 강조구문을 이용한 것으로 강조 대상이 사람이므로 that대신 who의 사용은 어법상 옳다.

② last night을 강조를 목적으로 it is ~ that 강조구문을 이용한 것으로 강조 대상이 시간을 나타내므로 that대신 when의 사용은 어법상 옳다.

③ she를 강조를 목적으로 it is ~ that 강조구문을 이용한 것으로 어법상 적절하다.

04 해설 ④ its를 대신하는 명사는 individuals(복수)이므로 단수 대명사 its는 their로 고쳐 써야 한다.

① 문맥상 막연한 일반인을 나타내는 one의 사용은 어법상 적절하다.

② to부정사를 대신하는 가주어 it의 사용은 어법상 옳다.

③ 문맥상 their은 앞에 있는 복수명사 people을 대신하므로 복수형 their의 사용은 어법상 적절하다.

해석 '용기'라는 말이 '심장'을 뜻하는 라틴어의 'cor'에서 유래되었다는 것을 기억한다면, 그 말은 추가되는 의미를 지닌다. 사전은 사람들이 용기를 '불찬성이나, 적의, 또는 경멸을 유발할 수도 있는 올바른 행동의 과정을 추구하게 되는 특성'으로 정의한다. 300년보다 이전에 La Rochefoucauld는 그가 "완전한 용기는 모든 사람 앞에서 당신이 할 수 있는 것을 아무도 보지 않는데서 하는 것이다."라고 말했을 때 한 걸음 더 나갔다. 무관심이나 반대에 직면하여 도덕적 용기를 보여주기는 쉽지 않다. 그러나 진리를 위한 진심 어린 입장을 취하는 것에 대담한 사람들은 종종 그들의 기대를 능가하는 결과를 성취한다. 반면에, 마지못해 하는 개인들은 그것이 그들 자신의 이익과 연관이 있을 때조차도 용기가 두드러지지 않는다. 모든 상황에서 용감하게 되는 것은 강한 결단력을 필요로 한다.

어휘

03
steal 훔치다
ask out 데이트를 신청하다

04
derive from ~로부터 유래하다
define 정의하다, 정의를 내리다
pursue ① 추구하다 ② 뒤쫓다, 추적하다
provoke 유발하다, 불러일으키다
disapproval 불찬성
hostility 적의
contempt 경멸, 멸시
unwitnessed 목격되지 않은
indifference 무관심
opposition 반대
wholehearted 성심성의의
surpass 능가하다, 뛰어넘다
take a stand 입장을 취하다
half-hearted 마음이 내키지 않는
distinguished 눈에 띄는
welfare 복지
courageous 용기 있는
circumstance 상황
determination 결정, 결심

정답 03 ④ 04 ④

05 다음 중 어법상 옳지 않은 것은?

① It can be embarrassed to tell such incidents to the complete strangers.

② It is not easy to deny the hypothesis that the impact was not the subjective elements.

③ It is common these days to eat a healthy and balanced diet, which means watching what you eat.

④ It was estimated that 9 million Americans were planning a summer vacation by themselves in 2018.

06 다음 밑줄 친 부분 중 어법상 적절하지 않은 것은?

There is an old Japanese legend about a man renowned for his flawless manners visiting a remote village. Wanting to honor as well as observe him, the villagers prepared a banquet. As they sat to eat, all eyes were on their noble guest. Everyone looked at how the man held his chopsticks, so that they could imitate him. But then, by an unfortunate accident, as the mannered man raised a slippery slice of tofu to his lips, he placed the tiniest bit of excess pressure on the chopsticks, propelling ① <u>his</u> tofu through the air and onto his neighbor's lap. After a brief moment of surprise, in order to preserve the myth of ② <u>their</u> guest's perfection and keep ③ <u>himself</u> from any embarrassment, all the villagers at the banquet began to fling tofu into ④ <u>each other's</u> laps.

정답 및 해설

05

해설 ① 가주어 It과 진주어 to tell 구문은 어법상 적절하지만 감정표현동사 embarrass의 주체가 사물(to tell)이므로 능동의 형태가 필요하다. 따라서 embarrassed는 embarrassing으로 고쳐 써야 한다.

② 가주어(It) 진주어(that the impact~) 구문의 사용은 어법상 적절하고 추상명사(hypothesis) 다음 동격의 접속사 that의 사용 모두 어법상 옳다.

③ 가주어(It) 진주어 구문(to eat~)과 관계대명사 which나 what의 쓰임 모두 어법상 적절하다.

④ It은 가주어로서 뒤에 that절이 진주어이다. 따라서 was estimated 다음 목적어가 없으므로 수동의 형태는 어법상 적절하고 과거표시부사구(in 2018)가 있으므로 과거 시제의 사용 또한 어법상 옳다.

해석 ① 완전한 이방인들에게 그러한 사건을 말한다는 것은 당황스러울 수도 있다.

② 그 영향력이 주관적인 요소가 아니었다는 가설을 거부하기란 쉽지 않다.

③ 요즘 건강하고 균형 잡힌 식사를 하는 것은 흔한 일이고 이는 당신이 먹는 것을 주의한다는 것을 의미한다.

④ 2018년에 9백만 명의 미국인들이 혼자 여름휴가를 계획하고 있다고 추정 되었다.

06

해설 ③ 주어가 all the villagers이므로 himself는 him으로 고쳐 써야 한다.

① 문맥상 his는 the man을 대신하므로 어법상 옳다.

② 문맥상 their는 villagers를 대신하므로 어법상 적절하다.

④ 문맥상 두 사람 사이에서 일어나는 일이므로 each other의 사용은 어법상 옳다.

해석 완벽한 매너로 유명한 한 사람이 외딴 마을을 방문하는 일본의 오래 된 전설이 있다. 마을 사람들은 그를 보고 경의를 표하고 싶어 잔치를 준비했다. 그들이 식사를 하기 위해 앉았을 때 모든 시선이 그들의 고귀한 손님에게 향했다. 모든 사람들은 그를 모방하기 위하여 그 사람이 젓가락을 잡는 방식을 관찰했다. 그 때 불운하게도 예절이 바른 그가 미끄러운 두부 조각을 입에 갖다 댈 때, 젓가락을 쥔 손에 조금 힘을 주자, 그의 두부 조각이 튕겨 나가 이웃 사람의 무릎에 떨어졌다. 마을 사람들은 잠시 놀랐지만, 마을을 찾아 온 손님의 완벽함의 이야기를 간직하고 그가 당황하지 않도록, 잔치에 온 모든 사람이 두부를 서로서로 상대의 무릎을 향해 던지기 시작했다.

어휘

05
embarrass 당황하게 하다
incident 사건
deny 거부하다
hypothesis 가설
subjective 주관적인
element 요소
estimate 추정하다
by oneself 혼자서, 홀로 (= alone)

06
legend 전설
renowned 유명한
flawless 완벽한, 무결점의
manners 예의범절
remote 거리가 먼
honor 존경하다
banquet 잔치
noble 고귀한
chopsticks 젓가락
imitate 모방하다
slippery 미끄러운
tofu 두부
propel 나아가게 하다
lap 무릎
brief ① 잠깐 동안의 ② 간단한
embarrassment 당황함
fling 내던지다, 내팽개치다

정답 05 ① 06 ③

07 다음 우리말을 영어로 옳긴 것 중 가장 적절한 것은?

① 내가 휴가를 간절히 보내고 싶은 곳은 나의 부모님 집이다.

→ It is at my parents' home where I'm looking forward to spending holidays.

② 모든 과학자들이 그 문제를 해결하는 것은 불가능하다고 여겼다.

→ All of the scientists believed to settle the problem impossible.

③ 사람들은 그들이 동물원에 갈 때마다 기린을 볼 수 있는 것을 당연하게 여긴다.

→ People take for granted they can see the giraffe whenever they went at the zoo.

④ 시 공무원들은 노동자들이 시외에 거주하는 것을 가능케 하려고 노력했다.

→ The city officials strived to make it possible for workers to live outside of the city.

08 밑줄 친 부분 중 어법상 적절하지 않은 것은?

The principle of the separation of church and state assumed the secular identity of the state and ① forbade it to the promotion of specific forms of religious belief and practice. In the contemporary world it ② has been argued that those societies in which religion has continued to survive as a major force ③ have been those where the church has been an arm of the state. Secularization, in contrast, came hand in hand with modernization ④ which by its very nature offered a series of irresistible challenges to traditional forms of religious influence.

정답 및 해설◆

07 해설 ① It is ~ that 강조구문으로 at my parents' home을 강조하고 있다. 강조대상이 장소를 나타내므로 that 대신 where를 사용한 것은 어법상 옳고 또한 look forward to ⓥ-ing 구문 역시 어법상 적절하다.

② believe는 to부정사를 목적어로 취할 수 없으므로, 가목적어 it을 먼저 위치시키고 그 다음 진목적어인 to 부정사를 뒤로 위치시켜야 하므로 적절한 영작이 될 수 없다. 따라서 이 문장은 All the scientists believed it impossible to settle the problem으로 고쳐 써야 한다.

③ 'take A for granted' 구문을 묻고 있다. granted 다음 진목적어(접속사 that이 생략된 절이 있다)가 있으므로 take 다음 가목적어 it이 필요하다.

④ 타동사 make 다음 목적어가 없으므로 어법상 적절하지 않다. 어법상 뒤에 있는 to work를 대신하는 가목적어 it이 필요하다. 따라서 make possible을 make it possible로 고쳐 써야 한다.

08 해설 ① 병렬구조와 forbid A from B 구문을 묻고 있다. and 앞에 assumed와 forbade의 병렬은 어법상 적절하지만 it 다음 전치사 to의 사용은 어법상 적절하지 않다. 따라서 to를 from으로 고쳐 써야 한다.

② has been argued 뒤에 that절은 목적어 역할을 하는 것이 아니라 앞에 있는 it(가주어)의 진주어 구문이므로 수동의 형태는 어법상 적절하다.

③ have been의 주어는 those societies이므로 수 일치는 적절하고 those는 societies를 대신하는 지시대명사이고 관계부사 where 다음 문장 구조가 완전하므로 어법상 옳다.

④ 선행사가 사물(secularization) 명사이고 which 다음 문장구조가 불완전(주어가 없다)하므로 관계대명사 which는 어법상 적절하고 its는 단수명사 modernization을 대신하므로 이 역시 어법상 옳다.

해석 교회와 국가의 분리 원칙은 국가의 비종교적 정체성을 취하면서 국가가 어떠한 특정한 종교적 신념과 관행을 장려하는 것을 금한다. 현대 사회에서 종교가 주된 힘으로 계속 남아 있는 그런 사회는 교회가 정부의 한 권력으로 남아 있는 사회라고 주장되어 왔다. 이에 비해, 비종교화는 현대화와 같이 진행되어 왔으며, 현대화는 그 속성상 종교가 영향을 미치는 전통적인 형태에 일련의 강력한 도전장을 내밀었다.

09 다음 중 어법상 옳은 것은?

① It is thorough self-control that is required to lose weight.

② It was not until when he failed the exam that he decides to study hard.

③ The psychologist thought it difficultly to be convinced his explanations are right.

④ Many kids are finding nearly impossible to separate themselves from the computer screen.

10 어법상 옳은 것은? 2022. 국가직 9급

① A horse should be fed according to its individual needs and the nature of its work.

② My hat was blown off by the wind while walking down a narrow street.

③ She has known primarily as a political cartoonist throughout her career.

④ Even young children like to be complimented for a job done good.

정답 및 해설

09

해설 ① It is ~ that 강조구문을 묻고 있다. 주어가 **self-control**이므로 단수 동사 **is**는 어법상 적절하고 **be required** 다음 **to** 부정사의 사용 역시 어법상 옳다.

② **not until when he failed the exam**을 강조를 목적으로 **It was ~that**의 강조구문을 사용한 것은 어법상 적절하지만 주절의 시제가 과거이므로 **that**절의 시제도 과거여야 한다. 따라서 **decides**는 **decided**로 고쳐 써야 한다. 참고로 이 문장은 '**He did not decide to study hard until when he failed the exam.**'에서 시작했다.

③ '**be convinced (that) S + V ~ 구문**' 과 **thought**다음 가목적어 **it**의 사용은 어법상 적절하지만 목적격 보어 자리에는 형용사보어가 위치해야 하므로 부사 **difficultly**는 형용사 **difficult**로 고쳐 써야 한다.

④ 동사 **are finding** 다음 목적어가 없으므로 어법상 적절하지 않다. 이 문장은 **find**가 5형식 동사로 사용되었고 뒤에 목적격 보어 자리에 형용사 **impossible**이 있고 그 다음 진목적어 **to separate**가 이어지는 구조이므로 **find** 다음 가목적어 **it**이 필요하다.

해석 ① 살을 빼기 위해서 요구되는 것은 철저한 자기 조절이다.

② 시험에 떨어졌을 때 비로소 그는 열심히 공부하기로 결심했다.

③ 그 심리학자는 자신의 설명이 옳다고 납득시키기가 어렵다는 것을 생각했다.

④ 많은 아이들이 자신들과 컴퓨터 스크린이 분리되는 것이 불가능할 거라는 것을 알고 있다.

09
thorough 철저한
not A until B B하고나서야 비로서 A하다
separate A from B A와 B를 분리시키다

10

해설 ① **feed**의 수동형 **be fed**뒤에 목적어가 없으므로 수동의 형태는 어법상 적절하고 전치사 **according to**다음 명사의 사용과 **horse**를 대신하는 대명사 **its** 모두 어법상 적절하다.

② 접속사 **while** 다음 '(주어 + be동사)'가 생략될 때에는 문법상의 주어와 일치하거나 또는 접속사의 주어가 막연한 일반인일 때 생략가능한데 문법상의 주어(**my hat**)와 **while** 다음 주어가 문맥상 일치하지 않으므로 **while walking**의 사용은 어법상 적절하지 않다. 따라서 **while walking**은 **while I was walking**으로 고쳐 써야 한다.

③ 동사 **has known**의 목적어가 없으므로 수동의 형태가 필요하다. 따라서 **has known**은 **has been known**으로 고쳐 써야 한다.

④ 과거분사 **done**을 수식할 수 있는 것은 부사여야 하므로 형용사 **good**은 부사 **well**로 고쳐 써야 한다.

해석 ① 말은 개별적 욕구와 말이 하는 일의 특성에 따라 먹이를 줘야 한다.

② 좁은 길을 따라 걷고 있는 동안 내 모자가 바람에 날아갔다.

③ 그녀는 일하는 동안 주로 정치 풍자만화가로 알려져 왔다.

④ 심지어 어린 아이들조차도 잘한 일에 대해 칭찬받기를 좋아한다.

10
feed ① 먹다 ② 먹이다
according to ~ 에 따라서, ~ 에 따르면
need 욕구
nature ① 본성, 특성 ② 자연
blow off ~ 을 날려버리다
narrow 좁은
primarily 주로
political 정치적인
cartoonist 만화가
throughout 도처에, ~ 동안, 쭉 내내
career ① 직업, 경력 ② 생활
compliment 칭찬하다

정답 09 ① 10 ①

11 다음 어법상 빈칸에 들어가기에 가장 적절한 것은? 2016. 서울시 9급

It was when I got support across the board politically, from Republicans as well as Democrats, _____ I knew I had done the right thing.

① who
② whom
③ whose
④ that

12 다음 밑줄 친 부분 중 어법상 옳지 않은 것을 고르시오. 2012. 서울시 9급

What ① is necessary is an income that will be the basis for a dignified human existence. As far as inequalities of income are concerned, it seems that ② it must not exceed the point ③ where differences in income lead to differences in the experience of life. The man with an income of millions, who can satisfy any costly wish without even thinking about ④ it, experiences life in a different way from the man who has to sacrifice one costly wish to satisfy another. The man who can never travel beyond his town, ⑤ who can never afford any luxury, again has a different life experience from his neighbor who can do so.

정답 및 해설

11 해설 ④ It is ~ that 강조 구문을 묻고 있다. when S+V~(부사절)을 강조하는 강조 구문이므로 접속사 that은 적절하다.

① who 다음 문장구조는 불완전해야 한다. 하지만 I knew (that) I had done the right thing은 완전한 문장구조이므로 어법상 적절하지 않다.

② ①과 마찬가지로 whom 다음 문장구조도 불완전해야 한다. 따라서 어법상 적절하지 않다.

③ whose 다음 문장구조는 명사+동사+목적어/보어/부사(구)이다. 따라서 어법상 적절하지 않다.

해석 내가 민주주의자들뿐만 아니라 공화주의자들까지 정치적으로 모든 입장을 지지할 때, 나는 내가 옳은 일을 하고 있다는 것을 알았다.

11
across the board 전체적으로, 전체에 걸쳐서
politically 정치적으로
republicans 공화주의자들
democrats 민주주의자들

12 해설 ② 대명사 수 일치를 묻고 있다. 문맥상 it은 앞에 나온 명사 inequalities를 대신해야 한다. inequalities가 복수이므로 it은 they로 고쳐 써야 한다.

① 동사 수 일치를 묻고 있다. 주어가 what이므로 단수 동사 is는 적절하다.

③ 관계부사 where를 묻고 있다. where 뒤의 내용이 문법적으로 완전하므로 관계부사 where의 사용은 어법상 적절하다.

④ 대명사 수 일치를 묻고 있다. 문맥상 it은 앞에 나온 명사 wish를 대신하므로 단수 형태는 어법상 적절하다.

⑤ 관계대명사 who를 묻고 있다. 언뜻 보기에 바로 앞에 town(사물명사)이 있어서 which를 사용해야 할 것 같지만 뒤에 can never afford(능력이 없다)가 있으므로 사람 선행사 the man을 대신하는 관계대명사 who의 사용은 어법상 옳다.

해석 필요한 것은 존엄한 인간 존재를 위한 기반이 될 수입이다. 소득의 불평등에 관한 한, 아마도 그것(불평등)은 소득의 차이들이 인생 경험의 차이들로 이끄는 지점을 넘어서서는 안 된다. 심지어 아무 생각 없이도 값비싼 바람을 충족시킬 수 있는 수백만 달러의 소득을 가진 사람은 다른 것을 충족시키기 위해서 하나의 값비싼 바람을 희생해야만 하는 사람과는 삶을 다른 방식으로 경험한다. 자기 마을 너머로 여행해 본 적이 없는 사람은 어떤 사치도 부릴 여유가 결코 없는 사람이며, 또한 그렇게 할 수 있는 이웃과는 다른 삶의 경험을 한다.

12
income 수입
dignified 존엄한
existence ① 존재 ② 생활
as far as A be concerned A에 관한 한
inequality 불평등
exceed 넘어서다, 초과하다
costly 값비싼
afford ~할 여유가 있다
luxury 사치품

형용사와 부사

UNIT 01 형용사

01 형용사와 그 역할

형용사란 명사를 구체적으로 설명해 주는 묘사어이고, 또한 명사를 수식하거나 보어로서의 역할을 한다.

1 명사 수식

① A terrible fire spread rapidly through the old house.

② On busy days, the telephone in the main office rings constantly.

2 보어 역할

① The teacher remained silent.

② My younger brother fell asleep.

③ The cook kept all the food cool and fresh.

④ All the people in the group considered the task impossible.

① 끔찍한 화재가 빠르게 낡은 집 전체로 퍼졌다.
② 바쁜 날에는 그 본사의 전화는 계속해서 울린다.

① 선생님은 침묵했다.

② 내 남동생은 잠들었다.

③ 그 요리사는 모든 음식을 차고 신선하게 유지시켰다.

④ 그 집단의 모든 사람들은 그 일이 불가능하다고 여겼다.

👍 One **Tip** 형용사형 어미

형용사형 어미	의미	단어
-a(i)ble	~할 수 있는	imagine → imaginable / rely → reliable
-ful	풍부한, 가득 찬	beauty → beautiful / hope → hopeful
-ous	풍부한, 가득 찬	fame → famous / danger → dangerous
-less	부족한, ~이 없는	care → careless / end → endless
-ish	~와 같은	fool → foolish / boy → boyish
-ive	~하는, ~인	create → creative / attract → attractive
-ic	~하는, ~인	economy → economic / history → historic
-ary	~하는, ~인	prime → primary / necessity → necessary
-al	~하는, ~인	magic → magical / music → musical
-ing	하는, 하고 있는	interest → interesting / excite → exciting
-ed	~된, 당한	wound → wounded / kill → killed
명사+ly	~스러운, ~한	love → lovely / friend → friendly

👍 Two Tips 서술적(보어) 역할로 주로 쓰이는 형용사

absent 결석의	afloat 떠 있는, 떠도는	afraid 두려운
akin 유사한	alike 닮은	alive 살아 있는
alone 외로운	ashamed 부끄러워하는	asleep 잠들어 있는
awake 깨어 있는	aware 알고 있는	content 만족한
drunk 술 취한	fond 좋아하는	glad 기쁜
ignorant 모르는	pleased 기쁜	unable ~할 수 없는
well 건강한	worth ~할 가치가 있는	

- I was very drunk. 나는 몹시 술에 취해 있었다.

- The baby is asleep. 아기가 잠들어 있다.

- There was a story afloat about their love. 그들의 사랑에 대해 떠도는 이야기가 있다.

- When I got home, I was so tired that I just fell asleep.
  나는 집에 도착했을 때, 너무 피곤해서 그대로 잠들어 버렸다.

👍 Three Tips 한정적(수식적) 용법으로 쓰이는 형용사

chief 주요한	daily 매일의	drunken 술 취한
elder 연장의	eldest 제일 연장의	fallen 떨어진
outer 밖의	right 오른쪽의	sheer 순전한
former 전의	golden 금의	indoor 실내의
inner 안의	leaden 납의	left 왼쪽의
sole 단 하나의	spare 여분의	upper 위쪽의
live 생생한	lone 고독한	main 주요한
mere 단순한	only 단 하나의	outdoor 실외의
utter 완전한	total 총계의	very 바로 그것의

- I am the only child. 나는 외아들이다.

- He is my elder brother. 그는 나의 형이다.

- He is the former president. 그는 전 대통령이다.

- Our chief expenditure is on raw materials. 우리의 주요 지출은 원자재에 있다.

02 형용사의 후치수식

형용사는 명사 앞에 위치해서 뒤의 명사를 전치수식하는 것이 원칙이지만 명사 뒤에 위치해서 앞의 명사를 후치수식하는 경우도 있다.

1 명사＋형용사/분사＋딸린 어구

① 당신은 그 파티에서 매력적인 여자를 찾을 수 있다.

① You may find a woman attractive at the party.

② 클럽 활동을 묘사하는 포스터가 붙어 있다.

② The club posters describing its activities are attached.

③ 이것을 이해하는 것이 그들 사업을 운영하는 데 있어서 관심을 갖고 있는 많은 고용인들에게 필수적이다.

③ Understanding this is essential to many employers interested in running their own business.

👍 **One Tip** 형용사의 후치수식

❶ -thing[-body, -one]＋형용사

• I'd like to have something different.
나는 뭔가 다른 것을 가지고[먹고] 싶다.

• We need someone old enough to have a solution.
우리는 해결책을 가질 정도로 충분히 나이 든 누군가가 필요하다.

❷ 최상급/all the[every]＋명사＋ -ble로 끝나는 형용사

• The store lends children all the toys imaginable.
그 상점은 아이들에게 상상할 수 있는 모든 장난감을 빌려 준다.

• They tried every way possible to settle the conflict.
그들은 분쟁을 조정할 모든 방법을 시도했다.

❸ 수사＋명사＋단위형용사(old, long, tall, deep, wide, high, thick …)

• This motorcycle is four years old.
이 오토바이는 4년 된 것이다.

• The Grand Canyon is 1 mile deep, 10 miles wide and 160 miles long.
그랜드 캐니언은 1마일 정도의 깊이에 10마일 정도의 너비 그리고 160마일에 이르는 길이를 가졌다.

03 형용사의 어순

여러 개의 형용사가 함께 사용되어 명사를 수식할 때 형용사의 어순은 한정사 → 수량형용사 → 성상형용사 → 명사 순으로 이루어진다.

한정사	수량형용사	성상형용사
a/an, the, this/that some, any, no, (an)other all, both, half, twice my, his, her, your	one, two, three first, second, third half, twice three times	big, small tall, short nice, bad old, new white, black

① These three large bags belong to his sister. (○)
　→ These large three bags belong to his sister. (×)

② The two most common purposes for writing exist. (○)
　→ The most common two purposes for writing exist. (×)

① 이 세 개의 큰 가방들은 그의 누나 것이다.

② 그 작문의 두 가지 보편적인 목적은 존재한다.

👍 One Tip　이중 소유격

한정사는 중복되어 사용될 수 없기 때문에 한정사가 두 개 필요한 경우에는 한정사 중 하나를 소유대명사로 바꾼 뒤 전치사 of를 사용하여 명사의 뒤에 위치시킨다. 이를 이중 소유격이라 한다.

한정사＋명사＋of＋소유대명사(mine, yours, his, hers, theirs)

a 　　**my** 　　**friend** (×) 　→ 　　**a** 　　**friend** 　of 　**mine** (○)
한정사 　한정사 　　명사 　　　　　　　　한정사 　　명사 　　　소유대명사

👍 Two Tips　한정사와 형용사의 어순

❶ double, half, both, all＋the＋명사
• Both the girls are 10 years old. (○) 소녀들은 둘 다 열 살이다.
　The both girls are 10 years old. (×)

❷ such, quite, rather, what＋a(an)＋(형용사)＋명사
• it's quite an interesting story. (○) 그것은 아주 흥미로운 이야기이다.
　It's a quite interesting story. (×)

❸ so, as, how, too＋형용사＋a＋명사
• She is not as good a runner as he is. (○) 그녀는 그만큼은 좋은 달리기 선수는 아니다.
　She is not as a good runner as he is. (×)

04 난이 형용사

난이 형용사는 사람 주어를 사용할 수 없고, It is ~ that 구문으로도 사용할 수 없다.

difficult 어려운	hard 어려운	easy 쉬운
(im)possible (불)가능한	tough 힘든	(in)convenient (불)편리한

① 그가 그 책을 이해하는 것은 어렵다.

① He is difficult to understand the book. (×)
   It is difficult for him to understood the book. (○)
   → It is difficult that he understands the book. (×)

② 내가 그녀를 즐겁게 해 주는 것은 불가능하다.

② I am impossible to please her. (×)
   It is impossible for me to please her. (○)
   → It is impossible that I please her. (×)

👍One Tip should가 필요한 판단 형용사

imperative 필수적인	essential 필수적인	vital 필수적인
necessary 필요한	natural 당연한	important 중요한
desirable 바람직한	right 올바른	rational 이성적인
proper 적절한		

• It is important for every window to be closed.
  = It is important that every window (should) be closed.
  모든 창문을 닫는 것이 중요하다.

• It is imperative for him to have a meeting.
  = It is imperative that he (should) have a meeting.
  그가 회의를 하는 것은 필수적이다.

05 수량 형용사의 주요 용법

수량 형용사는 명사의 수나 양을 설명하는 형용사로서 특정한 수를 나타내는 수사(one, two, first, second, three times)나 수나 양의 많고 적음을 나타내는 부정 수량 형용사(many, much, few, little, a lot of)로 구분할 수 있다.

① The first two questions are very difficult.

② I have many questions to ask you.

① 처음 두 질문이 아주 어렵다.

② 나는 당신에게 할 많은 질문이 있다.

👍 **One Tip** 서술적(보어) 용법

```
                       ┌→ old, tall, thick, deep, wide
  수사 + 단위 명사 + 측정형용사(보어 역할)
                       └→ year, day, story, foot, 금액
```

• He is twelve <u>years</u> old. 그는 12살이다.
            항상 복수

• She is five <u>feet</u> three <u>inches</u> tall. 그녀의 키는 5피트 3인치이다.
          항상 복수   항상 복수

👍 **Two Tips** 한정적(수식적) 용법

```
       수사 + 수 단위 명사 + 명사의 한정적(수식) 용법
                 └→ hundred, thousand, million, billion
```

• I have two <u>hundred</u> books. (○) → I have two hundreds books. (×)
            항상 단수

• I have two-<u>hundred</u> books. (○) → I have two-hundreds books. (×)
            항상 단수
  나는 2백 권의 책을 가지고 있다.

• I have a 10-year-old son. (○)   • I have a 10 year old son. (○)
  나는 10살 된 아들이 있다.
  → I have a 10-years-old son. (×) − 복수형 불가
  → I have a 10-year's-old son. (×) − 소유격 불가

참고 There are 10-year-olds in this class. 이 반에는 열 살 된 아이들이 있다.

👍 Three Tips 복수명사

> 수 단위 명사 + of + 복수명사
> └→ dozens, hundreds, thousands, millions(항상 복수 형태)

- The committee has <u>hundreds</u> of people. (○) 그 위원회는 수백 명의 사람들이 있다.
  <small>항상 복수</small>
  → The committee has hundred of people. (×)

👍 Four Tips 부정수량형용사+단수명사 / 복수명사

+단수명사	+복수명사	+단수명사(양)	두 경우 모두
one	few / a few	little / a little	some / any
another	both / several	much	most / other
each / every	a couple of	an amount of	a lot of
either / neither	a variety of / various	a large amount of	all / no
many a	a great (good) many	a great amount of	plenty of
this / that	a (the) number of	a good deal of	the amount of
	hundreds of	a great deal of	
	these / those		

- This book is easy to read. 이 책은 읽기 쉽다.
- I have a variety of problems. 나는 다양한 문제점들을 가지고 있다.
- I have many [(a) few] friends. 나는 많은 (몇몇) 친구가 있다.
- I have much [(a) little] money. 나는 많은 (약간의) 돈이 있다.
- A lot of food is prepared. 많은 음식이 준비 되었다.
- A lot of friends are waiting for me. 많은 친구들이 나를 기다리고 있다.

06 the＋형용사/분사

정관사 the 다음에 형용사나 분사(현재·과거분사)가 오면 명사가 된다. 이때 명사는 주로 복수명사(주로 사람들)로 사용되지만 단수명사가 될 수도 있다.

1 복수명사

「the＋형용사/분사」는 주로 복수명사로 취급한다.

the wounded(＝ wounded people)	the poor(＝ poor people)
the rich(＝ rich people)	the old(elderly)(＝ old people)
the young(＝ young people)	the foolish(＝ foolish people)
the wise(＝ wise people)	

① The wounded were killed in the hospital.

② The elderly need to be care for.

③ The rich have to pay a higher tax.

① 부상자들은 병원에서 죽었다.

② 노인들은 보살핌을 필요로 한다.

③ 부자들은 더 높은 세금을 내야 한다.

2 단수명사

「the＋형용사/분사」는 단수명사로 취급할 때도 있다.

the good 선	the humorous 익살스러움
the true 진실	the beautiful 미(美)
the wicked 사악한 자	the disabled 장애우
the unemployed 실업자	the unknown 미지의 것
the beloved 사랑받는 자	the assured 피보험자
the wanted 현상범	the deceased 고인(故人)
the accused 피고인	

① The accused was asked to stand up.

② The unknown has a mysterious attraction.

③ The true, the good, and the beautiful were thought to be the ideals.

① 피고인은 일어나라는 요청을 받았다.

② 미지의 것은 신비로운 매력을 지녔다.

③ 진실과 선과 미는 이상적인 것으로 생각된다.

07 large, small / high, low

우리말로는 청중이 '많다' 또는 가격이 '비싸다'라고 표현하지만 영어는 그렇지 않다. 영어에서는 large나 small 또는 high나 low로 표현해야 하는 경우가 있다.

집합·수량을 의미하는 명사	population, family, audience(청중), income(수입), number, change(잔돈), success(성공), sum(금액), profit(이익), quantity(양), sale(판매)	large / small
수치를 의미하는 명사	cost(비용), rate(가격, 요금), demand(요구), supply(공급), price(가격), standard(수준), wage(= salary, pay 급여), temperature(온도), speed(속도)	high / low

① 생활비가 아주 높다.

① The cost of living is too high. (○)
   → The cost of living is too much. (×)

② 그녀가 받았던 봉급은 적다.

② Her salary that she received is low. (○)
   → Her salary that she received is little. (×)

③ 중국과 인도는 인구가 많다.

③ China and India have a large population. (○)
   → China and India have a many population. (×)

④ 그 연극의 관객은 적은 것 같다.

④ The audience of the play might be small. (○)
   → The audience of the play might be little. (×)

08 혼동 형용사

형태는 비슷하지만 의미가 다른 형용사들이 시험에 출제되곤 한다. 이에 대비하기 위해서 아래에 있는 형용사들은 암기가 필요하다.

1 beneficial: 이로운 / beneficent: 인정 많은

① In fact, reading is a very <u>beneficial</u> hobby.

② <u>Beneficent</u> people often donate money to poor people.

① 사실, 독서란 매우 이로운 습관이다.

② 인정 많은 사람들이 종종 가난한 사람들을 위해 기부를 하곤 한다.

2 comparative: 비교의 / compatible: 양립하는 / comparable: 필적하는

① He was living in <u>comparative</u> comfort then.

② I do not understand how the two statements are <u>compatible</u>.

③ The two cars are <u>comparable</u> in price.

① 그는 그 당시에 비교적 안락하게 살고 있었다.

② 나는 그 두 진술이 얼마나 양립 가능한지 이해되지 않는다.

③ 저 두 대의 차는 가격에 있어 필적할 만하다.

3 considerable: 상당한, 꽤 많은 / considerate: 신중한, 사려 깊은

① The accident caused <u>considerable</u> damage to the passengers in the bus.

② She is always <u>considerate</u> of a few important issues.

① 그 사고로 버스에 있던 승객들에게 상당한 피해를 입혔다.

② 그녀는 몇몇 중대 사안에 있어서 항상 신중하다.

4 respectful: 존경심 있는, 공손한 / respectable: 존경할 만한 / respective: 각각의

① You should be <u>respectful</u> toward your superiors.

② Thomas was very <u>respectable</u> as a child.

③ The students went back to their <u>respective</u> rooms.

① 손윗사람들에게는 공손해야 한다.

② **Thomas**는 아이치곤 존경할 만 했다.

③ 학생들은 각각의 방으로 돌아갔다.

5 regrettable: 유감스러운 / regretful: 후회하는, 참회하는

① It is highly <u>regrettable</u> for Michael to marry such a girl.

② He is deeply <u>regretful</u> for what he has done so far.

① Michael이 그런 여자와 결혼한다니 참으로 유감스럽다.

② 그는 그가 이제까지 해 온 것에 대해 깊이 후회한다.

6 successful: 성공적인 / successive: 연속적인 / succeeding: 이어지는

① The docking in space was <u>successful</u>.

② Jackson was the winner for a second <u>successive</u> year.

③ There are some laws to benefit <u>succeeding</u> generations.

① 우주 공간에서 결합은 성공적이었다.

② Jackson은 2년 연속 우승자였다.

③ 다음 세대에게 도움이 될 법률이 몇 가지 있다.

7 sensible: 지각 있는, 분별력 있는 / sensitive: 민감한 / sensual: 관능적인

① A <u>sensible</u> man would not act like that.

② She is unusually <u>sensitive</u> to the cold.

③ A woman with a <u>sensual</u> voice answered the phone.

① 분별력 있는 사람이라면 그렇게 행동하지 않을 것이다.

② 그녀는 유달리 추위에 민감하다.

③ 관능적인 목소리의 여자가 전화를 받았다.

8 conscious: 알고 있는 / concise: 간결한

① He felt very <u>conscious</u> of his foreign accent.

② The essay is written in a <u>concise</u> style.

① 그는 자기에게 외국 억양이 있는 것을 잘 알고 있었다.

② 그 수필은 간결한 문체로 쓰여 있다.

9 comprehensive: 포괄적인 / comprehensible: 이해할 수 있는

① This <u>comprehensive</u> report showed what I wanted to know.

② His book is easily <u>comprehensible</u> to the average reader.

① 이 포괄적인 보고서는 내가 알고 싶어 했던 것을 보여 주었다.

② 그의 책은 일반 독자가 쉽게 이해할 수 있다.

10 industrial: 산업의 / industrious: 근면한

① Automation has revolutionized the <u>industrial</u> world.

② Eventually an <u>industrious</u> person will be successful.

① 자동화는 산업계에 혁명을 불러 왔다.

② 결국 부지런한 사람이 성공할 것이다.

11 economic: 경제의 / economical: 경제적인, 절약하는

① Raising taxes does slow <u>economic</u> growth.

② For saving money, you'd better buy an <u>economical</u> car.

① 세금이 오르면 경제 성장이 둔화된다.

② 돈을 절약하기 위해서, 경제적인 차를 사는 편이 낫다.

12 historic: 역사적인, 기념비적인 / historical: 역사에 관한, 역사를 다루는

① Today's precipitation is a <u>historic</u> record high.

② Many of my assignments are based in a <u>historical</u> context.

① 오늘의 강수량은 역사상 가장 높은 수치를 기록했다.

② 나의 과제의 많은 부분은 역사적 배경을 근거로 하였다.

13 imaginary: 상상의, 가공의 / imaginable: 상상할 수 있는 / imaginative: 상상력이 풍부한

① All his novels are set in an <u>imaginary</u> world.

② Here is ice cream of every <u>imaginable</u> flavor.

③ The one who made this must be <u>imaginative</u>.

① 그의 모든 책은 가상 세계를 무대로 쓰인 것이다.

② 맛을 상상할 수 있는 모든 아이스크림이 여기 있다.

③ 이것을 만든 사람은 상상이 풍부한 게 틀림없다.

14 intelligent: 똑똑한, 총명한 / intelligible: 알기 쉬운 / intellectual: 지적인

① 내가 학교에 있었을 때 그 친구는 매우 총명했다.

① He was very intelligent when I was at school.

② 그녀의 설명은 쉽게 이해할 수 있다.

② Her explanation is easily intelligible to me.

③ 그는 지적이며, 학구적인 사람이었다.

③ He was an intellectual, scholarly man.

15 valuable: 귀중한 / invaluable: 매우 귀중한 / valueless: 가치 없는

① 우리는 우리 팀의 귀중한 동료 하나를 잃었다.

① We've lost a valuable member of our team.

② 그녀는 지역 사회의 자원봉사자로서 아주 값진 경험을 했다.

② She had an invaluable experience as a community volunteer.

③ 당신이 관심이 없다면, 정보를 모으는 것은 무가치한 것이다.

③ Without your interest, collecting the information is valueless.

16 literary: 문학의 / literal: 글자(문자) 그대로의 / literate: 글을 읽고 쓸 줄 아는

① 그 책은 문학 잡지에서 호평을 받았다.

① The book was favorably noticed in literary magazines.

② 그는 문자 그대로 천재라고 불릴 만했다.

② He deserves to be called a literal genius.

③ 이 학급 어린이들의 겨우 절반만이 읽고 쓸 줄 안다.

③ Only half of the children in this class are literate.

UNIT 02 부 사

01 부사의 역할

부사는 형용사, 부사, 동사 또는 문장 전체를 수식할 수 있는 품사를 말한다. 그 의미로는 주로 장소, 방법, 목적, 시간, 이유, 원인, 조건, 양보, 빈도, 정도 등을 나타낸다.

① The employees worked very hard in the office last night.

② He went to the bookstore to buy some books in the evening.

③ They got here on foot because of running out of money.

① 직원들은 어젯밤 사무실에서 매우 열심히 근무했다.

② 그는 저녁에 책 몇 권을 사러 서점에 갔다.

③ 그들은 돈이 다 떨어져서 이곳에 걸어왔다.

02 부사의 종류

부사는 크게 일반부사(형용사+ly), 빈도부사(always, often, sometimes, seldom, never) 그리고 정도부사(very, highly, enough, almost)로 분류할 수 있다.

① Emily bought a beautifully decorated cake.

② She has never disobeyed her parents.
= Never has she disobeyed her parents.

③ My brother is competent enough to pass the exam.

① **Emily**는 아름답게 장식된 케이크를 샀다.

② 그녀는 한 번도 부모님을 거역한 적이 없다.

③ 남동생은 그 시험에 합격할 정도로 충분한 능력이 있다.

👍 One Tip 빈도부사의 위치

빈도부사란, 빈도나 횟수를 나타내는 부사로 조동사·be동사 뒤, 일반동사 앞에 위치한다.

0%	20~30%	50%	70~80%	100%
결코 ~않는	거의 ~ 않는	때때로	종종	항상
never	hardly, seldom, scarcely, barely, rarely,	sometimes, occasionally	usually, often, frequently	always, all the time

- You must frequently water this kind of plant.
  이런 종류의 식물은 반드시 자주 물을 주어야만 합니다.
- She is never late for the meeting nowadays.
  그녀는 요즘에 절대로 회의에 늦지 않는다.
- They always bow to their teacher very politely.
  그들은 항상 선생님께 아주 깍듯이 인사를 한다.

🖐Two Tips 부정부사의 중복 금지

부정부사는 그 자체에 부정어가 포함되어 있으므로 또 다른 부정어와 함께 사용할 수 없다.

hardly	scarcely	rarely	barely	seldom	little	never

• I rarely have no time to call on my aunt. (×)
→ I rarely have time to call on my aunt. (○)
→ I have no time to call on my aunt. (○)
나는 이모에게 전화를 할 시간이 거의 없다.

03 주요 부사 already / still / yet

구분	긍정문	부정문	의문문	설 명
already	○	×	○	'이미, 벌써'의 뜻으로, 주로 완료형과 함께 쓰이며 부정문에서는 사용하지 않는다.
still	○	○	○	'아직도, 여전히'의 뜻으로, 부정문에서는 부정어보다 앞에 위치해야 한다.
yet	△	○	○	부정어보다 뒤에 위치해서 '아직도'의 뜻이지만, 의문문에서는 '벌써'의 뜻으로 사용된다.

① 벌써 숙제를 다 끝냈니?

① Have you already finished your homework?

② A: 언제 **Sally**가 온다고 했니?
B: 그녀는 이미 그곳에 다녀갔어.

② A: When is Sally going to come?
B: She has already been there.

③ 그는 여전히 어디로 갈지 결정하지 못했다.

③ He still can't decide where to go.
→ He can't still decide where to go. (×)

④ 그는 여전히 결정을 못 내렸다.

④ He still hasn't made up his mind.
→ He hasn't still made up his mind. (×)

⑤ 그는 아직도 도착 안 했다. 이미 여섯 시인 걸.

⑤ He hasn't arrived yet. It's already six o'clock.

⑥ 벌써 정보를 찾으셨나요?

⑥ Have you searched for the information yet?

04 주요 부사 very / much / almost / most

very	원급 형용사나 부사 앞 / 현재분사 앞 / 최상급 앞 (the very 최상급)
much	비교급 앞 / 과거분사 앞 / 최상급 앞 (much the 최상급)
almost	부사로 사용되며 '거의' 또는 '하마터면 ~할 뻔한'(= nearly)의 뜻으로 사용된다.
most	형용사 / 부정대명사 / 부사로 사용된다.

① This machine is <u>very</u> useful.
　 This is <u>much</u> more useful than that.

　① 이 장치는 매우 유용하다.
　　이것은 저것보다 훨씬 더 유용하다.

② He is walking <u>much</u> quickly. (×)
　 → He is walking <u>very</u> quickly. (○)

　② 그는 매우 빠르게 걷고 있다.

③ This noise is <u>very</u> annoying.
　 He was <u>much</u> respected.

　③ 이 소음은 매우 거슬린다.
　　그는 매우 존경받았다.

④ It was <u>the very</u> last thing.
　 It is <u>much</u> the last thing to do.
　 참고 He is <u>the very</u> man I have wanted to employ.

　④ 그것은 가장 마지막으로 할 일이었다.
　　참고 그는 내가 고용하기를 바래왔던 바로 그 사람이다.

⑤ I like <u>almost</u> all of them.
　 I like <u>most</u> of them.

　⑤ 난 그들 거의 모두를 좋아한다.

⑥ I <u>almost</u> dropped the cup.
　 When did you enjoy <u>most</u>?

　⑥ 난 컵을 놓칠 뻔했다.
　　언제 가장 즐거웠니?

⑦ I spent <u>almost</u> time on the first question. (×)
　 → I spent <u>most</u> time on the first question. (○)

　⑦ 나는 대부분의 시간을 첫 번째 문제에 다 써 버렸다.

05 형용사와 형태가 같은 부사

구분	형용사	부사	구분	형용사	부사
cheap	싼	싸게	fast	빠른	빨리
early	이른	일찍	enough	충분한	충분히
far	먼	멀리	free	무료의	무료로
hard	딱딱한	열심히	late	늦은	늦게
long	긴	오랫동안	pretty	예쁜	아주, 매우
short	짧은, 부족한	짧게	well	건강한	잘
right	옳은, 올바른	바로	just	공정한	단지, 다만, 오직

① 책이 싸서, 한 권을 샀다.

새 컴퓨터를 싸게 사고 싶으신가요?

① As the book was cheap, I bought a copy.
Do you want to buy new computers cheap?

② 어떤 면에서는 2년이 짧은 기간이다.

1920년대의 여성들에게는 머리를 짧게 자르는 것이 유행이었다.

② Two years is a short period in a way.
For women in the 1920s, it was in mode to wear the hair short.

③ Dave는 비싼 차를 살 만큼 돈이 충분히 있다.

많이 먹기만 하고 운동을 충분히 하지 않나 봐요.

③ Dave has enough money to buy an expensive car.
I've been eating too much and not exercising enough.

④ 그는 어린 시절에 작고 빈약한 소년이었다.

일찍 떠나고 싶지 않지만 어쩔 수 없다.
meager 마른, 빈약한

④ He was a small, meager boy in his early days.
I don't want to leave early, but it can't be helped.

👆 One Tip 모양은 비슷하나 뜻이 전혀 다른 부사

high 높은, 높게	highly 아주, 매우, 꽤
late 늦은, 늦게	lately 최근에
near 가까운, 가까이	nearly 거의
short 짧은, 부족한	shortly 곧, 금방
hard 딱딱한, 어려운	hardly 거의 ~ 않는
most 대부분의, 가장	mostly 주로, 대체로
rare 드문, 희귀한	rarely 거의 ~ 않는
bare 벌거벗은	barely 거의 ~ 않는
scarce 드문, 희귀한	scarcely 거의 ~ 않는

- A high degree of accuracy is needed in doing this task.
  이 일을 하는 데에는 고도의 정확성이 요구된다.
  Harry Potter was a highly unusual boy in many ways.
  해리포터는 여러면에서 아주 특이한 소년이다.

- They believe that they are fighting a just war.
  그들은 자신들이 정당한 전쟁을 하고 있다고 믿고 있다.
  It was just an ordinary day. 그 날은 그저 평범한 날이었다.

- Most classical music sends me to sleep. 대부분의 고전 음악은 나를 졸리게 한다.
  This job troubles me (the) most. 이 일이 나를 가장 곤란하게 한다.
  The audience were mostly women. 청중은 주로 여자들이었다.

👍Two Tips 형용사 · 부사 구별

❶ 형용사와 부사는 동사에 의해서 결정된다.

```
1형식 : S + V + 전치사구/부사(구)
                 → 형용사(×)

2형식 : S + V + 형용사(○)
                 → 부사(×)

3형식 : S + V + O + 부사(○)
                     → 형용사(×)

4형식 : S + V + I.O + D.O + 부사(○)
                             → 형용사(×)

5형식 : S + V + O + 형용사(○)
                     → 부사(×)
```

❷ 형용사와 부사는 수식 관계에 의해서 결정된다.

① 형용사는 명사를 수식한다.

- He is a smart student. 그는 똑똑한 학생이다.

② 부사는 형용사를 수식한다.

- This is a very difficult problem. 이것은 매우 어려운 문제이다.

③ 부사는 동사나 분사를 수식한다.

- I have never seen such a beautiful sunset.
  나는 그런 아름다운 일몰을 본 적이 없다.

- I bought a book to obviously need at a low price.
  나는 분명 필요한 책을 낮은 가격에 샀다.

심화문제

01 다음 밑줄 친 부분 중에서 어법상 틀린 것은?

> ① <u>When buying</u> potatoes, look for ② <u>those that are</u> firm, ③ <u>good shaped</u> and ④ <u>smooth</u>.

02 다음 중 어법상 옳은 것은?

① Give me something hot to drink.

② He is as a hard worker as his brother.

③ She can't barely acknowledge his presence.

④ You are enough old to understand such things.

정답 및 해설

01 해설 ③ 형용사 shaped를 꾸며 주는 것은 부사여야 하므로 형용사 good은 부사 well로 고쳐 써야 한다.
① 접속사 when 다음에 주어+be동사(you are)가 생략되어 현재분사 buying이 바로 이어진 구조이다. 뒤에 목적어 potatoes가 있으므로 능동의 형태는 어법상 적절하다.
② 지시대명사 those는 potatoes를 대신하고 있고 관계대명사 that 다음(선행사가 potatoes이므로)의 복수동사 are의 사용은 어법상 옳다.
④ 형용사 smooth와 형용사 firm 그리고 형용사 shaped는 병렬을 이루어야 하므로 어법상 적절하다.

해석 감자를 살 때 단단하고 모양이 좋으며 부드러운 것을 골라야 한다.

01
firm 단단한
smooth 부드러운, 매끄러운

02 해설 ① something을 수식하는 형용사는 후치수식 구조이므로 something hot은 어법상 적절하다.
② as+형용사+a+명사 구조이므로, a hard worker은 hard a worker로 고쳐 써야 한다.
③ barely는 이중 부정 금지 부사이므로 not과 함께 사용할 수 없다. 따라서 can't은 can으로 고쳐 써야 한다.
④ 부사 enough는 형용사를 후치수식해야 하므로 enough old를 old enough로 바꿔야 한다.

해석 ① 뭔가 뜨거운 걸로 마실 것 좀 주세요.
② 그는 자신의 형만큼 열심히 일한다.
③ 그녀는 그의 존재를 인식하지 못한다.
④ 너는 그런 것들을 이해할 수 있을 정도로 충분히 나이를 먹었다.

02
acknowledge 인식하다
presence 존재

정답 **01** ③ **02** ①

03 다음 밑줄 친 부분 중 어법상 틀린 것은?

Today's purposes of education ① are certainly centered on making us all better humans, in addition ② to making a good living. However, when education ③ is considered a mere means of making a good fortune, you think, don't let it be kept in your mind ④ permanently.

04 다음 밑줄 친 부분 중 어법상 틀린 것은?

① Despite the wonderful acting, sensitive photographs ② and well developed plot ③ the three-hours movie could not ④ hold our attention.

05 다음 문장 중 밑줄 친 부분 중 어법상 틀린 것은?

The Vietnamese Communist regime, ① long weakened by regionalism and corruption, can ② rarely control the relentless destruction of the country's forests, which are home to some of ③ the most spectacular wild species in Asia, including the Java rhinoceros, dagger-horned goats, as well as ④ new discovered animals previously unknown to Western science.

정답 및 해설

어휘

03 해설 ④ keep은 5형식 동사이므로 be kept 뒤에 형용사 보어가 있어야 한다. 따라서 permanently를 permanent로 바꿔야 한다.

① be + p.p 사이에 부사 certainly는 어법상 적절하고 뒤에 목적어가 없으므로 수동의 형태 또한 어법상 옳다.

② in addition to는 전치사이고 making 뒤에 의미상 목적어 a good living이 있으므로 능동의 형태 making은 어법상 적절하다.

③ is considered 뒤에 목적어가 없으므로 수동의 형태는 어법상 옳다.

해석 오늘날의 교육 목적은 더 좋은 삶을 만드는 것 이외에도 인간을 만드는 데 집중하고 있다. 하지만 당신이 생각하기에 교육이 돈을 버는 단순한 수단으로만 여겨진다면 마음속에 그것(돈 버는 수단)을 영원히 간직하게 해서는 안 된다.

03
purpose 목적
certainly 확실히, 분명히
center on ~에 집중하다
in addition to ~이외에도
(= besides)
mere 단순한
means 수단
make a fortune 돈을 벌다
permanently 영원히

04 해설 ③ three-hours 뒤에 명사 movie가 있기 때문에 three-hours를 단수 three-hour로 고쳐 써야 한다.

① Despite 다음 명사가 있으므로 전치사 Despite의 사용은 어법상 적절하다.

② 명사 plot을 수식하는 형용사 developed의 사용과 형용사 developed를 수식하는 부사 well의 사용 모두 어법상 옳다.

④ 조동사 cannot 다음 동사원형은 어법상 적절하고 뒤에 목적어가 있으므로 능동의 형태 역시 어법상 옳다.

해석 멋진 연기와 섬세한 장면과 잘 만들어진 줄거리에도 불구하고 그 세 시간짜리 영화는 우리의 주의를 끌지 못했다.

04
acting 연기
sensitive 민감한; 섬세한
plot 음모; 줄거리

05 해설 ④ 형용사는 분사(형용사 역할)를 수식할 수 없으므로 new를 newly로 고쳐 써야 한다.

① long은 형용사 · 부사 둘 다 사용되므로 뒤에 있는 과거분사(형용사)를 수식할 수 있다. 따라서 어법상 옳다.

② 빈도부사(rarely)의 위치는 '조be뒤 일앞(조동사 · be동사 뒤/일반동사 앞)'이므로 어법상 적절하다.

③ spectacular의 최상급은 the most spectacular이고 형용사가 형용사(wild)를 수식할 수 있으므로(의미구조를 확인할 필요가 있다) 어법상 옳다.

해석 베트남 공산주의 체제는, 지방 분권주의와 부패로 오랜 시간 동안 허약해진, 국가 삼림의 가치 없는 파괴를 거의 막을 수가 없다. 그리고 그것은 서양 과학에는 이전에 알려지지 않았던 새로이 발견된 동물들뿐만 아니라 아시아에서 자바 코뿔소, 단검뿔 염소를 포함하는 가장 눈에 띄게 장관인 야생종의 일부의 서식지이다.

05
regime 체제
regionalism 지방분권주의
relentless 수그러들지 않는; 가차없는
spectacular 장관을 이루는
rhinoceros 코뿔소
dagger 단검, 단도

06 다음 중 어법상 적절하지 않은 것은?

① You must have spotted the actor attractive in this drama.
② The manager attached the club posters depicting its activities.
③ The doctor insisted that he know how much sugars I take in coffee.
④ Understanding this is essential to many employers interested in running their own business.

07 다음 밑줄 친 부분 중 어법상 틀린 것은?

Psychologists and psychiatrists ① <u>tell us that</u> it is ② <u>of utmost importance</u> that a ③ <u>handicapped</u> child ④ <u>receives</u> professional treatment as soon as possible.

08 다음 밑줄 친 부분 중에서 어법상 틀린 것은?

Interest in automatic data processing ① <u>has grown</u> ② <u>rapid</u> since the first large calculators ③ <u>were introduced</u> ④ <u>about thirty years ago</u>.

어휘

06

해설 ③ 주장하다(insist) 동사 다음 should가 생략된 원형동사 have의 사용은 어법상 적절하지만 much다음에는 단수명사를 사용해야 하므로 sugars는 sugar로 고쳐 써야 한다.

① 형용사 attractive가 명사 the actor를 후치 수식하는 구조로 어법상 적절하다. 또한 must have + p.p (과거사실에 대한 추측) 구조 역시 어법상 옳다.

② attach는 3형식 동사이므로 바로 뒤에 목적어의 사용은 어법상 옳고 현재분사 depicting(능동 – 뒤에 목적어 activities가 있다) 이 명사 posters를 후치수식하는 구조 역시 어법상 적절하다. 또한 대명사 its는 앞에 있는 단수명사 club을 대신하므로 단수 형태(its)의 사용 역시 어법상 옳다.

④ 동명사 주어 Understanding과 단수동사 is의 사용 그리고 과거분사 interested가 앞에 있는 employers를 후치수식하는 구조 모두 어법상 적절하다.

해석 ① 당신은 이 드라마에서 그 매력적인 남자 배우를 발견했음에 틀림없다.

② 그 매니저는 클럽 활동을 묘사하는 포스터를 붙였다.

③ 그 의사는 내가 커피에 설탕을 얼마나 넣는지 자신이 알아야 한다고 주장했다.

④ 이것을 이해하는 것이 자신의 사업을 운영하는 데 관심을 갖고 있는 많은 고용인들에게 필수적이다.

06
spot ① 점, 얼룩 ② 발견하다
attractive 매혹적인, 매력적인
attach 붙이다
depict 묘사하다
employer 고용주
run 달리다; 운영 (경영) 하다

07

해설 ④ 'It is+판단 형용사(of importance = important)+that+S+(should)+동사원형' 구문을 묻고 있다. 따라서 receives는 receive로 고쳐 써야 한다.

① 주어동사의 수 일치는 어법상 적절하고 tell은 4형식 동사로 직접목적어 자리에 that절을 사용할 수 있으므로 어법상 적절하다.

② 'of + 추상명사'는 형용사 역할을 할 수 있고 형용사 utmost가 명사 importance를 수식하는 구조 역시 어법상 옳다.

③ 과거분사 handicapped가 명사 child를 전치수식하는 구조로 문맥상 '장애가 있는'의 의미가 필요하므로 과거분사 handicapped의 사용은 어법상 적절하다.

해석 심리학자들과 정신과 의사들은 정서장애 아동은 최대한 빨리 전문적인 치료를 받아야 하는 것이 가장 중요하다고 우리에게 말한다.

07
psychiatrist 정신과 의사
utmost 최대한의, 극도의
handicapped 장애가 있는
professional 전문적인
as soon as possible 가능한 한 빨리

08

해설 ② grow는 1형식 동사이므로 형용사 rapid를 부사 rapidly로 바꿔야 한다.

① 주어가 단수명사(Interest)이므로 단수동사 has의 사용은 어법상 옳고 since 다음에 과거시제가 나오므로 has grown의 사용 역시 어법상 적절하다.

③ since 다음 주절의 과거시제는 어법상 적절하고 뒤에 목적어가 없기 때문에 수동의 형태 역시 어법상 옳다.

④ 2 이상의 기수(thirty) 다음 복수명사 years의 사용은 어법상 적절하다.

해석 30년 전 처음 대용량 계산기가 도입된 이래로 자동 데이터 처리 과정에 대한 관심이 급증해 왔다.

08
interest 관심; 이익; 이자
processing 처리 과정
rapid 빠른, 신속한
calculator 계산기
introduce 도입하다

정답 06 ③ 07 ④ 08 ②

09 다음 중 어법상 적절한 것은?

① He is such smart a student that every teacher likes him.

② My father led so hectic a life to have much time for retrospect.

③ Apparently, both the debaters have shared little similar interests.

④ The manager that takes double the wage has to be wroth complimenting.

10 다음 중 어법상 옳은 것은?

① It was very considerate for you to give a speech to the delegates.

② No matter how impossible he was, he made an effort to do it.

③ The walls of this beautiful building are nine inch thick.

④ Despite the interesting subject, the 10-page-research paper couldn't hold our attention.

정답 및 해설

어휘

09 해설 ④ 사람선행사 manager가 있으므로 관계대명사 that의 사용은 어법상 옳고 manager가 단수이므로 단수동사 takes, has모두 어법상 적절하다. 또한 'double(twice) + 관사 + (형용사) + 명사' 구문과 be worth ~ing 구문 역시 어법상 옳다.
① 'such+a+형용사+명사' 구조를 묻고 있다. 따라서 smart a student는 a smart student로 고쳐 써야 한다.
② 'so+형용사+a+명사' 구조는 어법상 적절하지만 so는 to ⓥ와 호응 관계를 가질 수 없다. 따라서 so는 too로 고쳐 써야 한다.
③ 'both+the+명사' 구조는 어법상 적절하지만 little 다음 복수명사의 사용은 어법상 적절하지 않다. 따라서 interests는 interest로 고쳐 써야 한다.

해석 ① 그는 너무도 영리한 학생이라서 모든 선생님들이 그를 좋아한다.
② 나의 아버지는 너무 바쁜 생활을 해서 회상할 시간을 많이 갖지 못했다.
③ 외견상, 그 두 토론자는 비슷한 관심사가 거의 없다.
④ 급여를 두 배 받는 그 관리자는 칭찬받을 가치가 있다.

09
hectic 몹시 바쁜
retrospect 회상, 회고
apparently 명백하게, 분명하게; 외견상, 겉보기에는
debater 토론자
wage 급여, 봉급
be worth ⓥ-ing ⓥ할 만한 가치가 있다
compliment 칭찬하다

10 해설 ④ 전치사 despite 다음 명사 구조는 어법상 적절하고 또한 10-page 뒤에 명사 research paper가 있으므로 단수형태 역시 어법상 적절하다.
① 인성형용사가 있으므로 의미상의 주어 앞의 전치사 for는 of로 바꿔야 한다.
② no matter how 다음 형용사+S+V 구조는 어법상 적절하지만 impossible은 난이형용사이므로 사람주어와 함께 사용할 수 없다. 따라서 어법상 적절하지 않다.
③ nine이 복수이므로 inch를 inches로 고쳐 써야 한다.

해석 ① 당신이 대표들에게 연설을 하는 것은 정말 사려 깊었다.
② 비록 불가능했지만 그는 그것을 하기 위해 노력했다.
③ 이 아름다운 건물의 벽들의 두께는 9인치이다.
④ 훌륭한 주제임에도 불구하고 그 열 페이지짜리 논문은 우리의 주의를 끌 수 없었다.

10
considerate 사려 깊은
no matter how 비록 ~일지라도 (= however)
thick 두꺼운
delegate 대표자
despite ~에도 불구하고

11 다음 중 어법상 옳은 것을 고르시오.

2016. 지방직 9급

① That place is fantastic whether you like swimming or to walk.

② She suggested going out for dinner after the meeting.

③ The dancer that I told you about her is coming to town.

④ If she took the medicine last night, she would have been better today.

12 다음 밑줄 친 부분 중 어법상 옳지 않은 것은?

2015. 서울시 9급

It was ① <u>a little</u> past 3 p.m. when 16 people gathered and sat cross-legged in a circle, blushing at the strangers they knew they'd ② <u>be mingling with</u> for the next two hours. Wearing figure-hugging tights and sleeveless tops in ③ <u>a variety of shape and size</u>, each person took turns sharing their names and native countries. ④ <u>All but five were</u> foreigners from places including the United States, Germany and the United Kingdom.

정답 및 해설

11 **해설** ② suggest ~ing 구문을 묻고 있다. 어법상 적절하다.

① 병렬 구조를 묻고 있다. 대등 접속사 or를 기준으로 swimming과 to walk는 적절하지 않다. 문맥상 미래 지향적 개념이므로 swimming을 to swim으로 바꾸는 게 좋지만 문법적으로 to walk를 walking으로 바꿔도 상관은 없다.

③ 관계대명사 that을 묻고 있다. 관계대명사 that 다음 문장 구조는 불완전해야 하므로 about 다음 her를 없애야 한다.

④ 혼합가정법 구문을 묻고 있다. If절에 last night(과거 사실)이 있으므로 If절은 had+p.p.가 필요하고 주절에 today가 있으므로 주절에는 가정법 조동사+동사원형이 필요하다. 따라서 If절에 took은 had taken으로 주절에 would have been은 would be로 바꿔야 한다.

해석 ① 그 장소는 당신이 수영을 하든 걷는 걸 좋아하든 환상적이다.

② 그녀는 회의가 끝나고 저녁 먹으러 가길 제안했다.

③ 내가 당신에게 말한 그 댄서는 시내로 오고 있다.

④ 만약 그녀가 어제 약을 먹었더라면 오늘 더 좋아질 텐데.

12 **해설** ③ a variety of 다음에 복수명사를 써야 하므로 shapes와 sizes로 고쳐 써야 한다.

① 'a little'이 부사로 '조금, 약간'으로 쓰여서, 형용사 past를 수식한다. 따라서 어법상 적절하다.

② 선행사 strangers로 하고 목적격 관계대명사가 생략된 관계사절 문장이다. 전치사 with의 목적격 관계대명사 that/who(m)이 생략된 문장으로, they'd는 they would이므로 동사원형 be의 쓰임도 적절하다. they knew는 삽입절이다.

④ five는 사람을 나타내므로 all은 복수명사로 취급해야 옳다. 따라서 were의 사용은 어법상 적절하다.

해석 오후 3시가 조금 지난 시간에 16명의 사람들이 모여서 다리를 꼰 채로 원을 만들어 앉아 있었다. 낯선 사람들에게 얼굴을 붉히면서 그들이 알고 있던 것은 앞으로 2시간 가량을 서로 어울려 있어야 한다는 것이었다. 몸에 꼭 끼는 타이츠와 민소매 윗도리를 입고서, 사람들은 서로 돌아가면서 이름과 고향을 소개했다. 다섯 명 빼고 모두가 외국인이었으며 미국, 독일, 그리고 영국 출신도 있었다.

12
gather 모으다
cross-legged 다리를 꼰 채
blush 부끄러워하다
mingle with ~와 섞이다
figure-hugging 몸에 꼭 맞는, 꼭 끼는
tights 꼭 끼는 옷, 타이츠
sleeveless 소매 없는, 민소매의
take turns 순서를 바꾸다, 번갈아 하다
all but ① ~을 제외하고 (=except) ② 거의

비교 구문

UNIT 01 비교급

01 동등비교

동등비교는 형용사나 부사의 원급(형용사나 부사의 원래 형태)을 사용해서 서로 다른 두 개의 대상이 같음(동등함)을 표현할 때 사용된다. 이를 문법적으로 원급비교라 한다.

> • 동등비교 형태: A is as[so]＋형용사·부사 원급＋as B (긍정)
>   　　　　　　　A is not as(so)＋형용사·부사 원급＋as B (부정)
>
> • 동등비교 해석 요령: 우선 비교 대상을 찾고 그다음 무엇(어떤 점)이 같은지 확인한다.

① 너는 그녀만큼 못생겼다.

① You are as ugly as she is.

② 너는 그녀만큼 못생기지는 않다.

② You are not as ugly as she is.

👍 One Tip 동등비교 숙어적 표현

❶ not so much A as B: A라기보다는 오히려 B
  • They are not so much enemies as partners.
  그들은 적이라기보다는 동반자이다.
  참고 not so much as＋ⓥ ⓥ조차도 ~않다
    • He cannot so much as write his name. 그는 자기 이름조차도 쓸 수 없다.

❷ as ~ as 주어 can(＝as ~ as possible): 가능한 (만큼) ~한(하게)
  • You'd better answer the question as soon as you can (possible).
  당신은 가능한 한 대답을 하는 것이 좋겠다.

02 우등(열등) 비교

우등(열등)비교는 비교급의 형태를 사용해서 서로 다른 두 개의 대상이 서로 다름을 표현할 때 사용된다.

- 우등(열등)비교 형태: A is + $\begin{bmatrix} \text{비교급} \\ \text{more/less} \end{bmatrix}$ ~ than $\Big]$ + B (긍정)

  A is not + $\begin{bmatrix} \text{비교급} \\ \text{more/less} \end{bmatrix}$ ~ than $\Big]$ + B (부정)

- 우등(열등)비교 해석 요령: 우선 비교 대상을 찾고 그다음 무엇(어떤 점)이 다른지 확인한다.

---

① Mr. Kim is handsomer than my boyfriend.

② English is more important than history.

① 김 선생님은 내 남자친구보다 더 잘생겼다.

② 영어는 역사보다 더 중요하다.

👍 One Tip 비교급과 최상급 만드는 법

❶ 규칙 변화

① 비교급: 원급＋-er / 최상급: 원급＋-est

구분	원급	비교급	최상급
1음절	cheap	cheaper	cheapest
	nice	nicer	nicest
	small	smaller	smallest
	strong	stronger	strongest
	young	younger	youngest
	busy	busier	busiest
2음절 [-er, -le, -ly, -ow, -some, -y]	clever	cleverer	cleverest
	handsome	handsomer	handsomest
	happy	happier	happiest
	narrow	narrower	narrowest

- <단모음＋단자음>으로 끝나는 단어는 마지막 자음을 한 번 더 쓴다. (big－bigger－biggest)
- <자음＋y>로 끝나는 단어는 -y를 -i로 고치고 -er, -est를 붙인다. (easy－easier－easiest)

② more＋원급, most＋원급

구분	원급	비교급	최상급
3음절 이상 형용사 [-ful, -able, -ous -less, -ive, -ing -ly로 끝나는 부사]	careful	more careful	most careful
	dangerous	more dangerous	most dangerous
	expensive	more expensive	most expensive
	interesting	more interesting	most interesting
	quickly	more quickly	most quickly

PART · 04

❷ 불규칙 변화

구분	원급	비교급	최상급
좋은	good	better	best
건강한	well		
나쁜	bad	worse	worst
아픈	ill		
(수) 많은	many	more	most
(양) 많은	much		
(양) 거의 없는	little	less	least
(거리) 먼	far	farther	farthest
(정도) 그 이상의	far	further	furthest
(시간) 늦은	late	later	latest
(순서) 늦게		latter	last
오래된	old	older	oldest
나이 든		elder	eldest
동쪽의	east	more eastern	most eastern
	eastern		easternmost
위쪽의	up	upper	uppermost

03 동일인(동일물)의 성질 비교

동일인(동일물)에서 다른 성질을 비교할 때는 음절에 상관없이 more A than B의 형태를 사용한다.

① 그녀는 예쁘다기보다는 친절하다.

① She is more kind than pretty.
　→ She is kinder than pretty. (×)

② 그녀는 그녀의 언니보다 더 친절하다.

② She is kinder than her sister.
　→ She is more kind than her sister. (×)

04 라틴어원 비교급

어미가 -or로 끝나는 라틴어원 비교급은 than 대신 to를 사용한다. 이때 to는 전치사이므로 뒤에 주격이 아닌 목적격을 사용한다. 또한 라틴어원 비교급은 more이나 less와 함께 사용할 수 없다.

┌ superior to ~보다 더 뛰어난
└ inferior to ~보다 열등한

┌ prior to ~보다 이전에
└ posterior to ~보다 이후에

┌ major to ~보다 중요한
└ minor to ~보다 덜 중요한

┌ senior to ~보다 더 나이 든
└ junior to ~보다 더 어린

참고 prefer A to B   B보다 A를 더 선호하다

① This model is technically superior to its competitors.

② The employee is four years senior to his boss.

③ Get to the airport two and a half hours prior to departure.

④ I prefer staying home to going to the concert.
   = I prefer to stay home rather than go to the concert.

① 이 모델이 기술적으로 경쟁사들보다 더 뛰어나다.

② 그 근로자는 그의 상사보다 4살 더 위다.

③ 출발 2시간 30분 전에 공항에 도착해야 한다.

④ 나는 콘서트에 가는 것보다 집에 있고 싶다.

05 배수사 비교 표현

배수사(times)와 비교급이 함께 사용될 때 비교 대상을 명확하게 찾고 그다음 무엇(어떤 점)이 몇 배가 되는지 확인해야 한다.

A + 배수사 + ┌ as(so) ~ as ┐ + B   A(앞에 것)가 B(뒤의 것)의 몇 배
            └ 비교급 ~ than ┘

① Peter has earned <u>twice</u> as much money this year as he did last year.

② This computer device is <u>three times</u> more expensive than that one.

① 피터는 작년보다 올해 2배 더 많은 돈을 벌었다.

② 이 컴퓨터의 장치가 저것보다 3배 더 비싸다.

06 비교급 앞에 정관사 the가 붙는 경우

원칙적으로 비교급 앞에는 정관사 the를 붙이지 않지만 다음 세 가지 경우에는 비교급 앞에 the를 붙여야 한다.

1 The + 비교급 ~, the + 비교급 ⋯ : ~하면 할수록 점점 더 ⋯하다

① 당신이 더 많이 배우면 배울수록, 더 잘 이해할 수 있다.

① The more you learn, the better you can understand.
= As you learn more, you can understand better.

② 기대가 크면 클수록, 만족은 더 작아진다.

② The bigger (is) the expectation, the smaller (is) the satisfaction.
= As the expectation is bigger, the satisfaction is smaller.

③ 부모가 밀어붙일수록, 아이들은 자신감이 부족해진다.

③ The pushier the parents are, the less confident the children feel.
= As the parents are pushier, the children feel less confident.

参考 the + 비교급 다음 수식되는 명사나 형용사 또는 부사가 있으면 the + 비교급 바로 뒤에 위치시킨다.

④ 편리한 기계 장치가 많으면 많을수록 당신은 더 많이 편안해진다.

④ The more convenient device you have, the more comfortable you feel.
= As you have more convenient device, you feel more comfortable.
→ The more convenient you have device, you feel more comfortable. (×)

2 The + 비교급 of the two : 둘 중에서 더 ~하다

① 그녀는 둘 중에서 더 아름답다.

① She is the more beautiful of the two.
= Of the two, she is the more beautiful.

② 그는 둘 중에서 더 비싼 것을 선택했다.

② He chose the more expensive of the two.
= Of the two, he chose the more expensive.

3 all/none + the + 비교급 + 이유, 원인 ⋯ : ⋯ 때문에 더 ~하다/~하지 않다

① 그녀는 모든 아이들 때문에 더 행복하다.

① She is all the happier for her children.

② 당신은 가난 때문에 더 행복하지 않다.

② You may be none the happier because of your poverty.

UNIT 02 최상급

01 최상급

셋 이상의 비교에서는 최상급을 사용한다. 최상급 앞에는 정관사 the를 붙여야 하고, 뒤에는 주로 전치사 in이나 of가 자주 사용된다. 또한 최상급은 둘 중의 비교가 아니기 때문에 than과 함께 사용할 수 없다.

① What is the longest river in Korea?

② Tom is the most intelligent person I know.
   → Tom is the most intelligent person than I know. (×)

③ I was shorter than the average last year, but now I'm the tallest in my class.
   참고 Of the two, I chose Bill because he is the more qualified.

① 한국에서 제일 긴 강은 무엇입니까?

② Tom은 내가 아는 가장 지적인 사람이다.

③ 나는 작년에는 평균보다 작았지만, 지금은 우리 반에서 제일 크다.
참고 둘 중에서 나는 그가 더 자격이 뛰어나기 때문에 Bill을 선택했다.

👍 One Tip 서수와 최상급

서수와 최상급이 결합할 때는 the＋서수＋최상급 구조를 사용한다.

• He is the second tallest in his class. 그는 그의 반에서 두 번째로 키가 크다.
  → He is the secondly tall in his class. (×)

• What is the fourth longest river in Korea? 한국에서 네 번째로 긴 강은 무엇입니까?
  → What is the fourthly long river in Korea? (×)

02 최상급 앞에 정관사 the가 생략되는 경우

최상급 앞에는 정관사 the를 사용하는 것이 원칙이지만 다음의 경우에서는 정관사 the를 사용할 수 없다.

1 부사의 최상급인 경우

① 피터는 모든 사람들 중에서 가장 빠르다.

① Peter can run fastest of all.
   → Peter can run the fastest of all. (×)

② 그는 이 사무실에서 가장 주의 깊게 운전한다.

② He drives most carefully in this office.
   → He drives the most carefully in this office. (×)

2 최상급 앞에 소유격을 사용하는 경우

① 그는 나의 가장 좋은 친구이다.

① He is my best friend.
   → He is the my best friend. (×)

② 나의 가장 큰 형은 캐나다에서 산다.

② My eldest brother lives in Canada.
   → My the eldest brother lives in Canada. (×)

3 동일인(물) 중에서 최상급을 표현하는 경우

① 이 호수는 이 지점이 가장 깊다.

① This lake is deepest at this point.
   → This lake is the deepest at this point. (×)
   → This lake is deepest in Korea. (×)

② 그녀는 아들과 함께 놀 때가 가장 행복하다.

② She is happiest when she hangs out with her son.
   → She is the happiest when she hangs out with her son. (×)

03 최상급 대용 표현

원급이나 비교급을 이용해서 최상급의 의미를 나타낼 수 있다.

```
부정어 + ⌈ as[so] ~ as   ⌉ + A   A가 가장 ~한
        ⌊ 비교급 ~ than ⌋

              ⌈ any other + 단수명사      ⌉
A + 비교급 than + ⊢ all the other + 복수명사  ⊣   A가 가장 ~한
              ⌊ anyone[anything] else   ⌋
```

① No creature in the sea is odder than the sea cucumber.

② Nothing is as[so] precious as health.

③ There is no love as[so] unselfish as parental love.

④ She is taller than any other student in her class.
 → She is taller than all the other students in her class.
 → She is taller than anyone else in her class.
 → She is the tallest student in her class.

04 원급 · 비교급 · 최상급 강조 부사

원급 · 비교급 · 최상급을 강조하는 부사는 각각 다르다.

```
⌈ 원급 강조 부사: very/quite/highly/pretty + 형용사 원급
⊢ 비교급 강조 부사: even/much/for/a lot/still + 형용사 비교급
⌊ 최상급 강조 부사: by far + 형용사 최상급
```
참고 by far는 비교급을 강조할 수 있는데, 이때에는 항상 후치 수식 구조를 취한다.

① They were even more surprised to hear the news.

② She is by far the most competent worker.

③ She is more competent by far than the employee.

👍 One Tip 반복을 통한 비교급 강조

• It is getting colder and colder. 날씨가 점점 더 추워지고 있다.

• Mary is getting prettier and prettier. Mary는 점점 더 예뻐지고 있다.

---

① 해삼만큼 이상한 바다 생물은 없다.

② 어떤 것도 건강만큼 소중한 것은 없다.

③ 부모 사랑만큼 이타적인 사랑은 어디에도 없다.

④ 그녀는 반에서 어떤 다른 학생들보다 키가 크다.

---

① 그들은 그 소식을 듣고 훨씬 더 많이 놀랐다.

② 그녀는 가장 유능한 근로자이다.

③ 그녀는 그 근로자보다 훨씬 더 능력이 있다.

05 비교급 병렬

비교 구문에서는 비교 대상끼리 병렬을 이루어야 한다. 또한 비교대상의 명사는 반복해서 사용하지 않는다.

■1 비교 대상의 격일치

① 나는 그 사람보다 너를 더 좋아한다.

① I like you better than [he / him].

② 당신은 그녀보다 더 아름답다.

② You are more beautiful than [she / her].

■2 비교 대상의 병렬

① 시를 쓰는 것이 소설을 쓰는 것만큼 어렵다.

① To write a poem is as difficult as to write a novel.

② 달리기가 빨리 걷는 것보다 훨씬 더 좋지는 않다.

② Running is not much better than walking fast.

■3 비교 대상의 명사 일치

① 한국의 기후가 일본의 기후보다 더 좋다.
  → The climate of Korea is better than Japan. (×)
  → The climate of Korea is better than the climate of Japan. (×)
  → The climate of Korea is better than that of Japan. (○)

② 토끼의 귀가 호랑이의 귀보다 더 길다.
  → The ears of a rabbit are longer than tiger. (×)
  → The ears of a rabbit are longer than the ears of a tiger. (×)
  → The ears of a rabbit are longer than those of a tiger. (○)

■4 비교 대상의 내용상 일치

① 솔직히 말해서, 그의 아이디어가 당신 것보다 더 좋다.

① To be honest with you, his idea is better than [you / yours].

② 나는 내 공책이 Peter의 것보다 더 비싸다고 생각한다.

② I think my notebook is more expensive than [Peter / Peter's].

■5 비교 대상의 동사 일치(대동사)

① 그녀는 너만큼 아름답다.

① She is as beautiful as you are.

② 그는 1년 전보다 테니스를 더 잘한다.

② He plays tennis better than he did a year ago.

👍 One Tip 유사 비교급 병렬

비교 구문만이 아니라도 꼭 병렬 구조를 이루는 것은 아니다. 다음의 표현들도 비교 대상이 병렬을 이루어야 한다.

A ⎡ similar to / different from / the same ~ as /
  │ compare to(with) / outnumber / surpass /   ⎤ B (A와 B는 병렬을 이룬다)
  ⎣ exceed / excel

- Your opinion is very different from [him / his].
  당신의 견해가 그의 견해와는 다르다.

- The number of male students greatly outnumbers [female / that of female] students.
  남학생의 수가 여학생의 수보다 더 많다.

정답 his / that of female

👍 Two Tips 비교 · 최상급 관용 표현

❶ no more than: 단지 ~밖에 안 되는(=only) ⊖
  - I have no more than $10. 나는 단지 10불 밖에 없다.

❷ no less than: ~나 되는 ⊕
  - I have no less than $10. 나는 10불이나 가지고 있다.

❸ not more than: 기껏해야, 고작(=at most, at best) ⊖
  - I have not more than $10. 나는 기껏해야 10불 밖에 없다.

❹ not less than: 최소한(=at least) ⊕
  - I have not less than $10. 나는 최소한 10불은 가지고 있다.

❺ no more A than B = not A any more than B: A가 아닌 것처럼 B도 아니다(= A B 둘 다 아니다 (부정))
  - Mary had no more ability for math than Jane had.
    = Mary did not have any more ability than Jane had.
    Mary나 Jane 둘 다 수학적 능력이 없었다.

❻ no less A than B(=as A as B): A인 것처럼 B도 마찬가지이다(= A B 둘 다 기다 (긍정))
  - Mary had no less information on him than Jane had.
    = Mary had as information on him as Jane had.
    Mary나 Jane 둘 다 그에 대한 정보를 가지고 있었다.

❼ A is no 비교급 than B: A가 B보다 더 ~한 것도 아니다(= A도 B만큼 ~하지 않다)
  - This car is no cheaper than mine.
    이 자동차가 내 것보다 싸지 않다. → 이 자동차도 내 자동차만큼 비싸다.

❽ not so much A as B: A라기보다는 오히려 B
  - They are not so much enemies as partners. 그들은 적이라기보다는 동반자이다.

❾ A is no more B than C: A가 B가 아닌 것은 C가 B가 아닌 것과 같다
  - A whale is no more a fish than a horse is.
    고래가 물고기가 아닌 것은 말이 물고기가 아닌 것과 같다.

참고 A is B what C is to D: A와 B의 관계는 C와 D의 관계와 같다.
  - Reading is to the mind what food is to the body.
    독서와 정신의 관계는 음식과 몸의 관계와 같다.

심화문제

01 다음 밑줄 친 부분 중 어법상 틀린 것은?

> The scientist who argued that Galileo's contribution ① <u>to</u> physics and mathematics was as ② <u>important</u> as ③ <u>Newton</u> was more erudite than ④ <u>anyone</u> else.

02 다음 중 어법상 옳은 것은?

① You are two years senior to him.
② He prefers reading than writing a poem.
③ I always put little sugar into tea than into coffee.
④ She got better grades than any student in her class.

03 다음 밑줄 친 부분 중 어법상 틀린 것은?

> Younger students ① <u>who had participated</u> in the survey ② <u>sponsored</u> by a weekly magazine turned out to be ③ <u>less</u> concerned about the serious problems of homeless people than the older students ④ <u>did</u>.

정답 및 해설

01 해설 ③ 비교 대상은 Galileo's contribution(공헌)과 Newton's contribution(공헌)이 되어야 하므로 Newton은 that of Newton 또는 Newton's(이중 소유격)로 고쳐 써야 한다.
① contribution 다음 전치사 to의 사용은 어법상 적절하다.
② as ~ as 동등비교는 원급을 사용해야 하므로 important의 사용은 어법상 옳다.
④ 비교급 than anyone else 구문을 묻고 있다. 따라서 anyone의 사용은 어법상 적절하다.

해석 물리학과 수학에 대한 갈릴레오의 기여가 뉴턴의 기여만큼 중요하다고 주장했던 그 과학자는 어떤 다른 사람들보다 박식했다.

02 해설 ① 라틴어원 형용사 senior는 전치사 to와 함께 사용해야 하므로 어법상 옳다.
② 'prefer A to B' 구문을 묻고 있다. 따라서 than을 to로 고쳐 써야 한다.
③ than이 있으므로 원급 little을 비교급 less로 고쳐 써야 한다.
④ '비교급 than any other + 단수명사' 구조를 묻고 있다. 따라서 any 다음에 other가 필요하다.

해석 ① 당신은 그보다 두 살 더 위다.
② 그는 시를 쓰기보다는 읽는 것을 더 선호한다.
③ 나는 항상 커피보다 차에 설탕을 덜 넣는다.
④ 그녀는 반에서 어떤 다른 학생보다 더 좋은 점수를 받았다.

03 해설 ④ 대동사 did는 be concerned의 be동사를 대신해야 하므로 대동사 did를 were로 고쳐 써야 한다.
① 판명된 것보다 참여한 것이 먼저이기 때문에 과거완료시제 had participated의 사용은 어법상 옳고 또한 participate in이 구동사이므로 능동의 형태 역시 어법상 적절하다.
② 자릿값에 의해 준동사 자리이고 sponsored 뒤에 목적어가 없으므로 수동의 형태는 어법상 옳다.
③ 뒤에 than이 있으므로 less의 사용은 어법상 적절하다.

해석 주간지의 후원을 받은 조사에 참여했던 어린 학생들은 나이가 많은 학생들보다 심각한 노숙자 문제에 관하여 덜 걱정하고 있는 것으로 밝혀졌다.

어휘

01
contribution 기여, 공헌
physics 물리학
erudite 박식한

02
grade 등급; 학년; 성적, 점수

03
participate in ~에 참여하다
survey 조사
sponsor (금전적으로) 후원하다
weekly 매주의, 주 1회의
turn out 판명되다
concerned 걱정하는; 관심이 있는
serious ① 심각한 ② 진지한

정답 01 ③ 02 ① 03 ④

PART · 04

04 다음 중 어법상 옳은 것은?

① His ability is much inferior to her.

② American culture is very different from Korea.

③ Much more crowded the shopping mall was than usual.

④ Of magnesium and plutonium, the latter is the heavier than the former.

05 다음 우리말을 영어로 옮긴 것이 적절하지 않은 것은?

① 자동차가 빠르면 빠를수록 운전하기는 더욱 더 어렵다.

→ The faster the car is, the more it is dangerous to drive.

② 판사가 엄격하면 할수록 선고는 더욱 더 가혹해진다.

→ The more severe the judge, the harsher the sentence.

③ 자동차가 최첨단일수록 그 모델은 더욱 더 비싸진다.

→ The more high-tech is the car, the more expensive is the model.

④ Mary가 그 문제에 대해서 덜 관심을 가질수록 그녀는 더욱더 느긋해질 것이다.

→ The less concerned with the problem Mary is, the more leisurely she will feel.

06 다음 중 어법상 가장 적절한 것은?

① There is a great deal of food that you have as many as you want.

② There were few people at this meeting than at the last one.

③ I prefer to watch TV rather than go to a ball park.

④ This mountain is the highest at this point.

정답 및 해설

04 해설 ④ of the two 또는 of A and B 구문에서는 비교급 앞에 정관사 the를 붙여야 하므로 어법상 적절하다.

① 비교급 강조부사 much의 사용과 라틴어원 비교급 inferior 다음 전치사 to의 사용은 모두 어법상 적절하지만 비교 대상이 his ability와 her ability이므로 her는 hers로 고쳐 써야 한다.

② 비교 대상이 미국의 문화와 한국의 문화이기 때문에 Korea를 that of Korea로 고쳐 써야 한다.

③ 비교급 more ~ than의 사용은 어법상 적절하지만 형용사 보어(crowded)를 강조를 목적으로 문두에 위치시킬 때 주어 + 동사는 도치되어야 하므로 the shopping mall was는 was the shopping mall로 고쳐 써야 한다.

해석 ① 그의 능력은 그녀의 능력보다 훨씬 더 열등하다.
② 미국 문화는 한국의 문화와는 매우 다르다.
③ 평상시보다 쇼핑몰이 훨씬 더 붐볐다.
④ 마그네슘과 플루토늄 사이에서 후자가 전자보다 더 무게가 나간다.

04
inferior 열등한
crowded 혼잡한, 붐비는
the latter 후자(↔ the former 전자)

05 해설 ① The + 비교급 ~, the + 비교급 ~ 구문에서 more와 dangerous를 분리시킬 수 없으므로 the more it is dangerous는 the more dangerous it is로 고쳐 써야 한다.

② The + 비교급 ~, the + 비교급 ~ 구문에서 be동사는 생략 가능하므로 어법상 적절하다.

③ The + 비교급 ~, the + 비교급 ~ 구문에서 '주어 + be동사'의 도치는 어법상 옳다.

④ The less concerned ~, the more leisurely는 어법상 적절하고 2형식 감각동사 feel이 있으므로 형용사 leisurely의 사용 역시 어법상 적절하다.

05
severe ① 엄격한 ② 심각한
judge 판사
harsh 가혹한, 냉혹한
sentence ① (형의) 선고 ② (형을) 선고하다
high-tech 최첨단(의)
leisurely 한가한, 느긋한

06 해설 ③ prefer to ⓥ rather than (to) ⓥ 구조를 묻고 있다. 따라서 이 문장은 어법상 적절하다.

① a great deal of 다음 단수명사 food의 사용은 어법상 옳지만 문맥상 many는 단수명사 food와 연결되어야 하므로 many는 much로 고쳐 써야 한다.

② than은 비교 구문과 함께 사용되어야 하므로 few는 fewer로 고쳐 써야 한다.

④ 동일물에서의 최상급은 정관사 the가 필요 없으므로 최상급 highest 앞에 the를 없애야 한다.

해석 ① 당신이 원하는 만큼 먹을 수 있는 많은 음식이 있다.
② 지난 회의 때보다 이번 회의에 사람들이 더 적었다.
③ 나는 야구장에 가는 것보다 텔레비전을 보는 것을 더 선호한다.
④ 이 산은 이 지점이 가장 높다.

06
a great deal of 많은
crowdedly 혼잡하게
usual 보통의, 흔한
ball park 야구장

정답 **04** ④ **05** ① **06** ③

07 다음 중 우리말을 영어로 옮긴 것 중 가장 적절한 것은?

① 2002년 이후에 한국 축구팀은 세계적으로 유명해졌다.

→ Posterior than the year 2002, Korean soccer team became famous around the world.

② 다른 것보다 덜 우등하거나 더 열등한 문화란 없다.

→ There is no culture that is less superior or more inferior to others.

③ 그들이 발견한 것은 보물섬이라기보다는 쓰레기장이었다.

→ What they found was not so much a dumpster as a treasure island.

④ 나는 그 음식에 대해 그들보다 세 배 더 많은 돈을 지불했다.

→ I paid three times as much money for the meal as they did.

08 우리말을 영어로 잘못 옮긴 것을 고르시오.   2022. 국가직 9급

① 우리가 영어를 단시간에 배우는 것은 결코 쉬운 일이 아니다.

→ It is by no means easy for us to learn English in a short time.

② 우리 인생에서 시간보다 더 소중한 것은 없다.

→ Nothing is more precious as time in our life.

③ 아이들은 길을 건널 때 아무리 조심해도 지나치지 않다.

→ Children cannot be too careful when crossing the street.

④ 그녀는 남들이 말하는 것을 쉽게 믿는다.

→ She easily believes what others say.

정답 및 해설

07 해설 ④ 배수사 as~as 구문을 묻고 있다. 따라서 three times as much money as는 어법상 적절하고 앞에 동사가 paid이므로 대동사 did의 사용 역시 어법상 옳다.

① 라틴어원 비교급 posterior는 than 대신 전치사 to를 사용해야 하므로 than을 to로 고쳐 써야 한다.

② 라틴어원 비교급 superior와 inferior는 단어 자체에 비교의 의미가 있기 때문에 more나 less와 함께 사용할 수 없으므로 more와 less를 없애야 한다.

③ 말장난(순서장난) 문제이다. not so much A as B는 'A라기 보다는 오히려 B'의 의미이므로 우리말과 영어문장의 A와 B의 순서가 바뀌었기 때문에 적절한 영작이 될 수 없다.

07
posterior to ~ 이후에
not so much A as B A라기 보다는 오히려 B
dumpster 쓰레기장
treasure 보물

08 해설 ② 비교구문에서 우등/열등비교와 동등비교는 함께 사용할 수 없으므로 more를 as(so)로 고쳐 쓰든지 아니면 as를 than으로 고쳐 써야 한다.

① never를 의미하는 by no means의 사용과 'it is 형용사 for A to ⓥ'구문의 사용 모두 어법상 옳다.

③ 조동사의 관용적 용법인 cannot ~ too(아무리 ~ 해도 지나치지 않다)의 사용과 접속사 when 다음 주어 + be동사가 생략된 구조(주절의 주어와 when절의 주어가 같다) 역시 어법상 적절하다.

④ believe의 목적어 역할을 하는 관계사 what(what 다음 불완전한 문장이 이어진다)절의 사용은 어법상 옳다.

09 **어법상 옳은 것은?** 2020. 국가직 9급

① The traffic of a big city is busier than those of a small city.

② I'll think of you when I'll be lying on the beach next week.

③ Raisins were once an expensive food, and only the wealth ate them.

④ The intensity of a color is related to how much gray the color contains.

10 **밑줄 친 부분 중 어법상 가장 옳지 않은 것은?** 2019. 서울시 9급

There is a more serious problem than ① <u>maintaining</u> the cities. As people become more comfortable working alone, they may become ② <u>less</u> social. It's ③ <u>easier</u> to stay home in comfortable exercise clothes or a bathrobe than ④ <u>getting</u> dressed for yet another business meeting!

정답 및 해설

09 해설 ④ 주어와 동사의 수 일치 그리고 be related to의 사용 모두 어법상 옳고 간접의문문의 어순 [의문사 how much gray(여기서 how much gray는 의문사인 동시에 contain의 목적어 역할을 한다)]과 주어(the color)와 동사(contains)의 수 일치 역시 어법상 적절하다.
① 비교대상의 명사 반복을 피하기 위해 지시대명사를 사용한 것은 어법상 적절하지만 문맥상 traffic(단수명사)을 비교하는 것이므로 복수대명사 those는 단수대명사 that으로 고쳐 써야 한다.
② 시조부는 현미(시간이나 조건의 부사절에서는 현재가 미래를 대신한다)를 묻고 있다. 따라서 when절의 미래시제 will be는 am으로 고쳐 써야 한다.
③ '정관사 the + 형용사'는 복수명사(주로 사람들)를 나타내는데 이 문장에서는 정관사 the 다음에 명사가 위치하므로 어법상 적절하지 않다. 따라서 문맥상 명사 wealth는 형용사 wealthy로 고쳐 써야 한다.

해석 ① 대도시의 교통은 작은 도시의 그것보다 더 혼잡하다.
② 다음 주 해변에 누워 있으면 당신이 생각날 것이다.
③ 건포도는 한때 비싼 음식이었고 오직 부자들만 그것을 먹었다.
④ 색의 강도는 얼마나 많은 회색이 그 색에 포함되었는가와 관계가 있다.

09
traffic 교통(량)
raisin 건포도
wealth 부
*wealthy 부유한
intensity 강도, 세기
be related to ~와 관계가 있다
contain 포함하다

10 해설 ④ 비교대상의 병렬구조를 묻고 있다. getting과 비교대상을 이루는 to stay는 서로 다른 품사이므로 getting은 to get으로 고쳐 써야 한다. 참고로 명사와 동명사는 같은 품사로 규정하지만 to부정사와 동명사는 같은 품사로 규정하지 않는다.
① 자릿값에 의해 준동사 자리이고 뒤에 목적어 the cities가 있으므로 능동의 형태는 어법상 적절하다.
② more comfortable과 대비를 이루는 less social의 사용은 어법상 옳다. 참고로 social의 비교급은 형용사 뒤에 -er을 붙이지 않고 more나 less를 사용해야 한다.
③ than 앞에 비교급 easier의 사용은 어법상 적절하다.

해석 그 도시들을 유지하는 것보다 더 심각한 문제가 있다. 사람들이 혼자 일하는 것이 더 편해지면서, 그들은 덜 사교적이게 될 수도 있다. 또 다른 업무 회의를 위해 정장을 차려 입는 것보다 편한 운동복이나 목욕가운을 입고 집에 있는 것이 더 쉽다!

11 다음 우리말을 영어로 잘못 옮긴 것은?   2018. 국가직 9급

① 그 연사는 자기 생각을 청중에게 전달하는 데 능숙하지 않았다.

→ The speaker was not good at getting his ideas across to the audience.

② 서울의 교통 체증은 세계 어느 도시보다 심각하다.

→ The traffic jams in Seoul are more serious than those in any other city in the world.

③ 네가 말하고 있는 사람과 시선을 마주치는 것은 서양 국가에서 중요하다.

→ Making eye contact with the person you are speaking to is important in western countries.

④ 그는 사람들이 생각했던 만큼 인색하지 않았다는 것이 드러났다.

→ It turns out that he was not so stingier as he was thought to be.

12 다음 중 우리말을 영어로 잘못 옮긴 것을 고르시오.   2017. 지방직 9급

① 나는 매달 두세 번 그에게 전화하기로 규칙을 세웠다.

→ I made it a rule to call him two or three times a month.

② 그는 나의 팔을 붙잡고 도움을 요청했다.

→ He grabbed me by the arm and asked for help.

③ 폭우로 인해 그 강은 120cm 상승했다.

→ Owing to the heavy rain, the river has risen by 120cm.

④ 나는 눈 오는 날 밖에 나가는 것보다 집에 있는 것을 더 좋아한다.

→ I prefer to staying home than to going out on a snowy day.

정답 및 해설

11 해설 ④ 'as(so)＋원급＋as' 동등비교구문을 묻고 있다. 따라서 비교급 stingier는 stingy로 고쳐 써야 한다.

① be good at＋명사/ⓥ-ing 구문과 구동사 get across의 사용은 어법상 적절하다.

② 비교대상의 명사는 반복해서 사용하지 않으므로 traffic jams를 대신하는 those의 사용은 어법상 적절하고 또한 '비교급＋than any other＋단수명사' 구문 역시 어법상 옳다.

③ 동명사 주어 making(단수 취급)의 동사 is의 사용은 어법상 적절하고 person 다음 목적격 관계대명사 who(m)이 생략된 구조 역시 어법상 옳다. 또한 speak는 1형식 동사이므로 전치사 to의 사용 역시 어법상 적절하다.

11
get A across A를 전달하다, 이해시키다
be good at ~에 능숙하다
traffic jam 교통 체증
turn out ~라고 판명되다, 밝혀지다
stingy 인색한

12 해설 ④ prefer A(명사 또는 ⓥ-ing) to B(명사 또는 동명사) 구문을 묻고 있다. 따라서 than을 to로 고쳐 써야 하고 또한 staying과 going 앞에 전치사 to를 없애야 한다. 참고로, A와 B자리에 to ⓥ를 사용하려면 prefer to ⓥ rather than to ⓥ 구문을 사용해야 하므로 than 앞에 rather를 사용해서 staying과 going을 각각 stay와 go로 바꿔 쓸 수 있다.

① 'make ＋ it (가목적어) ＋ a rule(O.C) ＋ to call(진목적어)' 구문을 묻고 있다. 따라서 적절한 영작이 된다.

② '접촉 / 보다 동사 ＋ 목적어 ＋ 전치사 ＋ 정관사 the ＋ 신체일부' 구문을 묻고 있다. 따라서 grab me by the arm은 어법상 적절하고 또한 and 다음 asked와 grabbed가 병렬을 이루므로 이 역시 어법상 옳다.

③ 전치사 owing to 다음 명사 heavy rain의 사용은 어법상 적절하고 rise는 자동사이므로 능동의 형태 역시 어법상 옳다.

12
grab 잡다, 쥐다
ask for 요청하다
owing to ~때문에
prefer A to B B보다 A를 더 선호하다

정답 **11** ④ **12** ④

13 **우리말을 영어로 잘못 옮긴 것은?** 2017. 지방직 9급

① 예산은 처음 기대했던 것보다 약 25퍼센트 더 높다.

→ The budget is about 25% higher than originally expecting.

② 시스템 업그레이드를 위해 해야 될 많은 일이 있다.

→ There is a lot of work to be done for the system upgrade.

③ 그 프로젝트를 완성하는 데 최소 한 달, 어쩌면 더 긴 시간이 걸릴 것이다.

→ It will take at least a month, maybe longer to complete the project.

④ 월급을 두 배 받는 그 부서장이 책임을 져야 한다.

→ The head of the department, who receives twice the salary, has to take responsibility.

14 **다음 어법상 옳은 것은?** 2016. 국가직 9급

① Jessica is a much careless person who makes little effort to improve her knowledge.

② But he will come or not is not certain.

③ The police demanded that she not leave the country for the time being.

④ The more a hotel is expensiver, the better its service is.

정답 및 해설

13 **해설** ① 자릿값에 의해 expecting은 준동사 자리이고 뒤에 목적어가 없으므로 능동의 형태는 어법상 적절하지 않다. 따라서 현재분사 expecting은 과거분사 expected로 고쳐 써야 한다.

② 부분주어 a lot of 다음 단수명사가 있으므로 단수동사 is의 사용은 어법상 옳고 to be done 다음 목적어가 없으므로 수동의 형태 역시 어법상 적절하다.

③ 가주어 / 진주어 (to ⓥ)구문과 at least(적어도, 최소한)의 사용 모두 어법상 적절하다.

④ 문맥상 who의 선행사가 head(우두머리)이므로 관계대명사 who의 사용은 어법상 적절하고 주어가 단수명사(head)이므로 단수동사 receives의 사용 역시 어법상 옳다. 또한 한정사 double(= twice) 다음 정관사 the+명사의 어순도 어법상 적절하다.

14 **해설** ③ 주요명제동사 demand 다음 that절에는 반드시 조동사 should를 사용해야 하므로 동사원형 leave의 사용은 어법상 적절하다.

① much는 비교급 강조 부사로서 원급을 강조할 때에는 much 대신 very를 사용해야 한다. 따라서 much는 very로 고쳐 써야 한다.

② 연결사 없이 동사 2개를 사용할 수 없으므로 But 대신 접속사 Whether를 사용해야 한다.

④ The+비교급 ~, the+비교급 구문을 묻고 있다. 이미 앞에 more가 있으므로 또 다른 비교급 expensiver의 사용은 어법상 적절하지 않다. 따라서 expensiver는 원급 expensive으로 고쳐 써야 한다.

해석 ① Jessica는 자신의 지식을 향상시키는 데 거의 노력을 하지 않는 경솔한 사람이다.
② 그가 올지 안 올지는 확실하지 않다.
③ 경찰은 그녀가 당분간 고국을 떠나지 않기를 요청했다.
④ 호텔이 비싸면 비쌀수록 서비스는 더 좋다.

13 budget 예산 / about 대략, 약 / expect 기대하다 / at least 적어도, 최소한 / complete 완성하다 / head 우두머리, 장(長) / salary 월급, 봉급 / take responsibility 책임지다

14 careless 부주의한 / make an effort 노력하다 / improve 향상시키다 / knowledge 지식 / demand 요구하다

15 다음 우리말을 영어로 옮긴 것 중 가장 어색한 것은?

2015. 지방직 9급

① 제인은 보기만큼 젊지 않다.

→ Jane is not as young as she looks.

② 전화하는 것이 편지 쓰는 것보다 더 쉽다.

→ It's easier to make a phone call than to write a letter.

③ 너는 나보다 돈이 많다.

→ You have more money than I.

④ 당신 아들 머리는 당신 머리와 같은 색깔이다.

→ Your son's hair is the same color as you.

16 다음 우리말을 영어로 잘못 옮긴 것은?

2013. 국가직 9급

① 나이가 들어가면 들어갈수록 그만큼 더 외국어 공부하기가 어려워진다.

→ The older you grow, the more difficult it becomes to learn a foreign language.

② 우리가 가지고 있는 학식이란 기껏해야 우리가 모르고 있는 것과 비교할 때 지극히 작은 것이다.

→ The learning and knowledge that we have is at the least but little compared with that of which we are ignorant.

③ 인생의 비밀은 좋아하는 것을 하는 것이 아니라 해야 할 것을 좋아하도록 시도하는 것이다.

→ The secret of life is not to do what one likes, but to try to like what one has to do.

④ 그들은 지구상에서 진화한 가장 큰 동물인데, 공룡보다 훨씬 크다.

→ They are the largest animals ever to evolve on Earth, larger by far than the dinosaurs.

어휘

15 해설 ④ the same ~ as 동등비교 구문을 묻고 있다. 이 문장에서 비교대상은 아들과 당신이 아니라 아들의 머리 색깔과 당신의 머리 색깔이므로 you를 yours로 고쳐 써야 한다.
① as ~ as 동등비교 구문을 묻고 있다. 동등비교 구문에서는 as ~ as 사이에 형용사 원급이 와야 하므로 원급 young의 사용은 어법상 적절하다.
② 비교대상의 병렬구조를 묻고 있다. 문맥상 to make a phone call과 to write a letter이 병렬을 이루고 있으므로 어법상 옳다.
③ 비교대상의 병렬구조를 묻고 있다. 비교대상이 You와 I이고 둘 다 주격으로 사용되었으므로 어법상 적절하다.

16 해설 ② '기껏해야, 고작'의 영어 표현은 at most(best)이다. 따라서 at the least는 at most(best)로 고쳐 써야 한다.
① 'the+비교급~, the+비교급 …' 구문으로 grow와 become은 모두 2형식 동사이므로 형용사보어 역할을 하는 older와 more difficult의 사용은 어법상 적절하다.
③ 상관접속사 not A but B 구문에서 A와 B는 병렬을 이루어야 하므로 to do와 to try의 사용은 어법상 옳다.
④ by far가 비교급을 강조할 때에는 후치수식 구조를 필요로 하므로 larger 뒤에 by far의 사용은 어법상 옳다.

16
foreign language 외국어
learning and knowledge 학식
ignorant 무지한
evolve 진화하다

김세현

주요 약력

- 현 남부행정고시학원 영어 강사
- Eastern Michigan University 대학원 졸
- TESOL(영어교수법) 전공
- 전 EBS 영어 강사
- 전 Megastudy/Etoos/Skyedu 영어 강사
- 전 에듀윌 영어 강사

주요 저서

종합서
- 박문각 김세현 영어 기본서
- 박문각 김세현 영어 문법 줄세우기
- 박문각 김세현 영어 단원별 기출문제
- 박문각 김세현 영어 실전 400제
- 박문각 김세현 영어 파이널 모의고사
- 에듀윌 기본서
- 에듀윌 기출문제분석
- 에듀윌 심화문제풀이
- EBS 완전 소중한 영문법
- EBS 이것이 진짜 리딩스킬이다

역서
- Longman 출판사 Reading Power 번역
- Longman 출판서 TOEIC/TOEFL 번역

김세현
영어

#1 문법

초판 인쇄 | 2023. 7. 5.   **초판 발행** | 2023. 7. 10.   **편저** | 김세현
발행인 | 박 용   **발행처** | (주)박문각출판   **등록** | 2015년 4월 29일 제2015-000104호
주소 | 06654 서울시 서초구 효령로 283 서경 B/D 4층   **팩스** | (02)584-2927
전화 | 교재 문의 (02)6466-7202

저자와의
협의하에
인지생략

정가 40,000원(1·2권 포함)
ISBN 979-11-6987-350-5   ISBN 979-11-6987-349-9(세트)